RUBÉN DARÍO

POESÍAS COMPLETAS

TOMO II

Darío, Rubén
    Poesías completas. Tomo II - 3ª ed. - Buenos Aires: Claridad, 2005
    v.3, 384 p.; 22x14 cm.

    ISBN 950-620-162-5

    1. Poesía. I. Título
    CDD N861

Diseño de tapa: Eduardo Ruiz

Obra completa - ISBN 950-620-160-9

ISBN 950-620-162-5

Distribuidores exclusivos: Editorial Heliasta S.R.L.
Viamonte 1750, 1er. Piso (C1055ABH), Bs. As., Argentina
Tel. 4371-5546 Fax (54-11) 4375-1659

http://www.heliasta.com
e-mail=editorial@heliasta.com.ar

Se terminó de imprimir en
ARTES GRÁFICAS PISCIS S.R.L.,
Junín 845, (C1113AAA)
Buenos Aires, Argentina.
Mes de enero de 2005.

RUBÉN DARÍO

POESÍAS COMPLETAS

TOMO II

Claridad

PRÓLOGO

Desde niño, Félix Rubén García Sarmiento, manifestó un talento excepcional en el manejo del lenguaje: aprendió a leer a los tres años y lo hacía con avidez.

Escribió sus primeros versos a los diez años y a los doce publicó algunos poemas como "La fe" y "Una lágrima". A los catorce ya escribía para el periódico *La Verdad* de León, y fue a esa misma edad cuando Félix Rubén García Sarmiento Darío se convirtió simplemente en Rubén Darío.

A la cabeza del modernismo, este poeta no tardó en conquistar la admiración de sus contemporáneos por su experimentación con el ritmo y las imágenes, la sonoridad y la música de la poesía.

La inseguridad que le produjo siempre su precaria posición social no se manifestó nunca en su actitud frente a la literatura. Darío se sabía innovador, precursor, un revolucionario del lenguaje. Le gustaba experimentar, explicar y promover su filosofía sobre la creación poética; filosofía que seguiría evolucionando continuamente a lo largo de su vida.

Mucho se ha hablado de los nombres que influyeron en la escritura de Rubén Darío, colaborando de una u otra forma a elaborar su estética. Sin embargo, quien lea atentamente toda la producción anterior a *Azul*, habrá de advertir que Rubén Darío se anticipó a sí mismo. Varios pasajes de su obra adolescente y juvenil pronostican la estética fulgurante de *Prosas Profanas* y de *Cantos de Vida y Esperanza*, y también esa melancólica visión del mundo, típica de sus últimas composiciones. Y todo esto acontece mucho antes de que el poeta nicaragüense viaje a Europa y se empape de las tendencias simbolistas, decadentes y parnasianas de fin de siglo.

Por haber adelantado lo mejor de sí, de su poesía madura en plena juventud, Darío se nos presenta como el más precoz de los poetas americanos.

La "Marcha Triunfal", por citar uno de los tantos ejemplos que la obra de este autor nos ofrece, está considerada como una de las más peculiares muestras de la estética rubendariana, escrita en Buenos Aires en el año 1895, tiene un antecedente no sólo en el "Himno de Guerra" del propio Darío, compuesto diez años antes, sino en numerosos pasajes épicos y descriptivos anteriores a *Azul*.

Si se hiciera un balance de la obra poética de Darío reconoceríamos cuánto contiene de materia francesa, española, italiana e inglesa, en ese orden. Sin embargo, la esencia es dariana, es decir, americana.

A través de su extensa producción, desde *Azul* hasta lo que muchos consideran su obra maestra, *Cantos de vida y esperanza*, Darío dejó una importante y decisiva huella que marcó la literatura en castellano en ambos lados del Atlántico.

Numerosos poetas se han convertido en fieles admiradores de este autor y le han agradecido por haber abierto nuevas puertas al revitalizar y liberar la poesía.

Nuestra edición quiere rendir homenaje a este "paisano americano" y darlo a conocer mediante su poesía, cumpliendo de esta manera con su profecía: llegar a las muchedumbres.

8

CANTOS DE VIDA
Y ESPERANZA

(1905)

A Nicaragua.
A la República Argentina.

En *Cantos de Vida y Esperanza,* el terruño, en la remota Nicaragua, adquiere límites continentales, hace suya a España en la fe católica, el heroísmo y el idioma, y también hace suya a la estirpe multiplicada y bautizada por los legionarios romanos...

Jorge Max Rohde

El *Canto a la Argentina* es, por su alta inspiración, obra suprema y un homenaje del eximio poeta a la nación más grande de la América española.

Francisco Contreras

Primer fruto auténtico y vigoroso de la originalidad cultural de Hispanoamérica.

No padeció jamás el arresto iconoclasta a que se refirió Oscar Wilde, el de los filisteos de la historia teológica, enemigos de la belleza, aquellos que renegaron del milagro bizantino que uniera, por fin, en alto desposorio, al árbol sagrado de los persas con las palmeras de Zoroastro. Abarcó, por el contrario, Darío, en su época, la visión de un arte que uniera el hechizo del romanticismo y los intentos finiseculares con el prestigio clásico. Su genio y su obra se encumbran sobre las generaciones, los ismos, las capillas y las escuelas.

José Antuña

"R. D. Poeta Americano". (*La Nación,* 2-III-64).

*aminorar– slow down,
reduce*

PREFACIO

Podría repetir aquí más de un concepto de las palabras liminares de *Prosas profanas*. Mi respeto por la aristocracia del pensamiento, por la nobleza del Arte, siempre es el mismo. Mi antiguo aborrecimiento a la mediocridad, a la mulatez intelectual, a la chatura estética, apenas si se aminora hoy con una razonada indiferencia.

El movimiento de libertad que me tocó iniciar en América se propagó hasta España, y tanto aquí como allá el triunfo está logrado. Aunque respecto a la técnica tuviese demasiado que decir en el país en donde la expresión poética está anquilosada, a punto de que la momificación del ritmo ha llegado a ser un artículo de fe, no haré sino una corta advertencia. En todos los países cultos de Europa se ha usado del hexámetro absolutamente clásico, sin que la mayoría letrada y, sobre todo, la minoría leída, se asustasen de semejante manera de cantar. En Italia ha mucho tiempo, sin citar antiguos, que Carducci ha autorizado los hexámetros; en inglés, no me atrevería casi a indicar, por respeto a la cultura de mis lectores, que la *Evangelina*, de Longfellow, está en los mismos versos en que Horacio dijo sus mejores pensares. En cuanto al verso libre moderno..., ¿no es verdaderamente singular que en esta tierra de Quevedos y Góngoras los únicos innovadores del instrumento lírico, los únicos libertadores del ritmo, hayan sido los poetas del *Madrid Cómico* y los libretistas del género chico?

Hago esta advertencia porque la forma es lo que primeramente toca a las muchedumbres. Yo no soy un poeta para las muchedumbres. Pero sé que indefectiblemente tengo que ir a ellas.

Cuando dije que mi poesía era *mía, en mí*, sostuve la primera condición de mi existir, sin pretensión ninguna de causar sectarismo en mente o voluntad ajena, y en un intenso amor a lo absoluto de la belleza.

Al seguir la vida que Dios me ha concedido tener, he buscado expresarme lo más noble y altamente en mi comprensión; voy diciendo mi verso con una modestia tan orgullosa, que solamente las espigas comprenden, y cultivo, entre otras flores, una rosa rosada, concreción de alba, capullo de porvenir, entre el bullicio de la literatura.

Si en estos cantos hay política, es porque aparece universal. Y si encontráis versos a un presidente, es porque son un clamor continental. Mañana podremos ser yanquis, y es lo más probable; de todas maneras, mi protesta queda escrita sobre las alas de los inmaculados cisnes, tan ilustres como Júpiter.

R. D.

3

CANTOS DE VIDA Y ESPERANZA

A J. Enrique Rodó.

tórtola - turtledove

I

Yo soy aquel que ayer no más decía
el verso azul y la canción profana,
en cuya noche un ruiseñor había
que era alondra de luz por la mañana.

El dueño fui de mi jardín de sueño,
lleno de rosas y de cisnes vagos;
el dueño de las tórtolas, el dueño
de góndolas y liras en los lagos;

y muy siglo diez y ocho y muy antiguo,
y muy moderno; audaz, cosmopolita;
con Hugo fuerte y con Verlaine ambiguo,
y una sed de ilusiones infinita.

Yo supe de dolor desde mi infancia;
mi juventud... ¿fue juventud la mía?,
sus rosas aún me dejan su fragancia,
una fragancia de melancolía...

Potro sin freno se lanzó mi instinto,
mi juventud montó potro sin freno;
iba embriagada y con puñal al cinto;
si no cayó, fue porque Dios es bueno.

En mi jardín se vio una estatua bella;
se juzgó mármol y era carne viva;
una alma joven habitaba en ella,
sentimental, sensible, sensitiva.

Y tímida ante el mundo, de manera
que, encerrada en silencio, no salía
sino cuando en la dulce primavera
era la hora de la melodía...

Hora de ocaso y de discreto beso;
hora crepuscular y de retiro;
hora de madrigal y de embeleso,
de "te adoro", de "¡ay!" y de suspiro.

Y entonces era en la dulzaina un juego
de misteriosas gamas cristalinas,
un renovar de notas del Pan griego
y un desgranar de músicas latinas,

5

con aire tal y con ardor tan vivo,
que a la estatua nacían de repente
en el muslo viril patas de chivo,
y dos cuernos de sátiro en la frente.

Como la Galatea gongorina
me encantó la marquesa verleniana,
y así juntaba a la pasión divina
una sensual hiperestesia humana;
todo ansia, todo ardor, sensación pura
y vigor natural: y sin falsía,
y sin comedia y sin literatura...
si hay un alma sincera, ésa es la mía.

La torre de marfil tentó mi anhelo:
quise encerrarme dentro de mí mismo,
y tuve hambre de espacio y sed de cielo
desde las sombras de mi propio abismo.

Como la esponja que la sal satura
en el jugo del mar, fue el dulce y tierno
corazón mío, henchido de amargura
por el mundo, la carne y el infierno.

Mas, por gracia de Dios, en mi conciencia
el Bien supo elegir la mejor parte:
y si hubo áspera hiel en mi existencia,
melificó toda acritud el Arte.

Mi intelecto libré de pensar bajo,
bañó el agua castalia el alma mía,
peregrinó mi corazón y trajo
de la sagrada selva la armonía.

¡Oh la selva sagrada! ¡Oh la profunda
emanación del corazón divino
de la sagrada selva! ¡Oh la fecunda
fuente cuya virtud vence el destino!

Bosque ideal que lo real complica,
allí el cuerpo arde y vive y Psiquis vuela;
mientras abajo el sátiro fornica,
ebria de azul deslíe Filomela

perla de ensueño y música amorosa
en la cúpula en flor del laurel verde,
Hipsipila sutil liba en la rosa
y la boca del fauno el pezón muerde.

Allí va el dios en celo tras la hembra
y la caña de Pan se alza del lodo:
la eterna vida sus semillas siembra,
y brota la armonía del gran Todo.

6

El alma que entra allí debe ir desnuda,
temblando de deseo y fiebre santa,
sobre cardo heridor y espina aguda:
así sueña, así vibra y así canta.

Vida, luz y verdad, tal triple llama
produce la interior llama infinita;
el Arte puro como Cristo exclama:
Egeo sum lux et veritas et vita!

Y la vida es misterio; la luz ciega
y la verdad inaccesible asombra;
la adusta perfección jamás se entrega,
y el secreto ideal duerme en la sombra.

Por eso ser sincero es ser potente;
de desnuda que está, brilla la estrella;
el agua dice el alma de la fuente
en la voz de cristal que fluye d'ella.

Tal fue mi intento, hacer del alma pura
mía, una estrella, una fuente sonora,
con el horror de la literatura
y loco de crepúsculo y de aurora.

Del crepúsculo azul que da la pauta
que los celestes éxtasis inspira,
bruma y tono menor —¡toda la flauta!,
y Aurora, hija del Sol —¡toda la lira!

Pasó una piedra que lanzó una honda;
pasó una flecha que aguzó un violento.
La piedra de la honda fue a la onda,
y la flecha del odio fuése al viento.

La virtud está en ser tranquilo y fuerte;
con el fuego interior todo se abrasa;
se triunfa del rencor y de la muerte,
y hacia Belén... ¡la caravana pasa!

II

SALUTACIÓN DEL OPTIMISTA

Ínclitas razas ubérrimas, sangre de Hispania fecunda,
espíritus fraternos, luminosas almas, ¡salve!
Porque llega el momento en que habrán de cantar nuevos himnos
lenguas de gloria. Un vasto rumor llena los ámbitos;
mágicas ondas de vida van renaciendo de pronto;
retrocede el olvido, retrocede engañada la muerte,
se anuncia un reino nuevo, feliz sibila sueña,
y en la caja pandórica de que tantas desgracias surgieron

7

encontramos de súbito, talismánica, pura, riente,
cual pudiera decirla en sus versos Virgilio divino,
la divina reina de luz, ¡la celeste Esperanza!
Pálidas indolencias, desconfianzas fatales que a tumba
o a perpetuo presidio condenasteis al noble entusiasmo,
ya veréis el salir del sol en un triunfo de liras,
mientras dos continentes, abonados de huesos gloriosos,
del Hércules antiguo la gran sombra soberbia evocando,
digan al orbe: la alta virtud resucita,
que a la hispana progenie hizo dueña de siglos.

Abominad la boca que predice desgracias eternas,
abominad los ojos que ven sólo zodíacos funestos,
abominad las manos que apedrean las ruinas ilustres
o que la tea empuñan o la daga suicida.
Siéntense sordos ímpetus en las entrañas del mundo,
la inminencia de algo fatal hoy conmueve la tierra;
fuertes colosos caen, se desbandan bicéfalas águilas,
y algo se inicia como vasto social cataclismo
sobre la faz del orbe. ¿Quién dirá que las savias dormidas
no despiertan entonces en el tronco del roble gigante
bajo el cual se exprimió la ubre de la loba romana?
¿Quién será el pusilánime que al vigor español niegue músculos
y que al alma española juzgue áptera y ciega y tullida?
No es Babilonia ni Nínive enterrada en olvido y en polvo
ni entre momias y piedras, reina que habita el sepulcro,
la nación generosa, coronada de orgullo inmarchito,
que hacia el lado del alba fija las miradas ansiosas,
ni la que tras los mares en que yace sepulta la Atlántida
tiene su coro de vástagos, altos, robustos y fuertes.
Únanse, brillen, secúndense, tantos vigores dispersos;
formen todos un solo haz de energía ecuménica.
Sangre de Hispania fecunda, sólidas, ínclitas razas,
muestren los dones pretéritos que fueron antaño su triunfo.
Vuelva el antiguo entusiasmo, vuelva el espíritu ardiente
que regará lenguas de fuego en esa epifanía.
Juntas las testas ancianas ceñidas de líricos lauros
y las cabezas jóvenes que la alta Minerva decora,
así los manes heroicos de los primitivos abuelos,
de los egregios padres que abrieron el surco pristino,
sientan los soplos agrarios de primaverales retornos
y el rumor de espigas que inició la labor triptolémica.
Un continente y otro renovando las viejas prosapias,
en espíritu unidos, en espíritu y ansias y lengua,
ven llegar el momento en que habrán de cantar nuevos himnos.

La latina estirpe verá la gran alba futura:
en un trueno de música gloriosa, millones de labios
saludarán la espléndida luz que vendrá del Oriente,
Oriente augusto, en donde todo lo cambia y renueva
la eternidad de Dios, la actividad infinita.
Y así sea Esperanza la visión permanente en nosotros.
¡Ínclitas razas ubérrimas, sangre de Hispania fecunda!

III

AL REY OSCAR*

> Le Roi de Suède et de Norvège, après
> avoir visité Saint-Jean-de Luz, s'est
> rendu à Hendaye et à Fonterrabie.
> En arrivant sur le sol espagnol, il a
> crié! "Vive l'Espagne!"
>
> (*Le Figaro*, mars 1899).

Así, Sire, en el aire de la Francia nos llega
la paloma de plata de Suecia y de Noruega,
que trae en vez de olivo una rosa de fuego.
Un búcaro latino, un noble vaso griego
recibirá el regalo del país de la nieve.
Que a los reinos boreales el patrio viento lleve
otra rosa de sangre y de luz españolas;
pues sobre la sublime hermandad de las olas,
al brotar tu palabra, un saludo le envía
al sol de medianoche el sol de Mediodía.
Si Segismundo siente pesar, Hamlet se inquieta.
El Norte ama las palmas y se junta el poeta
del fiord con el del Carmen, porque el mismo oriflama
es de azur. Su divina cornucopia derrama,
sobre el polo y el trópico, la Paz; y el orbe gira
en un ritmo uniforme por una propia lira:
el Amor. Allá surge Sigurd que al Cid se aúna,
cerca de Dulcinea brilla el rayo de luna,
y la musa de Bécquer del ensueño es esclava
bajo un celeste palio de luz escandinava.
Sire de ojos azules, gracias: por los laureles
de cien bravos vestidos de honor; por los claveles
de la tierra andaluza y la Alhambra del moro:
por la sangre solar de una raza de oro;
por la armadura antigua y el yelmo de la gesta;

*Escrita en España, en 1899.

por las lanzas que fueron una vasta floresta
de gloria y que pasaron Pirineos y Andes;
por Lepanto y Otumba, por el Perú, por Flandes;
por Isabel que cree, por Cristóbal que sueña
y Velázquez que pinta y Cortés que domeña,
por el país sagrado en que Herakles afianza
sus macizas columnas de fuerza y esperanza.
mientras Pan trae el ritmo con la egregia siringa
que no hay trueno que apague ni tempestad que extinga;
por el león simbólico y la Cruz, gracias, Sire.

¡Mientras el mundo aliente, mientras la esfera gire,
mientras la onda cordial alimente un ensueño,
mientras haya una viva pasión, un noble empeño,
un buscado imposible, una imposible hazaña,
una América oculta que hallar, vivirá España!

¡Y pues tras la tormenta vienes, de peregrino
real, a la morada que entristeció el destino,
la morada que viste luto sus puertas abra
al purpúreo y ardiente vibrar de tu palabra:
y que sonría, oh rey Oscar, por un instante,
y tiemble en la flor áurea el más puro brillante
para quien sobre brillos de corona y de nombre,
con labios de monarca lanzó un grito de hombre!

IV

LOS TRES REYES MAGOS

—Yo soy Gaspar. Aquí traigo el incienso.
Vengo a decir: La vida es pura y bella.
Existe Dios. El amor es inmenso.
¡Todo lo sé por la divina Estrella!
—Yo soy Melchor. Mi mirra aroma todo.
Existe Dios. Él es la luz del día.
La blanca flor tiene sus pies en lodo.
¡Y en el placer hay la melancolía!
—Yo soy Baltasar. Traigo el oro. Aseguro
que existe Dios. Él es el grande y fuerte.
Todo lo sé por el lucero puro
que brilla en la diadema de la Muerte.
—Gaspar, Melchor y Baltasar, callaos.
Triunfa el amor, y a su fiesta os convida.
¡Cristo resurge, hace la luz del caos
y tiene la corona de la Vida!

V

CYRANO EN ESPAÑA*

He aquí que Cyrano de Bergerac traspasa
de un salto el Pirineo. Cyrano está en su casa.
¿No es en España, acaso, la sangre vino y fuego?
Al gran Gascón saluda y abraza el gran manchego.
¿No se hacen en España los más bellos castillos?
Roxanas encarnaron con rosas los Murillos,
y la hoja toledana que aquí Quevedo empuña
conócenla los bravos cadetes de Gascuña.
Cyrano hizo su viaje a la Luna; mas, antes,
ya el divino lunático de don Miguel Cervantes
pasaba entre las dulces estrellas de su sueño
jinete en el sublime pegaso Clavileño.
Y Cyrano ha leído la maravilla escrita,
y al pronunciar el nombre de Quijote, se quita
Bergerac el sombrero: Cyrano Balazote
siente que es lengua suya la lengua del Quijote.
Y la nariz heroica del Gascón se diría
que husmea los dorados vinos de Andalucía.
Y la espada francesa, por él desenvainada,
brilla bien en la tierra de la capa y la espada.
¡Bien venido, Cyrano de Bergerac! Castilla
te da tu idioma, y tu alma, como tu espada, brilla
al sol que allá en sus tiempos no se ocultó en España.
Tu nariz y penacho no están en tierra extraña,
pues vienes a la tierra de la Caballería.
Eres el noble huésped de Calderón. María
Roxana te demuestra que lucha la fragancia
de las rosas de España con las rosas de Francia;
y sus supremas gracias, y sus sonrisas únicas,
y sus miradas, astros que visten negras túnicas,
y la lira que vibra en su lengua sonora
te dan una Roxana de España, encantadora.
¡Oh poeta! ¡Oh celeste poeta de la facha
grotesca! Bravo y noble y sin miedo y sin tacha,
príncipe de locuras, de sueños y de rimas,
tu penacho es hermano de las más altas cimas,
del nido de tu pecho una alondra se lanza;
un hada es tu madrina, y es la Desesperanza;
y en medio de la selva del duelo y del olvido
las nueve musas vendan tu corazón herido.

*Escrita en Madrid, en 1899.

¿Allá en la Luna hallaste algún mágico prado
donde vaga el espíritu de Pierrot desolado?
¿Viste el palacio blanco de los locos del Arte?
¿Fue acaso la gran sombra de Píndaro a encontrarte?
¿Contemplaste la mancha roja que entre las rocas
albas forma el castillo de las Vírgenes locas?
¿Y en un jardín fantástico de misteriosas flores
no oíste al melodioso Rey de los ruiseñores?
No juzguéis mi curiosa demanda inoportuna,
pues todas esas cosas existen en la Luna.
¡Bien venido, Cyrano de Bergerac! Cyrano
de Bergerac, cadete y amante y castellano
que trae los recuerdos que Durandal abona
al país en que aún brillan las luces de Tizona.
El Arte es el glorioso vencedor. Es el Arte
el que vence el espacio y el tiempo; su estandarte,
pueblos, es del espíritu el azul oriflama.
¿Qué elegido no corre si su trompeta llama?
Y a través de los siglos se contestan, oíd:
la Canción de Rolando y la Gesta del Cid.
Cyrano va marchando, poeta y caballero,
al redoblar sonoro del grave Romancero.
Su penacho soberbio tiene nuestra aureola.
Son sus espuelas finas de fábrica española.
Y cuando en su balada Rostand teje el envío,
creeríase a Quevedo rimando un desafío.
¡Bien venido, Cyrano de Bergerac! No seca
el tiempo el lauro; el viejo Corral de la Pacheca
recibe al generoso embajador del fuerte
Molière. En copa gala Tirso su vino vierte.
Nosotros exprimimos las uvas de Champaña
para beber por Francia y en un cristal de España.

VI

SALUTACIÓN A LEONARDO

Maestro: Pomona levanta su cesto. Tu estirpe
saluda la aurora. ¡Tu aurora! Que extirpe
de la indiferencia la mancha; que gaste
la dura cadena de siglos; que aplaste
al sapo la piedra de su honda.

Sonrisa más dulce no sabe Gioconda.
El verso su ala y el ritmo su onda
hermanan en una

12

dulzura de luna
que suave resbala
(el ritmo de la onda y el verso del ala
del mágico Cisne, sobre la laguna)
sobre la laguna.
   Y así, soberano maestro
del estro,
las vagas figuras
del sueño se encarnan en líneas tan puras
que el sueño
recibe la sangre del mundo mortal,
y Psiquis consigue su empeño
de ser advertida a través del terrestre cristal.
(Los bufones
que hacen sonreír a Monna Lisa
saben canciones
que ha tiempo en los bosques de Grecia decía la risa
de la brisa).
   Pasa su Eminencia,
como flor o pecado en su traje
rojo;
como flor o pecado, o conciencia
de sutil monseñor que a su paje
mira con vago recelo o enojo.
Nápoles deja a la abeja de oro
hacer su miel
en su fiesta de azul; y el sonoro
bandolín y el laurel
nos anuncia Florencia.
Maestro, si allá en Roma
quema el sol de Segor y Sodoma
la amarga ciencia
de purpúreas banderas, tu gesto
las palmas nos da redimidas,
bajo los arcos
de tu genio: San Marcos
y Partenón de luces y líneas y vidas.
(Tus bufones
que hacen la risa
de Monna Lisa
saben tan antiguas canciones).
   Los leones de Asuero
junto al trono para recibirte,
mientras sonríe el divino Monarca;
pero
hallarás la sirte,

la sirte para tu barca,
con tu Gioconda.. .
La onda
y el viento
saben la tempestad para tu cargamento.
 ¡Maestro!
Pero tú en cabalgar y domar fuiste diestro,
pasiones e ilusiones:
a unas con el freno, a otras con el cabestro
las domaste, cebras o leones.
Y en la selva del sol, prisionera
tuviste la fiera
de la luz; y esa loca fue casta
cuando dijiste: "Basta".
Seis meses maceraste tu Ester en tus aromas.
De tus techos reales volaron las palomas.
 Por tu cetro y tu gracia sensitiva,
por tu copa de oro en que sueñan las rosas,
en mi ciudad, que es tu cautiva,
tengo un jardín de mármol y de piedras preciosas
que custodia una esfinge viva.

VII

PEGASO

 Cuando iba yo a montar ese caballo rudo
y tembloroso, dije: "La vida es pura y bella".
Entre sus cejas vivas vi brillar una estrella.
El cielo estaba azul, y yo estaba desnudo.
 Sobre mi frente Apolo hizo brillar su escudo
y de Belerofonte logré seguir la huella.
Toda cima es ilustre si Pegaso la sella,
y yo, fuerte, he subido donde Pegaso pudo.
 Yo soy el caballero de la humana energía,
yo soy el que presenta su cabeza triunfante
coronada con el laurel del Rey del día;
 domador del corcel de cascos de diamante,
voy en un gran volar, con la aurora por guía,
adelante en el vasto azur, ¡siempre adelante!

VIII

A ROOSEVELT

Es con voz de la Biblia o verso de Walt Whitman,
que habría que llegar hasta ti, Cazador.
Primitivo y moderno, sencillo y complicado,
con un algo de Washington y cuatro de Nemrod.
Eres los Estados Unidos,
eres el futuro invasor
de la América ingenua que tiene sangre indígena,
que aún reza a Jesucristo y aún habla en español.
Eres soberbio y fuerte ejemplar de tu raza;
eres culto, eres hábil; te opones a Tolstoi.
Y domando caballos o asesinando tigres,
eres un Alejandro-Nabucodonosor.
(Eres un profesor de Energía,
como dicen los locos de hoy).
Crees que la vida es incendio,
que el progreso es erupción,
que en donde pones la bala
el porvenir pones... pones.
                    No.

noción equivocada, errada del progreso

Los Estados Unidos son potentes y grandes.
Cuando ellos se estremecen hay un hondo temblor
que pasa por las vértebras enormes de los Andes.
Si clamáis, se oye como el rugir del león.
Ya Hugo a Grant lo dijo: las estrellas son vuestras.
(Apenas brilla, alzándose, el argentino sol
y la estrella chilena se levanta...) Sois ricos.
Juntáis al culto de Hércules el culto de Mammón;
y alumbrando el camino de la fácil conquista,
la Libertad levanta su antorcha en Nueva York.
Mas la América nuestra, que tenía poetas
desde los viejos tiempos de Netzahualcoyotl,
que ha guardado las huellas de los pies del gran Baco,
que el alfabeto pánico en un tiempo aprendió;
que consultó los astros, que conoció la Atlántida
cuyo nombre nos llega resonando en Platón,
que desde los remotos momentos de su vida
vive de luz, de fuego, de perfume, de amor,
la América del grande Moctezuma, del inca,
la América fragante de Cristóbal Colón,
la América católica, la América española,
la América en que dijo el noble Guatemoc:

"Yo no estoy en un lecho de rosas"; esa América
que tiembla de huracanes y que vive de amor,
hombres de ojos sajones y alma bárbara, vive.
Y sueña. Y ama, y vibra, y es la hija del Sol.
Tened cuidado. ¡Vive la América española!
Hay mil cachorros sueltos del León Español.
Se necesitaría, Roosevelt, ser, por Dios mismo,
el Riflero terrible y el fuerte Cazador,
para poder tenernos en vuestras férreas garras.

Y, pues contáis con todo, falta una cosa: ¡Dios!

IX

   ¡Torres de Dios! ¡Poetas!
¡Pararrayos celestes,
que resistís las duras tempestades,
como crestas agrestes,
rompeolas de las eternidades!
   La mágica esperanza anuncia un día
en que sobre la roca de armonía
expirará la pérfida sirena.
¡Esperad, esperemos todavía!
   Esperad todavía.
El bestial elemento se solaza
en el odio a la sacra poesía
y se arroja baldón de raza a raza.
La insurrección de abajo
tiende a los Excelentes.
El caníbal codicia su tasajo
con roja encía y afilados dientes.
   Torres, poned al pabellón sonrisa.
Poned ante ese mal y ese recelo
una soberbia insinuación de brisa
y una tranquilidad de mar y cielo...

X

CANTO DE ESPERANZA

   Un gran vuelo de cuervos mancha el azul celeste.
Un soplo milenario trae amagos de peste.
Se asesinan los hombres en el extremo Este.
   ¿Ha nacido el apocalíptico Anticristo?
Se han sabido presagios, y prodigios se han visto
y parece inminente el retorno de Cristo.

16

La tierra está preñada de dolor tan profundo
que el soñador, imperial meditabundo,
sufre con las angustias del corazón del mundo.
    Verdugos de ideales afligieron la tierra,
en un pozo de sombra la humanidad se encierra
con los rudos molosos del odio y de la guerra.
    ¡Oh, Señor Jesucristo!, ¿por qué tardas, qué esperas
para tender tu mano de luz sobre las fieras
y hacer brillar al sol tus divinas banderas?
    Surge de pronto y vierte la esencia de la vida
sobre tanta alma loca, triste o empedernida,
que, amante de tinieblas, tu dulce aurora olvida.
    Ven, Señor, para hacer la gloria de ti mismo,
ven, con temblor de estrellas y horror de cataclismo,
ven a traer amor y paz sobre el abismo.
    Y tu caballo blanco, que miró el visionario,
pase. Y suene el divino clarín extraordinario.
Mi corazón será brasa de tu incensario.

XI

    Mientras tenéis, ¡oh negros corazones!,
conciliábulos de odio y de miseria,
el órgano de amor riega sus sones.
Cantan. Oíd: "La vida es dulce y seria".
    Para ti, pensador meditabundo,
pálido de sentirte tan divino,
es más hostil la parte agria del mundo.
Pero tu carne es pan, tu sangre es vino.
    Dejad pasar la noche de la cena
— ¡oh Shakespeare pobre, y oh Cervantes manco!—
y la pasión del vulgo que condena.
Un gran Apocalipsis horas futuras llena.
¡Ya surgirá vuestro Pegaso blanco!

XII

HELIOS

    ¡Oh ruido divino!
¡Oh rüido sonoro!
Lanzó la alondra matinal el trino,
y sobre ese preludio cristalino,
los caballos de oro
de que el Hiperionida

lleva la rienda asida,
al trotar forman música armoniosa,
un argentino trueno,
y en el azul sereno
con sus cascos de fuego dejan huellas de rosa.
Adelante, ¡oh cochero
celeste!, sobre Osa
y Pelión, sobre Titania viva.
Atrás se queda el trémulo matutino lucero,
y el universo el verso de su música activa.
  Pasa ¡oh dominador!, ¡oh conductor del carro
de la mágica ciencia! Pasa, pasa, ¡oh bizarro
manejados de la fatal cuadriga
que al pisar sobre el viento
despierta el instrumento
sacro! Tiemblan las cumbres
de los montes más altos
que en sus rítmicos saltos
tocó Pegaso. Giran muchedumbres
de águilas bajo el vuelo
de tu poder fecundo,
y si hay algo que iguale la alegría del cielo.
es el gozo que enciende las entrañas del mundo.
  ¡Helios!, tu triunfo es ése,
pese a las sombras, pese
a la noche, y al miedo, y a la lívida Envidia.
Tú pasas, y la sombra, y el daño, y la desidia,
y la negra pereza, hermana de la muerte,
y el alacrán del odio que su ponzoña vierte,
y Satán todo, emperador de las tinieblas,
se hunden, caen. Y haces el alba rosa, y pueblas
de amor y de virtud las humanas conciencias,
riegas todas las artes, brindas todas las ciencias;
los castillos de duelo de la maldad derrumbas,
abres todos los nidos, cierras todas las tumbas.
y sobre los vapores del tenebroso Abismo,
pintas la Aurora, el Oriflama de Dios mismo.
  ¡Helio! Portaestandarte
de Dios, padre del Arte
la paz es imposible, mas el amor eterno.
Danos siempre el anhelo de la vida,
y una chispa sagrada de tu antorcha encendida
con que esquivar podamos la entrada del Infierno.
  Que sientan las naciones
el volar de tu carro; que hallen los corazones

humanos, en el brillo de tu carro, esperanza;
que del alma-Quijote y el cuerpo-Sancho Panza
vuele una psique cierta a la verdad del sueño;
que hallen las ansias grandes de este vivir pequeño
una realización invisible y suprema;
¡Helios! ¡Que no nos mate tu llama, que nos quema!
Gloria hacia ti del corazón de las manzanas,
de los cálices blancos de los lirios,
y del amor que manas
hecho de dulces fuegos y divinos martirios,
y del volcán inmenso,
y del hueso minúsculo,
y del ritmo que pienso,
y del ritmo que vibra en el corpúsculo,
y del Oriente intenso
y de la melodía del crepúsculo.
   ¡Oh ruido divino!
¡Pasa sobre la cruz del palacio que duerme,
y sobre el alma inerme,
de quien no sabe nada. No turbes el destino.
¡Oh rüido sonoro!
El hombre, la nación, el continente, el mundo,
aguardan la virtud de tu carro fecundo,
¡cochero azul que riges los caballos de oro!

XIII

"SPES"

   Jesús, incomparable perdonador de injurias,
óyeme: Sembrador de trigo, dame el tierno
pan de tus hostias; dame, contra el sañudo infierno,
una gracia lustral de iras y lujurias.
Dime que este espantoso horror de la agonía
que me obsede, es no más de mi culpa nefanda,
que al morir hallaré la luz de un nuevo día
y que entonces oiré mi "¡Levántate y anda!"

XIV

MARCHA TRIUNFAL

   ¡Ya viene el cortejo!
¡Ya viene el cortejo! Ya se oyen los claros clarines.
La espada se anuncia con vivo reflejo;
ya viene, oro y hierro, el cortejo de los paladines.

Ya pasa, debajo los arcos ornados de blancas Minervas y Martes,
los arcos triunfales en donde las Famas erigen sus largas trompetas,
la gloria solemne de los estandartes,
llevados por manos robustas de heroicos atletas.
Se escucha el rüido que forman las armas de los caballeros,
los frenos que mascan los fuertes caballos de guerra,
los cascos que hieren la tierra,
y los timbaleros
que el paso acompasan con ritmos marciales.
¡Tal pasan los fieros guerreros
debajo los arcos triunfales!
Los claros clarines de pronto levantan sus sones,
su canto sonoro,
su cálido coro,
que envuelve en un trueno de oro
la augusta soberbia de los pabellones.
Él dice la lucha, la herida venganza,
las ásperas crines,
los rudos penachos, la pica, la lanza,
la sangre que riega de heroicos carmines
la tierra;
los negros mastines
que azuza la muerte, que rige la guerra.
Los áureos sonidos
anuncian el advenimiento
triunfal de la gloria;
dejando el picacho que guarda sus nidos,
tendiendo sus alas enormes al viento
los cóndores llegan. ¡Llegó la Victoria!
Ya pasa el cortejo.
Señala el abuelo los héroes al niño:
—ved cómo la barba del viejo
los bucles de oro circunda de armiño—.
Las bellas mujeres aprestan coronas de flores,
y bajo los pórticos vense sus rostros de rosa;
y la más hermosa
sonríe al más fiero de los vencedores.
¡Honor al que trae cautiva la extraña bandera;
honor al herido y honor a los fieles
soldadas que muerte encontraron por mano extranjera!
¡Clarines! ¡Laureles!
Las nobles espadas de tiempos gloriosos,
desde sus panoplias saludan las nuevas coronas y lauros:
—las viejas espadas de los granaderos, más fuertes que osos,
hermanos de aquellos lanceros que fueron centauros—.

Las trompas guerreras resuenan;
de voces los aires se llenan...
A aquellas antiguas espadas,
a aquellos ilustres aceros,
que encarnan las glorias pasadas...
¡Y al sol que hoy alumbra las nuevas victorias ganadas,
y al héroe que guía su grupo de jóvenes fieros,
al que ama la insignia del suelo materno,
al que ha desafiado, ceñido el acero y el arma en la mano,
los soles del rojo verano,
las nieves y vientos del gélido invierno,
la noche, la escarcha
y el odio y la muerte, por ser por la patria inmortal,
saludan con voces de bronce las trompas de guerra que tocan la marcha
triunfal!...

LOS CISNES

A Juan R. Jiménez

I

   ¿Qué signo haces, oh Cisne, con tu encorvado cuello
al paso de los tristes y errantes soñadores?
¿Por qué tan silencioso de ser blanco y ser bello,
tiránico a las aguas e impasible a las flores?

   Yo te saludo ahora como en versos latinos
te saludara antaño Publio Ovidio Nasón.
Los mismos ruiseñores cantan los mismos trinos,
y en diferentes lenguas es la misma canción.

   A vosotros mi lengua no debe ser extraña.
A Garcilaso visteis, acaso, alguna vez...
Soy un hijo de América, soy un nieto de España...
Quevedo pudo hablaros en verso en Aranjuez.

   Cisnes, los abanicos de vuestras alas frescas
den a las frentes pálidas sus caricias más puras,
y alejen vuestras blancas figuras pintorescas
de nuestras mentes tristes las ideas obscuras.

   Brumas septentrionales nos llenan de tristezas,
se mueren nuestras rosas, se agostan nuestras palmas,
casi no hay ilusiones para nuestras cabezas,
y somos los mendigos de nuestras pobres almas.

   Nos predican la guerra con águilas feroces,
gerifaltes de antaño revienen a los puños,
mas no brillan las glorias de las antiguas hoces,
ni hay Rodrigos ni Jaimes, ni hay Alfonsos ni Nuños.

21

Faltos de los alientos que dan las grandes cosas,
¿qué haremos los poetas sino buscar tus lagos?
A falta de laureles son muy dulces las rosas,
y a falta de victorias busquemos los halagos.

La América española como la España entera
fija está en el Oriente de su fatal destino;
yo interrogo a la Esfinge que el porvenir espera
con la interrogación de tu cuello divino.

¿Seremos entregados a los bárbaros fieros?
¿Tantos millones de hombres hablaremos inglés?
¿Ya no hay nobles hidalgos ni bravos caballeros?
¿Callaremos ahora para llorar después?

He lanzado mi grito, Cisnes, entre vosotros,
que habéis sido los fieles en la desilusión,
mientras siento una fuga de americanos potros
y el estertor postrero de un caduco león...

...Y un cisne negro dijo: "La noche anuncia el día".
Y uno blanco: "¡La aurora es inmortal, la aurora
es inmortal!" ¡Oh tierras de sol y de armonía,
aún guarda la esperanza la caja de Pandora!

II

EN LA MUERTE DE RAFAEL NÚÑEZ

Que sais-je?

El pensador llegó a la barca negra;
y le vieron hundirse
en las brumas del lago del Misterio
los ojos de los Cisnes.

Su manto de poeta
reconocieron, los ilustres lises
y el laurel y la espina entremezclados
sobre la frente triste.

A lo lejos alzábanse los muros
de la ciudad teológica, en que vive
la sempiterna Paz. La negra barca
llegó a la ansiada costa, y el sublime
espíritu gozó la suma gracia;
y, ¡oh Montaigne!, Núñez vio la cruz erguirse,
y halló al pie de la sacra Vencedora
el helado cadáver de la Esfinge.

III

Por un momento, ¡oh Cisne!, juntaré mis anhelos
a los de tus dos alas que abrazaron a Leda,
y a mi maduro ensueño, aun vestido de seda,
dirás, por los Dioscuros, la gloria de los cielos.

Es el otoño. Ruedan de la flauta consuelos.
Por un instante, ¡oh Cisne!, en la obscura alameda
sorberé entre los labios lo que el Pudor me veda,
y dejaré mordidos Escrúpulos y Celos.

Cisne, tendré tus alas blancas por un instante,
y el corazón de rosa que hay en tu dulce pecho
palpitará en el mío con su sangre constante.

Amor será dichoso, pues estará vibrante
el júbilo que pone el gran Pan en acecho
mientras su ritmo esconde la fuente de diamante.

IV

¡Antes de todo, gloria a ti, Leda!
Tu dulce vientre cubrió de seda
el Dios. ¡Miel y oro sobre la brisa!
Sonaban alternativamente
flauta y cristales, Pan y la fuente.
¡Tierra era canto; Cielo, sonrisa!

Ante el celeste, supremo acto,
dioses y bestias hicieron pacto.
Se dio a la alondra la luz del día,
se dio a los búhos sabiduría,
y melodía al ruiseñor.
A los leones fue la victoria,
para las águilas toda la gloria,
y a las palomas todo el amor.

Pero vosotros sois los divinos
príncipes. Vagos como las naves,
inmaculados como los linos,
maravillosos como las aves.

En vuestros picos tenéis las prendas,
que manifiestan corales puros.
Con vuestros pechos abrís las sendas
que arriba indican los Dioscuros.

Las dignidades de vuestros actos,
eternizadas en lo infinito,
hacen que sean ritmos exactos,
voces de ensueño, luces de mito.

De orgullo olímpico sois el resumen,
¡oh blancas urnas de la armonía!
Ebúrneas joyas que anima un numen
con su celeste melancolía.

¡Melancolía de haber amado,
junto a la fuente de la arboleda,
el luminoso cuello estirado
entre los blancos muslos de Leda!

OTROS POEMAS

Al doctor Adolfo Altamirano.

I

RETRATOS

1

Don Gil, Don Juan, Don Lope, Don Carlos, Don Rodrigo
¿cúya es esta cabeza soberbia? ¿Esa faz fuerte?
¿Esos ojos de jaspe? ¿Esa barba de trigo?
Éste fue un caballero que persiguió a la Muerte.

Cien veces hizo cosas tan sonoras y grandes,
que de águilas poblaron el campo de su escudo,
y ante su rudo tercio de América o de Flandes
quedó el asombro ciego, quedó el espanto mudo.

La coraza revela fina labor; la espada
tiene la cruz que erige sobre su tumba el miedo;
y bajo el puño firme que da su luz dorada,
se afianza el rayo sólido del yunque de Toledo.

Tiene labios de Borgia, sangrientos labios dignos
de exquisitas calumnias, de rezar oraciones
y de decir blasfemias: rojos labios malignos
florecidos de anécdotas en cien Decamerones.

Y con todo, este hidalgo de un tiempo indefinido,
fue el abad solitario de un ignoto convento,
y dedicó en la muerte sus hechos: ¡*Al olvido!*
y el grito de su vida luciferina: ¡*Al viento!*

2

En la forma cordial de la boca, la fresa
solemniza su púrpura; y en el sutil dibujo
del óvalo del rostro de la blanca abadesa
la pura frente es ángel y el ojo negro es brujo.

Al marfil monacal de esa faz misteriosa
brota una dulce luz de un resplandor interno,

24

que enciende en sus mejillas una celeste rosa
en que su pincelada fatal puso el Infierno.
¡Oh, Sor María! ¡Oh, Sor María! ¡Oh, Sor María!
La mágica mirada y el continente regio,
¿no hicieron en un alma pecaminosa un día
brotar el encendido clavel del sacrilegio?
    Y parece que el hondo mirar cosas dijera,
especiosas y ungidas de miel y de veneno.
(Sor María murió condenada a la hoguera:
dos abejas volaron de las rosas del seno).

II

POR EL INFLUJO DE LA PRIMAVERA

    Sobre el jarrón de cristal
hay flores nuevas. Anoche
hubo una lluvia de besos.
Despertó un fauno bicorne
tras un alma sensitiva.
Dieron su olor muchas flores.
En la pasional siringa
brotaron las siete voces
que en siete carrizos puso
Pan.
    Antiguos ritos paganos
se renovaron. La estrella
de Venus brilló más límpida
y diamantina. Las fresas
del bosque dieron su sangre.
El nido estuvo de fiesta.
Un ensueño florentino
se enfloró de primavera,
de modo que en carne viva
renacieron ansias muertas.
Imaginaos un roble
que diera una rosa fresca;
un buen egipán latino
con una bacante griega
y parisiense. Una música
magnífica. Una suprema
inspiración primitiva,
llena de cosas modernas.
Un vasto orgullo viril
que aroma el *odor di fémina;*
un trono de roca en donde
descansa un lirio.

25

¡Divina Estación! ¡Divina
Estación! Sonríe el alba
más dulcemente. La cola
del pavo real exalta
su prestigio. El sol aumenta
su íntima influencia; y el arpa
de los nervios vibra sola.
¡Oh Primavera sagrada!
¡Oh gozo del don sagrado
de la vida! ¡Oh bella palma
sobre nuestras frentes! ¡Cuello
del cisne! ¡Paloma blanca!
¡Rosa roja! ¡Palio azul!
¡Y todo por ti, oh alma!
Y por ti, cuerpo, y por ti,
Idea, que los enlazas.
¡Y por Ti, lo que buscamos
y no encontraremos nunca,
jamás!

III

LA DULZURA DEL ANGELUS

La dulzura del ángelus matinal y divino
que diluyen ingenuas campanas provinciales,
en un aire inocente a fuerza de rosales,
de plegaria, de ensueño de virgen y de trino
    de ruiseñor, opuesto todo al rudo destino
que no cree en Dios. El áureo ovillo vespertino
que la tarde devana tras opacos cristales
por tejer la inconsútil tela de nuestros males,
    todos hechos de carne y aromados de vino...
Y esta atroz amargura de no gustar de nada,
de no saber adónde dirigir nuestra prora,
    mientras el pobre esquife en la noche cerrada
va en las hostiles olas huérfano de la aurora...
(¡Oh, süaves campanas entre la madrugada!)

IV

TARDE DEL TRÓPICO*

Es la tarde gris y triste.
Viste el mar de terciopelo
y el cielo profundo viste
de duelo.

*Escrita en Chile, en 1886.

26

Del abismo se levanta
la queja amarga y sonora.
La onda, cuando el viento canta,
llora.

Los violines de la bruma
saludan al sol que muere.
Salmodia la blanca espuma:
¡Miserere!

La armonía el cielo inunda,
y la brisa va a llevar
la canción triste y profunda
del mar.

Del clarín del horizonte
brota sinfonía rara,
como si la voz del monte
vibrara.

Cual si fuese lo invisible...
Cual si fuese el rudo son
que diese al viento un terrible
león.

V

NOCTURNO

Quiero expresar mi angustia en versos que abolida
dirán mi juventud de rosas y de ensueños,
y la desfloración amarga de mi vida
por un vasto dolor y cuidados pequeños.

Y el viaje a un vago Oriente por entrevistos barcos,
y el grano de oraciones que floreció en blasfemias,
y los azoramientos del cisne entre los charcos,
y el falso azul nocturno de inquerida bohemia.

Lejano clavicordio que en silencio y olvido
no diste nunca al sueño la sublime sonata,
huérfano esquife, árbol insigne, obscuro nido
que suavizó la noche de dulzura de plata...

Esperanza olorosa a hierbas frescas, trino
del ruiseñor primaveral y matinal,
azucena tronchada por un fatal destino,
rebusca de la dicha; persecución del mal...

El ánfora funesta del divino veneno
que ha de hacer por la vida la tortura interior;
la conciencia espantable de nuestro humano cieno
y el horror de sentirse pasajero, el horror

27

de ir a tientas, en intermitentes espantos,
hacia lo inevitable desconocido, y la
pesadilla brutal de este dormir de llantos
¡de la cual no hay más que Ella que nos despertará!

VI

CANCIÓN DE OTOÑO EN PRIMAVERA

A G. Martínez Sierra

   Juventud, divino tesoro,
¡ya te vas para no volver!
Cuando quiero llorar, no lloro...
y a veces lloro sin querer.
   Plural ha sido la celeste
historia de mi corazón.
Era una dulce niña, en este
mundo de duelo y aflicción.
   Miraba como el alba pura,
sonreía como una flor.
Era su cabellera obscura
hecha de noche y de dolor.
   Yo era tímido como un niño.
Ella, naturalmente, fue,
para mi amor hecho de armiño,
Herodías y Salomé...
   Juventud, divino tesoro,
¡ya te vas para no volver...!
Cuando quiero llorar no lloro,
y a veces lloro sin querer...
   La otra fue más sensitiva,
y más consoladora y más
halagadora y expresiva,
cual no pensé encontrar jamás.
   Pues a su continua ternura
una pasión violenta unía.
En un peplo de gasa pura
una bacante se envolvía...
   En brazos tomó mi ensueño
y lo arrulló como a un bebé...
Y le mató, triste y pequeño,
falto de luz, falto de fe...
   Juventud, divino tesoro,
¡te fuiste para no volver!
Cuando quiero llorar no lloro,
y a veces lloro sin querer...
   Otra juzgó que era mi boca
el estuche de su pasión

y que me roería, loca,
con sus dientes el corazón,
   poniendo en un amor de exceso
la mira de su voluntad,
mientras eran abrazo y beso
síntesis de la eternidad;
   y de nuestra carne ligera
imaginar siempre un Edén,
sin pensar que la Primavera
y la carne acaban, también...
   Juventud, divino tesoro,
¡ya te vas para no volver!
Cuando quiero llorar, no lloro,
¡y a veces lloro sin querer!
   ¡Y las demás!, en tantos climas,
en tantas tierras, siempre son,
si no pretextos de mis rimas,
fantasmas de mi corazón.
   En vano busqué a la princesa
que estaba triste de esperar.
La vida es dura. Amarga y pesa.
¡Ya no hay princesa que cantar!
   Mas a pesar del tiempo terco,
mi sed de amor no tiene fin;
con el cabello gris me acerco
a los rosales del jardín...
   Juventud, divino tesoro,
¡ya te vas para no volver!...
Cuando quiero llorar, no lloro,
y a veces lloro sin querer...
¡Mas es mía el Alba de oro!

VII

TRÉBOL*

1

*De don Luis de Góngora y Argote a
don Diego de Silva Velázquez*

   Mientras el brillo de tu gloria augura
ser en la eternidad sol sin poniente,
fénix de viva luz, fénix ardiente,
diamante parangón de la pintura, .

* Escrito en España, en junio de 1899.

de España está sobre la oeste obscura
tu nombre, como joya reluciente;
rompe la Envidia el fatigado diente,
y el Olvido lamenta su amargura.
    Yo en equívoco altar, tú en sacro fuego,
miro a través de mi penumbra el día
en que al calor de tu amistad, Don Diego,
    jugando de la luz con la armonía,
con la alma luz, de tu pincel el juego
el alma duplicó de la faz mía.

2

*De don Diego de Silva Velázquez
a don Luis de Góngora y Argote*

Alma de oro, fina voz de oro,
al venir hacia mí, ¿por qué suspiras?
Ya empieza el noble coro de las liras
a preludiar el himno a tu decoro;
    ya al misterioso son del noble coro
calma el Centauro sus grotescas iras,
y con nueva pasión que les inspiras
tornan a amarse Angélica y Medoro.
    A Teócrito y Poussin la Fama dote
con la corona de laurel supremo;
que en donde da Cervantes el Quijote
    y yo las telas con mis luces gemo,
para don Luis de Góngora y Argote
traerá una nueva palma Polifemo.

3

En tanto *pace estrellas* el Pegaso divino,
y vela tu hipogrifo, Velázquez, la Fortuna,
en los celestes parques al Cisne gongorino
deshoja sus sutiles margaritas la luna.
    Tu castillo, Velázquez, se eleva en el camino
del Arte como torre que de águilas es cuna,
y tu castillo, Góngora, se alza al azul cual una
jaula de ruiseñores labrada en oro fino.
    Gloriosa la península que abriga tal colonia.
¡Aquí bronce corintio, y allá mármol de Jonia!
Las rosas a Velázquez, y a Góngora claveles.
    De ruiseñores y águilas se pueblan las encinas,
y mientras pasa Angélica sonriendo a las Meninas
salen las nueve musas de un bosque de laureles.

VIII

"CHARITAS"

A Vicente de Paul, nuestro Rey Cristo
con dulce lengua dice:
— Hijo mío, tus labios
dignos son de imprimirse
en la herida que el ciego
en mi costado abrió. Tu amor sublime
tiene sublime premio: asciende y goza
el alto galardón que conseguiste.
El alma de Vicente llega al coro
de los alados Ángeles que al triste
mortal custodian: eran más brillantes
que los celestes astros. Cristo: "Sigue",
dijo al amado espíritu del Santo.
Ve entonces la región en donde existen
los augustos Arcángeles, zodíaco
de diamantina nieve, indestructibles
ejércitos de luz y mensajeras
castas palomas o águilas insignes.
Luego la majestad esplendorosa
del coro de los Príncipes,
que las divinas órdenes realizan
y en el humano espíritu presiden;
el coro de las altas Potestades
que al torrente infernal levantan diques;
el coro de las místicas Virtudes,
las huellas de los mártires
y las intactas manos de las vírgenes;
el coro prestigioso
de las Dominaciones que dirigen
nuestras almas al bien: y el coro excelso
de los Tronos insignes,
que del Eterno el solio,
cariátides de luz indefinible,
sostienen por los siglos de los siglos;
y el coro de Querubes que compite
con la antorcha del sol.
               Por fin, la gloria
del teológico fuego en que se erigen
las llamas vivas de inmortal esencia.
Cristo al Santo bendice
y así penetra el Serafín de Francia
al coro de los ígneos Serafines.

31

IX

NO OBSTANTE...

¡Oh terremoto mental!
Yo sentí un día en mi cráneo
como el caer subitáneo
de una Babel de cristal.

De Pascal miré al abismo,
y vi lo que pudo ver
cuando sintió Baudelaire
"el ala del idiotismo".

Hay, no obstante, que ser fuerte:
pasar todo precipicio
y ser vencedor del Vicio,
de la Locura y la Muerte.

X

El verso sutil que pasa o se posa
sobre la mujer o sobre la rosa,
beso puede ser o ser mariposa.

En la fresca flor el verso sutil;
el triunfo de Amor en el mes de Abril:
Amor, verso y flor, la niña gentil.

Amor y dolor. Halagos y enojos.
Herodías ríe en los labios rojos.
Dos verdugos hay que están en los ojos.

¡Oh, saber amar es saber sufrir,
amar y sufrir, sufrir y sentir,
y el hacha besar que nos ha de herir!...

Rosa de dolor, gracia femenina;
inocencia y luz, corola divina,
y aroma fatal y crüel espina...

Líbranos, Señor, de Abril y la flor,
y del cielo azul, y del ruiseñor,
de dolor y amor, líbranos, Señor.

XI

FILOSOFÍA

Saluda al sol, araña, no seas rencorosa.
Da tus gracias a Dios, oh sapo, pues que eres.
El peludo cangrejo tiene espinas de rosa
y los moluscos reminiscencias de mujeres.

Sabed ser lo que sois, enigmas siendo formas,
dejad la responsabilidad a las Normas,
que a su vez la enviarán al Todopoderoso...
(Toca, grillo, a la luz de la luna y dance el oso).

XII

LEDA

El cisne en la sombra parece de nieve;
su pico es de ámbar, del alba al trasluz;
el suave crepúsculo que pasa tan breve
las cándidas alas sonrosa de luz.

Y luego, en las ondas del lago azulado,
después que la aurora perdió su arrebol,
las alas tendidas y el cuello enarcado,
el cisne es de plata, bañado de sol.

Tal es, cuando esponja las plumas de seda,
olímpico pájaro herido de amor,
y viola en las linfas sonoras a Leda,
buscando su pico los labios en flor.

Suspira la bella desnuda y vencida,
y en tanto que al aire sus quejas se van,
del fondo verdoso de fronda tupida
chispean turbados los ojos de Pan.

XIII

DIVINA PSIQUIS

1

¡Divina Psiquis, dulce mariposa invisible
que desde los abismos has venido a ser todo
lo que en mi ser nervioso y en mi cuerpo sensible
forma la chispa sacra de la estatua de lodo!

Te asomas por mis ojos a la luz de la tierra
y prisionera vives en mí de extraño dueño:
te reducen a esclava mis sentidos en guerra,
y apenas vagas libre por el jardín del sueño.

Sabia de la Lujuria que sabe antiguas ciencias,
te sacudes a veces entre imposibles muros,
y más allá de todas las vulgares conciencias
exploras los recodos más terribles y obscuros.

Y encuentras sombra y duelo. Que sombra y duelo encuentres
bajo la viña en donde nace el vino del Diablo.

33

Te posas en los senos, te posas en los vientres
que hicieron a Juan loco e hicieron cuerdo a Pablo.
   A Juan virgen, y a Pablo militar y violento;
a Juan que nunca supo del supremo contacto;
a Pablo el tempestuoso, que halló a Cristo en el viento,
y a Juan, ante quien Hugo se queda estupefacto.

2

   Entre la catedral y las ruinas paganas
vuelas, ¡oh Psiquis, oh alma mía!
— como decía
aquel celeste Edgardo,
que entró en el paraíso entre un son de campanas
y un perfume de nardo —.
Entre la catedral
y las paganas ruinas
repartes tus dos alas de cristal,
tus dos alas divinas.
Y de la flor
que el ruiseñor
canta en su griego antiguo, de la rosa,
vuelas, ¡oh Mariposa!,
a posarte en un clavo de Nuestro Señor.

XIV

EL SONETO DE TRECE VERSOS

   De una juvenil inocencia,
¡qué conservar, sino el sutil
perfume, esencia de su Abril,
la más maravillosa esencia!
   Por lamentar a mi conciencia
quedó de un sonoro marfil
un cuento que fue de las *Mil
y una noches* de mi existencia...
   Scherezada se entredurmió...
El Visir quedó meditando...
Dinarzada el día olvidó...
Mas el pájaro azul volvió...
Pero...
      No obstante...
        Siempre...
          Cuando...

XV

¡Oh, miseria de toda lucha por lo finito!
Es como el ala de la mariposa
nuestro brazo que deja el pensamiento escrito.
Nuestra infancia vale la rosa,
el relámpago nuestro mirar,
y el ritmo que en el pecho
nuestro corazón mueve,
es un ritmo de onda de mar,
o un caer de copo de nieve,
o el del cantar
del ruiseñor,
que dura lo que dura el perfumar
de su hermana la flor.
¡Oh miseria de toda lucha por lo finito!
El alma que se advierte sencilla y mira clara-
mente la gracia pura de la luz cara a cara,
como el botón de rosa, como la coccinela,
esa alma es la que al fondo del infinito vuela.
El alma que ha olvidado la admiración, que sufre
en la melancolía agria, olorosa a azufre,
de envidiar malamente y duramente, anida
en un nido de topos. Es manca. Está tullida.
¡Oh miseria de toda lucha por lo finito!

XVI

A PHOCÁS EL CAMPESINO

Phocás el campesino, hijo mío, que tienes
en apenas escasos meses de vida, tantos
dolores en tus ojos que esperan tantos llantos
por el fatal pensar que revelan tus sienes...

Tarda en venir a este dolor adonde vienes,
a este mundo terrible en duelos y en espantos;
duerme bajo los Ángeles, sueña bajo los Santos,
que ya tendrás la Vida para que te envenenes...

Sueña, hijo mío, todavía, y cuando crezcas,
perdóname el fatal don de darte la vida
que yo hubiera querido de azul y rosas frescas;

pues tú eres la crisálida de mi alma entristecida,
y te he de ver en medio del triunfo que merezcas
renovando el fulgor de mi psique abolida.

erótica — divino — sensual
= una
dialéctica,
la dualidad

XVII

¡Carne, celeste carne de la mujer! Arcilla
—dijo Hugo—; ambrosía más bien, ¡oh maravilla!
La vida se soporta,
tan doliente y tan corta,
solamente por eso:
roce, mordisco o beso
en ese pan divino
para el cual nuestra sangre es nuestro vino.
En ella está la lira,
en ella está la rosa,
en ella está la ciencia armonïosa,
en ella se respira
el perfume vital de toda cosa.
Eva y Cipris concentran el misterio
del corazón del mundo.
Cuando el áureo Pegaso
en la victoria matinal se lanza
con el mágico ritmo de su paso
hacia la vida y hacia la esperanza,
si alza la crin y las narices hincha
y sobre las montañas pone el casco sonoro
y hacia la mar relincha,
y el espacio se llena
de un gran temblor de oro,
es que ha visto desnuda a Anadiomena.
Gloria, ¡oh Potente a quien las sombras temen!
¡Que las más blancas tórtolas te inmolen,
pues por ti la floresta está en el polen
y el pensamiento en el sagrado semen!
Gloria, ¡oh sublime, que eres la existencia
por quien siempre hay futuros en el útero eterno!
¡Tu boca sabe al fruto del árbol de la Ciencia
y al torcer tus cabellos apagaste el infierno!
Inútil es el grito de la legión cobarde
del interés, inútil el progreso
yankee, si te desdeña.
Si el progreso es de fuego, por ti arde.
¡Toda lucha del hombre va a tu beso,
por ti se combate o se sueña!
Pues en ti existe Primavera para el triste,
labor gozosa para el fuerte,
néctar, ánfora, dulzura amable.
¡Porque en ti existe
el placer de vivir hasta la muerte
y ante la eternidad de lo probable...!

la mujer = recipiente de la belleza

→ donde reside el alma

frente a una angustia insoportable

36

— mujer = único remedio

mujer = recipiente sagrada

forma — el hombre siempre una idea sobre la forma

XVIII

UN SONETO A CERVANTES*

A Ricardo Calvo

Horas de pesadumbre y de tristeza
paso en mi soledad. Pero Cervantes
es buen amigo. Endulza mis instantes
ásperos, y reposa mi cabeza.

Él es la vida y la naturaleza,
regala un yelmo de oros y diamantes
a mis sueños errantes.
Es para mí: suspira, ríe y reza.

Cristiano y amoroso y caballero
parla como un arroyo cristalino.
Así le admiro y quiero,

viendo cómo el destino
hace que regocije al mundo entero
la tristeza inmortal de ser divino.

XIX

MADRIGAL EXALTADO

A Mademoiselle Villagrán

Dies irae, dies illa!
Solvet saeclum in favilla
cuando quema esa pupila!
La tierra se vuelve loca,
el cielo a la tierra invoca
cuando sonríe esa boca.

Tiemblan los lirios tempranos
y los árboles lozanos
al contacto de esas manos.

El bosque se encuentra estrecho
al egipán en acecho
cuando respira ese pecho.

Sobre los senderos es
como una fiesta, después
que se han sentido esos pies,

y el Sol, sultán de orgullosas
rosas, dice a sus hermosas
cuando en primavera están:
¡Rosas, rosas, dadme rosas
para Adela Villagrán!

*Escrito en París, en 1905, probablemente.

XX

MARINA

Mar armonioso,
mar maravilloso:
tu salada fragancia,
tus colores y músicas sonoras
me dan la sensación divina de mi infancia,
en que suaves las horas
venían en un paso de danza reposada
a dejarme un ensueño o regalo de hada.
Mar armonioso,
mar maravilloso,
de arcadas de diamantes que se rompen en vuelos
rítmicos que denuncian algún ímpetu oculto,
espejo de mis vagas ciudades de los cielos,
blanco y azul tumulto
de donde brota un canto
                                    inextinguible:
mar paternal, mar santo:
mi alma siente la influencia de tu alma invisible.
Velas de los Colones
y velas de los Vascos,
hostigadas por odios de ciclones
ante la hostilidad de los peñascos;
o galeras de oro,
velas purpúreas de bajeles
que saludaron el mugir del toro
celeste, con Europa sobre el lomo
que salpicaba la revuelta espuma.
Magnífico y sonoro
se oye en las aguas como
un tropel de tropeles,
¡tropel de los tropeles de tritones!
Brazos salen de la onda, suenan vagas canciones,
brillan piedras preciosas,
mientras en las revueltas extensiones
Venus y el Sol hacen nacer mil rosas.

XXI

CLEOPOMPO Y HELIODEMO

A Vargas Vila

Cleopompo y Heliodemo, cuya filosofía
es idéntica, gustan dialogar bajo el verde
palio del platanar. Allí Cleopompo muerde
la manzana epicúrea y Helïodemo fía
al aire su confianza en la eterna armonía.
Malhaya quien las Parcas inhumano recuerde:
Si una sonora perla de la clepsidra pierde,
no volverá a ofrecerla la mano que la envía.
Una vaca aparece crepuscular. Es hora
en que el grillo en su lira hace halagos a Flora,
y en el azul florece un diamante supremo.
Y en la pupila enorme de la bestia apacible
miran como que rueda en un ritmo invisible
la música del mundo, Cleopompo y Heliodemo.

XXII

"AY, TRISTE DEL QUE UN DÍA..."

¡Ay triste del que un día en su esfinge interior
pone los ojos e interroga! Está perdido.
¡Ay del que pide eurekas al placer o al dolor!
Dos dioses hay, y son: Ignorancia y Olvido.
Lo que el árbol desea decir y dice al viento,
y lo que el animal manifiesta en su instinto,
cristalizamos en palabra y pensamiento.
Nada más que maneras expresan lo distinto.

XXIII

En el país de la Alegorías
Salomé siempre danza,
ante el tiarado Herodes,
eternamente.
Y la cabeza de Juan el Bautista,
ante quien tiemblan los leones,
cae al hachazo. Sangre llueve.
Pues la rosa sexual
al entreabrirse
conmueve todo lo que existe,
con su efluvio carnal
y con su enigma espiritual.

XXIV

AUGURIOS

A E. Díaz Romero

Hoy pasó un águila
sobre mi cabeza;
lleva en sus alas
la tormenta,
lleva en sus garras
el rayo que deslumbra y aterra.
¡Oh águila!
Dame la fortaleza
de sentirme en el lodo humano
con alas y fuerzas
para resistir los embates
de las tempestades perversas,
y de arriba las cóleras
y de abajo las roedoras miserias.
Pasó un búho
sobre mi frente.
Yo pensé en Minerva
y en la noche solemne.
¡Oh búho!
Dame tu silencio perenne,
y tus ojos profundos en la noche
y tu tranquilidad ante la muerte.
Dame tu nocturno imperio
y tu sabiduría celeste,
y tu cabeza cual la de Jano,
que, siendo una, mira a Oriente y Occidente.
Pasó una paloma
que casi rozó con sus alas mis labios.
¡Oh paloma!
Dame tu profundo encanto
de saber arrullar, y tu lascivia
en campo tornasol, y en campo
de luz tu prodigioso
ardor en el divino acto.
(Y dame la justicia en la naturaleza,
pues, en este caso,
tú serás la perversa
y el chivo será el casto).
Pasó un gerifalte. ¡Oh gerifalte!
Dame tus uñas largas
y tus ágiles alas cortadoras de viento,
y tus ágiles patas,
y tus uñas que bien se hunden

en las carnes de la caza.
Por mi cetrería
irás en giras fantásticas,
y me traerás piezas famosas
y raras,
palpitantes ideas,
sangrientas almas.
      Pasa el ruiseñor.
¡Ah divino doctor!
No me des nada. Tengo tu veneno,
tu puesta de sol
y tu noche de luna y tu lira,
y tu lírico amor.
(Sin embargo, en secreto,
tu amigo soy,
pues más de una vez me has brindado
en la copa de mi dolor,
con el elixir de la luna
celestes gotas de Dios...)
      Pasa un murciélago.
Pasa una mosca. Un moscardón.
Una abeja en el crepúsculo.
No pasó nada.
La muerte llegó.

XXV

MELANCOLÍA

A Domingo Bolívar

Hermano, tú que tienes la, luz, dime la mía.
Soy como un ciego. Voy sin rumbo y ando a tientas.
Voy bajo tempestades y tormentas
ciego de ensueño y loco de armonía.

Ése es mi mal. Soñar. La poesía
es la camisa férrea de mil puntas crüentas
que llevo sobre el alma. Las espinas sangrientas
dejan caer las gotas de mi melancolía.

Y así voy, ciego y loco, por este mundo amargo:
a veces me parece que el camino es muy largo,
y a veces que es muy corto...

Y en este titubeo de aliento y agonía,
cargo lleno de penas lo que apenas soporto.
¿No oyes caer las gotas de mi melancolía?

XXVI

¡ALELUYA!

A Manuel Machado

Rosas rosadas y blancas, ramas verdes,
corolas frescas y frescos
ramos. ¡Alegría!
Nidos en los tibios árboles,
huevos en los tibios nidos,
dulzura. ¡Alegría!
El beso de esa muchacha
rubia, y el de esa morena,
y el de esa negra. ¡Alegría !
Y el vientre de esa pequeña
de quince años, y sus brazos
armoniosos. ¡Alegría!
Y el aliento de la selva virgen,
y el de las vírgenes hembras,
y las dulces rimas de la Aurora.
¡Alegría! ¡Alegría! ¡Alegría!

XXVII

DE OTOÑO

Yo sé que hay quienes dicen: ¿Por qué no canta ahora
con aquella locura armoniosa de antaño?
Ésos no ven la obra profunda de la hora,
la labor del minuto y el prodigio del año.
Yo, pobre árbol, produje, al amor de la brisa,
cuando empecé a crecer, un vago y dulce son.
Pasó ya el tiempo de la juvenil sonrisa:
¡Dejad al huracán mover mi corazón!

XXVIII

A GOYA

Poderoso visionario,
raro ingenio temerario,
por ti enciendo mi incensario.
Por ti, cuya gran paleta,
caprichosa, brusca, inquieta,
debe amar todo poeta;
por tus lóbregas visiones,

42

tus blancas irradiaciones,
tus negros y bermellones;
   por tus colores dantescos,
por tus majos pintorescos
y las glorias de tus frescos.
   Porque entra en tu gran tesoro
el diestro que mata al toro,
la niña de rizos de oro.
   Y con el bravo torero,
el infante, el caballero,
la mantilla y el pandero.
   Tu loca mano dibuja
la silueta de la bruja
que en la sombra se arrebuja,
   y aprende una abracadraba
del diablo patas de cabra
que hace una mueca macabra.
   Musa soberbia y confusa,
ángel, espectro, medusa:
tal aparece tu musa.
   Tu pincel asombra, hechiza,
ya en sus claros electriza,
ya en sus sombras sinfoniza;
   con las manolas amables,
los reyes, los miserables,
o los cristos lamentables.
   En tu claroscuro brilla
la luz muerta y amarilla
de la horrenda pesadilla,
   o hace encender tu pincel
los rojos labios de miel
o la sangre del clavel.
   Tienen ojos asesinos
en sus semblantes divinos
tus ángeles femeninos.
   Tu caprichosa alegría
mezclaba la luz del día
con la noche obscura y fría.
   Así es de ver y admirar
tu misteriosa y sin par
pintura crepuscular.
   De lo que da testimonio:
por tus frescos, San Antonio;
por tus brujas, el demonio.

XXIX

CARACOL

A Antonio Machado

En la playa he encontrado un caracol de oro
macizo y recamado de las perlas más finas;
Europa le ha tocado con sus manos divinas
cuando cruzó las ondas sobre el celeste toro.

He llevado a mis labios el caracol sonoro
y he suscitado el eco de las dianas marinas;
le acerqué a mis oídos, y las azules minas
me han contado en voz baja su secreto tesoro.

Así la sal me llega de los vientos amargos
que en sus hinchadas velas sintió la nave Argos
cuando amaron los astros el sueño de Jasón;

y oigo un rumor de olas y un incógnito acento
y un profundo oleaje y un misterioso viento...
(El caracol la forma tiene de un corazón).

XXX

AMO, AMAS...

Amar, amar, amar, amar siempre, con todo
el ser y con la tierra y con el cielo,
con lo claro del sol y lo oscuro del lodo:
amar por toda ciencia y amar por todo anhelo.

Y cuando la montaña de la vida
nos sea dura y larga y alta y llena de abismos,
amar la inmensidad que es de amor encendida
¡y arder en la fusión de nuestros pechos mismos!

XXXI

SONETO AUTUMNAL
AL MARQUÉS DE BRADOMIN

Marqués (como el Divino lo eres), te saludo.
Es el Otoño, y vengo de un Versalles doliente.
Había mucho frío y erraba vulgar gente.
El chorro de agua de Verlaine estaba mudo.

Me quedé pensativo ante un mármol desnudo,
cuando vi una paloma que pasó de repente,
y por caso de cerebración inconsciente
pensé en ti. Toda exégesis en este caso eludo.

Versalles otoñal; una paloma, un lindo

mármol; un vulgo errante, municipal y espeso;
anteriores lecturas de tus sutiles prosas;
    la reciente impresión de tus triunfos... Prescindo
de más detalles para explicarte por eso
cómo, autumnal, te envío este ramo de rosas.

XXXII

NOCTURNO

A Mariano de Cavia

Los que auscultasteis el corazón de la noche,
los que por el insomnio tenaz habéis oído
el cerrar de una puerta, el resonar de un coche
lejano, un eco vago, un ligero rüido...
En los instantes del silencio misterioso,
cuando surgen de su prisión los olvidados,
en la hora de los muertos, en la hora del reposo,
sabréis leer estos versos de amargor impregnados...
Como en un vaso vierto en ellos mis dolores
de lejanos recuerdos y desgracias funestas,
y las tristes nostalgias de mi alma, ebria de flores,
y el duelo de mi corazón, triste de fiestas.
Y el pesar de no ser lo que yo hubiera sido,
la pérdida del reino que estaba para mí,
el pensar que un instante pude no haber nacido,
¡y el sueño que es mi vida desde que yo nací...!
Todo esto viene en medio del silencio profundo
en que la noche envuelve la terrena ilusión,
y siento como un eco del corazón del mundo
que penetra y conmueve mi propio corazón.

XXXIII

URNA VOTIVA

A Lamberti

Sobre el caro despojo esta urna cincelo:
un amable frescor de inmortal siempreviva
que decore la greca de la urna votiva
en la copa que guarda rocío del cielo;
    una alondra fugaz sorprendida en su vuelo
cuando fuese a cantar en la rama de oliva,
una estatua de Diana en la selva nativa
que la Musa Armonía envolviere en su velo.
    Tal, si fuese escultor, con amor cincelara

en el mármol divino que me brinda Carrara,
coronando la obra una lira, una cruz;
y sería mi sueño, al nacer de la aurora,
contemplar en la faz de una niña que llora,
una lágrima llena de amor y de luz.

XXXIV

PROGRAMA MATINAL

¡Claras horas de la mañana
en que mil clarines de oro
dicen la divina diana!
¡Salve al celeste Sol sonoro!
En la angustia de la ignorancia
de lo porvenir, saludemos
la barca llena de fragancia
que tiene de marfil los remos.
Epicúreos o soñadores,
amemos la gloriosa Vida,
siempre coronados de flores
¡y siempre la antorcha encendida!
Exprimamos de los racimos
de nuestra vida transitoria
los placeres por que vivimos
y los champañas de la gloria.
Devanemos de Amor los hilos,
hagamos, porque es bello, el bien,
y después durmamos tranquilos
y por siempre jamás. Amén.

XXXV

IBIS

Cuidadoso estoy siempre ante el Ibis de Ovidio,
enigma humano tan ponzoñoso y suave
que casi no pretende su condición de ave
cuando se ha conquistado sus terrores de ofidio.

XXXVI

THANATOS

En medio del camino de la vida...
dijo Dante. Su verso se convierte:
en medio del camino de la muerte.
Y no hay que aborrecer a la ignorada

emperatriz y reina de la Nada.
Por ella nuestra tela está tejida,
y ella en la copa de los sueños vierte
un contrario nepente: ¡ella no olvida!

XXXVII

OFRENDA

Bandera que aprisiona
el aliento de Abril,
        corona
tu torre de marfil.

Cual princesa encantada,
eres mimada por
        un hada
de rosado color.

Las rosas que tú pises
tu boca han de envidiar;
        los lises
tu pureza estelar.

Carrera de Atalanta
lleva tu dicha en flor;
        y canta
tu nombre un ruiseñor.

Y si meditabunda
sientes pena fugaz,
        inunda
luz celeste tu faz.

Ronsard, lira de Galia,
te daría un rondel;
        Italia
te brindara el pincel,

para que la corona
tuvieses, celestial
        Madona,
en un lienzo inmortal.

Ten al laurel cariño,
hoy, cuando aspiro a que
vaya a ornar tu corpiño
mi rimado *bouquet*.

XXVIII

PROPÓSITO PRIMAVERAL

A Vargas Vila

A saludar me ofrezco y a celebrar me obligo
tu triunfo, Amor, al beso de la estación que llega
mientras el blanco cisne del lago azul navega
en el mágico parque de mis triunfos testigo.

Amor, tu hoz de oro ha segado mi trigo;
por ti me halaga el suave son de la flauta griega,
y por ti Venus pródiga sus manzanas me entrega
y me brinda las perlas de las mieles del higo.

En el erecto término coloco una corona
en que de rosas frescas la púrpura detona;
y en tanto canta el agua bajo el boscaje obscuro,

junto a la adolescente que en el misterio inicio,
apuraré, alternando con tu dulce ejercicio,
las ánforas de oro del divino Epicuro.

XXXIX

LETANÍAS DE NUESTRO SEÑOR DON QUIJOTE

A Navarro Ledesma

Rey de los hidalgos, señor de los tristes,
que de fuerza alientas y de ensueños vistes,
coronado de áureo yelmo de ilusión;
que nadie ha podido vencer todavía,
por la adarga al brazo, toda fantasía,
y la lanza en ristre, toda corazón.

Noble peregrino de los peregrinos,
que santificaste todos los caminos
con el paso augusto de tu heroicidad,
contra las certezas, contra las conciencias,
y contra las leyes y contra las ciencias,
contra la mentira, contra la verdad...

Caballero errante de los caballeros,
barón de varones, príncipe de fieros,
par entre los pares, maestro ¡salud!
¡Salud, porque juzgo que hoy muy poca tienes
entre los aplausos o entre los desdenes,
y entre las coronas y los parabienes
y la tonterías de la multitud!

¡Tú, para quien pocas fueron las victorias
antiguas, y para quien clásicas glorias

48

serían apenas de ley y razón,
soportas elogios, memorias, discursos,
resistes certámenes, tarjetas, concursos,
y, teniendo a Orfeo, tienes a Orfeón!
  Escucha, divino Rolando del sueño,
a un enamorado de tu Clavileño,
y cuyo Pegaso relincha hacia ti;
escucha los versos de estas letanías,
hechas con las cosas de todos los días
y con otras que en lo misterioso vi.
  ¡Ruega por nosotros, hambrientos de vida.
con el alma a tientas, con la fe perdida,
llenos de congojas y faltos de sol,
por advenedizas almas de manga ancha,
que ridiculizan el ser de la Mancha,
el ser generoso y el ser español!
  Ruega por nosotros, que necesitamos
las mágicas rosas, los sublimes ramos
de laurel! Pro nobis ora, gran señor.
(Tiemblan las florestas de laurel del mundo,
y antes que tu hermano vago, Segismundo,
el pálido Hamlet te ofrece una flor).
  Ruega generoso, piadoso, orgulloso;
ruega casto, puro, celeste, animoso;
por nos intercede, suplica por nos,
pues casi ya estamos sin savia, sin brote,
sin alma, sin vida, sin luz, sin Quijote,
sin pies y sin alas, sin Sancho y sin Dios.
  De tantas tristezas, de dolores tantos,
de los superhombres de Nietzsche, de cantos
áfonos, recetas que firma un doctor,
de las epidemias de horribles blasfemias,
de las Academias,
¡líbranos, señor!
  De rudos malsines,
falsos paladines,
y espíritus finos y blandos y ruines,
del hampa que sacia
su canallocracia
con burlar la gloria, la vida, el honor,
del puñal con gracia,
¡líbranos, señor!
  Noble peregrino de los peregrinos,
que santificaste todos los caminos,
con el paso augusto de tu heroicidad,

49

contra las certezas, contra las conciencias,
y contra las leyes y contra las ciencias,
contra la mentira, contra la verdad...
   ¡Ora por nosotros, señor de los tristes,
que de fuerza alientas y de sueños vistes,
coronado de áureo yelmo de ilusión;
que nadie ha podido vencer todavía,
por la adarga al brazo, toda fantasía,
y la lanza en ristre, toda corazón!

ristre-
ready

XL

ALLÁ LEJOS

   Buey que vi en mi niñez echando vaho un día
bajo el nicaragüense sol de encendidos oros,
en la hacienda fecunda, plena de la armonía
del trópico; paloma de los bosques sonoros
del viento, de las hachas, de pájaros y toros
salvajes, yo os saludo, pues sois la vida mía.
   Pesado buey, tú evocas la dulce madrugada
que llamaba a la ordeña de la vaca lechera,
cuando era mi existencia toda blanca y rosada,
y tú, paloma arrulladora y montañera,
significas en mi primavera
pasada todo lo que hay en la divina Primavera.

XLI

LO FATAL

él es consciente de su pecado,

A René Pérez

   Dichoso el árbol que es apenas sensitivo,
y más la piedra dura, porque ésa ya no siente,
pues no hay dolor más grande que el dolor de ser vivo,
ni mayor pesadumbre que la vida consciente.
   Ser, y no saber nada, y ser sin rumbo cierto,
y el temor de haber sido y un futuro terror...
Y el espanto seguro de estar mañana muerto,
y sufrir por la vida y por la sombra y por
   lo que no conocemos y apenas sospechamos,
y la carne que tienta con sus frescos racimos,
y la tumba que aguarda con sus fúnebres ramos,
¡y no saber adónde vamos,
ni de dónde venimos...!

cae hacia abajo, hacia la tumba

crescendo

50

el gran vacío -se hace verdades porque el último verso no termina

en soneto deshecho → falta verso

9

EL CANTO ERRANTE
(1907)

Rubén Darío, surgido al final del simbolismo francés, recibió su marca y marcó con ella el verso castellano; se sitúa en los comienzos de uno de los renacimientos más brillantes de las letras españolas, y al mismo tiempo, se afirma como iniciador y padre de la literatura hispanoamericana... Lo vemos experimentar la influencia de las músicas francesas de la época, sobre todo de la música verlainiana e introducirla en la orquestación del idioma español; modula el idioma español, lo obliga a producir armonías que jamás se hubiesen considerado posibles. Al mismo tiempo, lo que transforma es toda la sensibilidad española, agregándole estremecimientos nuevos, abriéndole los dominios encantados de la melancolía, de los sueños y de la noche... Nos trae imágenes extrañas; ese buey que ha visto en los prados tropicales de su infancia, como un dios bárbaro, nos trae una especie de ritmo y una especie de tristeza y una especie de nostalgia y una loca aspiración al amor que nos son totalmente exóticas. Es este hombre exótico quien, a su vez, nos descubre. Rubén Darío es un Cristóbal Colón al revés.

JEAN CASSOU

(RUBÉN DARÍO, *La Nación,* Buenos Aires, 24 de abril de 1966)

Todo es múltiple, abundante en esta poesía. Toda ella tiene algo de tropical en el sentido de reflejar una orgía de calor, de luz, de colores, de proliferación, de brote ardiente y activo de vida. Es la juventud de las literaturas de América, unida a las influencias físicas del medio, que marcan su sello en los ingenios y trazan rutas a la historia, y es también la pompa y aparato de nuestra lírica, del siglo de oro, vertida a la moderna; un compuesto de elementos personales, de elementos americanos y de elementos españoles.

EDUARDO GÓMEZ DE BAQUERO

(En *Ofrenda de España*)

DILUCIDACIONES

A los nuevos poetas de las Españas

I

El mayor elogio hecho recientemente a la Poesía y a los poetas ha sido expresado en lengua *"anglosajona"* por un hombre insospechable de extraordinarias complacencias con las nueve musas. Un yanqui. Se trata de Teodoro Roosevelt.

Ese Presidente de República juzga a los armoniosos portaliras con mucha mejor voluntad que el filósofo Platón. No solamente los corona de rosas; mas sostiene su utilidad para el Estado y pide para ellos la pública estimación y el reconocimiento nacional. Por esto comprenderéis que el terrible cazador es un varón sensato.

Otros poderosos de la tierra, príncipes, políticos, millonarios, manifiestan una plausible deferencia por el dios cuyo arco es de plata, y por sus sacerdotes o representantes en una tierra cada día más vibrante de automóviles... y de bombas. Hay quienes, equivocados, juzgan en decadencia el noble oficio de rimar y casi desaparecida la consoladora vocación de soñar. Esto no es ocasionado por el *sport*, hoy en creciente auge. Las más ilustres escopetas dejan en paz a los cisnes. La culpa de ese temor, de esa duda sobre la supervivencia de los antiguos ideales, la tiene, entre nosotros, una hora de desencanto que, en la flor de la juventud —hace ya algunos lustros— sufrió un eminente colega —he nombrado a *Gedeón* —, cuando, entre los intelectuales de su cenáculo, presentó la célebre proposición sobre "si la forma poética está llamada a desaparecer". ¡Ah triste profesor de estética, aunque siempre regocijado y poliforme periodista! La forma poética, es decir, la de la rosada rosa, la de la cola del pavo real, la de los lindos ojos y frescos labios de las sabrosas mozas, no desaparece bajo la gracia del sol. Y en cuanto a la que preocupó siempre a líricas dómines, desde el divino Horacio a D. Josef Mamerto Gómez Hermosilla, ella sigue, persiste, se propaga y hasta se revoluciona, con justo escándalo de nuestro venerable maestro Benot, cuya sabiduría respeto y cuya intransigencia hasta deseos me inspira de aplaudir. Aplaudamos siempre lo sincero, lo consciente, y lo apasionado sobre todo.

II

No. La forma poética no está llamada a desaparecer, antes bien a extenderse, a modificarse, a seguir su desenvolvimiento en el eterno ritmo de los siglos. Podrá no haber poetas, pero siempre habrá poesía, dijo uno de los puros. Siempre habrá poesía, y siempre habrá poetas. Lo que siempre faltará será la abundancia de los comprendedores, porque, como excelentemente lo dice el Sr. de Montaigne, y *Azorín*, mi amigo, puede certificarlo, "nous avons bien plus de poëtes que de juges et interprètes de poésie; il est plus aysé de la faire que de la cognoistre". Y agrega : "A certaine mesure basse, on la peult juger par les préceptes et par art: mais la bonne, la suprème, la divine, est au dessus des règles et de la raison".

Quizá porque entre nosotros no es frecuentemente servida la divina, la buena, la suprema, se usa, por lo general, la "mesure basse". Mas no hace sino aumentar el gusto por los conceptos métricos. La alegría tradicional tiene sus representantes en regocijados versificadores, en casi todos los diarios. El órgano serio y grave, el *Temps* madrileño, tiene en su crítico autorizado, en su Gastón Deschamps, vamos al decir, un espíritu jovial que, a pesar de sus tareas trascendentales, no desdeña los entretenimientos de la parodia.

Quedamos, pues, en que la hermandad de los poetas no ha decaído, y aun pudiera renovar algún trecenazgo. Asuntos estéticos acaloran las simpatías y las antipatías. Las violencias o las injusticias provocan naturales reacciones. Los más absurdos propósitos se confunden con generosas campañas de ideas. Mucha parte del público no sabe de lo que se trata, pues los encargados de informarla no desean, en su mayoría, informarse a sí mismos. El diletantismo de otros es poco eficaz en la mediocracia pensante. Una afligente audacia confunde mal aprendidos nombres y mal escuchadas nociones de vivir de tales o cuales centros intelectuales extranjeros. Los nuevos maestros se dedican, más que a luchar en compañía de las nuevas falanges, al cultivo de lo que los teólogos llaman *appetitus inordinatus propiae excellentiae*.

Existe una *élite*, es indudable, como en todas partes, y a ella se debe la conservación de una íntima voluntad de pura belleza, de incontaminado entusiasmo. Mas en ese cuerpo de excelentes he aquí que uno predica lo arbitrario; otro, el orden; otro, la anarquía, y otro aconseja, con ejemplo y doctrina, un sonriente, un amable escepticismo. Todos valen. Mas ¿qué hace este admirable hereje, este jansenista, carne de hoguera, que se vuelve contra un grupo de rimadores de ensueños y de inspiraciones, a propósito de un nombre de instrumento que viene del griego? ¡Cuando, por el amor del griego, se nos debía abrazar! Y ese antaño querido y rústico anfión —natural y fecundo como el chorro de la fuente, como el ruiseñor, como el trigo de la tierra—, ¿por qué me lapida, o me hace lapidar, desde su heredad, porque paso con mi sombrero de Londres o mi corbata de París? Y a los jóvenes, a los ansiosos, a los sedientos de cultura, de perfeccionamiento, o simplemente de novedad, o de antigüedad, ¿por qué se les grita: "¡haced esto!", o "¡haced lo otro!", en vez de dejarles bañar su alma en la luz libre, o respirar en el torbellino de su capricho? La palabra *whim* teníala escrita en su cuarto de labor un fuerte hombre de pensamiento cuya sangre no era latina.

Precepto, encasillado, costumbres, clisé... vocablos sagrados. *Anathema sit* al que sea osado a perturbar lo convenido de hoy, o lo convenido de ayer. Hay un horror de futurismo, para usar la expresión de este gran cerebral y más grande sentimental que tiene por nombre Gabriel Alomar, el cual será descubierto cuando asesine su tranquilo vivir, o se tire a un improbable Volga en una Riga no aspirada.

El movimiento que en buena parte de las flamantes letras españolas me tocó iniciar, a pesar de mi condición de "meteco", echada en cara de cuando en cuando por escritores poco avisados, ha hecho que *El Imparcial* me haya pedido estas dilucidaciones. Alégrame el que puede serme propicia para la nobleza del pensamiento y la claridad del decir esta bella isla en donde escribo, esta Isla de Oro, "isla de poetas, y aun de poetas, que, como usted, hayan templado su espíritu en la contemplación de la gran naturaleza americana", como me dice en gentiles y hermosas palabras un escritor apasionado de Mallorca. Me refiero a D. Antonio Maura, Presidente del Consejo de Ministros de Su Majestad Católica.

III

Un espíritu tan penetrante como ágil, un inglés pensante de los mejores, Arthur Symons, expresaba recientemente:

"La Naturaleza, se nos dice, trabaja según el principio de las compensaciones; y en Inglaterra, donde hemos tenido siempre pocos grandes hombres en la mayor parte de las artes, y un nivel general desesperadamente incomprensivo, me parece descubrir un ejemplo brillante de compensación. El público, en Inglaterra, me parece ser el menos artístico y el menos libre del mundo, pero quizá me parece eso porque yo soy inglés y porque conozco ese público mejor que cualquier otro". Hay artistas descontentos en todas partes, que aplican a sus países respectivos el pensar del escritor británico. Yo, sin ser español de nacimiento, pero ciudadano de la lengua, llegué en un tiempo a creer algo parecido de España. De esto hace ya algunos años... Creía a España impermeable a todo rocío artístico que no fuera el que cada mañana primaveral hacía reverdecer los tallos de las antiguas flores de retórica, una retórica que aun hoy mismo juzgan aquí impertinente los extranjeros. Ved lo que dice el mismo Symons: "Me pregunto si algún público puede ser, tanto como el público inglés, incapaz de considerar una obra de arte como obra de arte, sin pedirle otra cosa. Me pregunto si esta laguna en el instinto de una raza que posee en sí el instinto de la creación, señala un disgusto momentáneo de la belleza, debido a las influencias puritanas, o bien simplemente una inatención peor aún, que provendría de ese aplastador imperialismo que aniquila las energías del país. No hay duda de que la muchedumbre es siempre ignorante, siempre injusta; pero ¿hay otras muchedumbres opuestas con tanta persistencia al arte, porque es arte, como el público inglés? Otros países tienen sus preferencias: Italia y España por dos especies retóricas; Alemania, exactamente por lo contrario de lo que aconsejaba Heine cuando decía: '¡Ante todo, nada de énfasis!' Pero yo no veo en Inglaterra ninguna preferencia, aun por una mala forma de arte". El predominio en España de esa especie de retórica, aun persistente en señalados reductos, es lo que combatimos los que luchamos por nuestros ideales en nombre de la amplitud de la cultura y de la libertad.

No es, como lo sospechan algunos profesores o cronistas, la importación de otra retórica, de otro *poncif,* con nuevos preceptos, con nuevo encasillado, con nuevos códigos. Y, ante todo, ¿se trata de una cuestión de formas? No. Se trata, ante todo, de una cuestión de ideas.

El clisé verbal es dañoso porque encierra en sí el clisé mental y, juntos, perpetúan la anquilosis, la inmovilidad.

Y debo hacer un corto paréntesis, *pro domo mea.* No habría comenzado la exposición de estos mis modos de ver sin la amable invitación de *Los Lunes de El Imparcial,* hoja gloriosa desde días memorables en que ofreciera sus columnas a los pareceres estéticos de maestros hoy por todos venerados y admirados. No soy afecto a polémicas. Me he declarado, además, en otra ocasión, y con placer íntimo, el ser menos pedagógico de la tierra. Nunca he dicho: "lo que yo hago es lo que se debe hacer". Antes bien, y en las palabras liminares de mis *Prosas Profanas,* cité la frase de Wagner a su discípula Augusta Holmes: "Sobre todo, no imitar a nadie, y mucho menos, a mí". Tanto en Europa como en América se me ha atacado con singular y hermoso encarnizamiento. Con el montón de piedras que me han arrojado pudiera bien construirme un rompeolas que retardase en lo posible la inevitable creciente del olvido... Tan solamente he contestado a la crítica tres veces, por la categoría de sus representantes, y porque mi natural orgullo juvenil, ¡entonces!, recibiera también flores de los sagitarios. Por lo demás, ellos se llamaban Max Nordau, Paul Groussac, Leopoldo Alas.

No creo preciso poner cátedra de teorías de aristos. Aristos, para mí, en este caso, significan, sobre todo, independientes. No hay mayor excelencia. Por lo que a mí toca, si hay quien me dice, con aire alemán y con lenguaje un poco bíblico: "Mi verdad es la verdad", le contesto: "Buen provecho. Déjeme usted con la mía, que así me place, en una deliciosa interinidad".

IV

Deseo también enmendar algún punto en que han errado mis defensores, que buenos los he tenido en España. Los maestros de la generación pasada nunca fueron sino benévolos y generosos conmigo. Los que en estos asuntos se interesan no ignoran que Valera, en estas mismas columnas, fue quien dio a conocer, con un gentil entusiasmo muy superior a su ironía, la pequeña obra primigenia que inició allá en América la manera de pensar y de escribir que hoy suscita, aquí y allá, ya inefables, ya truculentas controversias. Campoamor fue para mí lo que testigos eminentes —entre ellos José Verdes Montenegro— pudieran certificar. Castelar me dio pruebas de intelectual estímulo. Núñez de Arce, cuando estuve en Madrid por la primera vez, como delegado de mi país natal, a las fiestas colombianas, fue tan entusiasta conmigo, que hizo todo lo posible porque me quedara en la Corte. Habló al respecto con Cánovas del Castillo —otro ilustre y bondadoso amigo mío—, y Cánovas escribió al Marqués de Comillas solicitando para mí un puesto en la Trasatlántica. Entre tanto yo partí. No sin que antes en las tertulias de Valera se aplaudiesen y se criticasen algunos de los que llaman mis atrevimientos líricos, que eran entonces, lo confieso, muy inocentes, y apenas de un modesto parnasianismo: *Elogio de la seguidilla;* un "Pórtico" para el libro *En tropel,* de Salvador Rueda. Mis versos fueron bien recibidos la primera vez que hablara ante un público español —fue en una velada en que tomaba parte don José Canalejas—. Rueda me alababa, no tanto como yo a él. Mas mis amigos literarios, además de los que he nombrado, se llamaban entonces Manuel del Palacio, Narciso Campillo, el Duque de Almenara, el Conde de las Navas, don Luis Vidart, don Miguel de los Santos Álvarez... Me apresuro a decir que yo tenía la grata edad de veinticinco años.

Estos cortos puntos de autobiografía literaria son para hacer notar que se equivocan los que afirman que yo no he sido bien acogido por los dirigentes anteriores. En esos mismos tiempos mi ilustre amiga doña Emilia Pardo Bazán se dio la voluptuosidad de hacerme recitar versos en su salón, en compañía del autor de *Pedro Abelardo...* Y mis aficiones clásicas encontraban un consuelo con la amistosa conversación, de cierto joven maestro que vivía, como yo, en el hotel de las Cuatro Naciones: se llamaba, y se llama hoy en plena gloria, Marcelino Menéndez y Pelayo. Él fue quien, oyendo una vez a un irritado censor atacar mis versos del "Pórtico" a Rueda, como peligrosa novedad,

> ... *y esto pasó en el reinado de Hugo,*
> *emperador de la barba florida.*

dijo: "Ésos son, sencillamente, los viejos endecasílabos de gaita gallega:

> *Tanto bailé con el ama del cura,*
> *tanto bailé, que me dio calentura".*

Y yo aprobé. Porque siempre apruebo lo correcto, lo justo y lo bien intencionado. Yo no creía haber inventado nada... Se me había ocurrido la cosa como a Valmajour, el tamborilero de Provenza... O había "pensado musicalmente", según el decir de Carlyle, esa mala compañía.

Desde entonces hasta hoy, jamás me he propuesto ni asombrar al burgués, ni martirizar mi pensamiento en potros de palabras.

No gusto de *moldes* nuevos ni viejos... Mi verso ha nacido siempre con su cuerpo y su alma, y no le he aplicado ninguna clase de ortopedia. He, sí, cantado aires antiguos, y he querido ir hacia el porvenir, siempre bajo el divino imperio de la música: música de las ideas, música del verbo.

V

"Los pensamientos e intenciones de un poeta son su estética", dice un buen escritor. Que me place. Pienso que el don del arte es aquel que de modo superior hace que nos reconozcamos íntima y exteriormente ante la vida. El poeta tiene la visión directa e introspectiva de la vida y una supervisión que va más allá de lo que está sujeto a las leyes del general conocimiento. La religión y la filosofía se encuentran con el arte en tales fronteras, pues en ambas, hay también una ambiencia artística. Estamos lejos de la conocida comparación del arte con el juego. Andan por el mundo tantas flamantes teorías y enseñanzas estéticas... Las venden al peso, adobadas de ciencia fresca, de la que se descompone más pronto, para aparecer renovada en los catálogos y escaparates pasado mañana.

Yo he dicho: Cuando dije que mi poesía era "mía en mí", sostuve la primera condición de mi existir, sin pretensión ninguna de causar sectarismo en mente o voluntad ajena, y en un intenso amor a lo absoluto de la Belleza. Yo he dicho: Ser sincero es ser potente. La actividad humana no se ejercita por medio de la ciencia y de los conocimientos actuales, sino en el vencimiento del tiempo y del espacio. Yo he dicho: Es el Arte el que vence el espacio y el tiempo. He meditado ante el problema de la existencia y he procurado ir hacia la más alta idealidad. He expresado lo expresable de mi alma y he querido penetrar en el alma de los demás, y hundirme en la vasta alma universal. He apartado asimismo, como quiere Schopenhauer, mi individualidad del resto del mundo, y he visto con desinterés lo que a mi yo parece extraño, para convencerme de que nada es extraño a mi yo. He cantado, en mis diferentes modos, el espectáculo multiforme de la naturaleza y su inmenso misterio. He celebrado el heroísmo, las épocas bellas de la historia, los poetas, los ensueños, las esperanzas. He impuesto al instrumento lírico mi voluntad del momento, siendo a mi vez órgano de los instantes, vario y variable, según la dirección que imprime el inexplicable Destino.

Amador de la cultura clásica, me he nutrido de ella, mas siguiendo el paso de mis días. He comprendido la fuerza de las tradiciones en el pasado, y de las previsiones en lo futuro. He dicho que la tierra es bella, que en el arcano del vivir hay que gozar de la realidad alimentados de ideal. Y que hay instantes tristes por culpa de un monstruo malhechor llamado Esfinge. Y he cantado también a ese monstruo malhechor. Yo he dicho:

> Es incidencia la Historia. Nuestro destino supremo
> está más allá del rumbo que marcan fugaces las épocas.
> Y Palenke y la Atlántida no son más que momentos soberbios
> con que puntúa Dios los versos de su augusto Poema.

He celebrado las conquistas humanas y he, cada día, afianzado más mi seguridad de Dios y de los dioses. Como hombre, he vivido en lo cotidiano; como poeta, no he claudicado nunca, pues siempre he tendido a la eternidad. Todo ello para que, fuera de la comprensión de los que me entienden con intelecto de amor, haga pensar a determinados profesores en tales textos; a la cuquería literaria, en escuelas y modas; a este ciudadano, en el ajenjo del Barrio Latino, y al otro, en las decoraciones "arte nuevo" de los *bars* y *music halls*. He comprendido la inanidad de la crítica. Un diplomado os alaba por lo menos alabable que tenéis; y otro os censura en mal latín o en esperanto. Este doctor de fama universal os llama aquí "ese gran talento de Rubén Darío", y allá os inflige un estupefaciente desdén... Este amigo os defiende temeroso. Este enemigo os cubre de flores, pidiéndoos por lo bajo una limosna. Eso es la literatura... Eso es lo que yo abomino. Maldígame la potencia divina si alguna vez, después de un roce semejante, no he ido al baño de luz lustral que todo lo purifica: la autoconfesión ante la única Norma.

VI

Jamás he manifestado el culto exclusivo de la palabra por la palabra. "Las palabras —escribe el señor Ortega y Gasset, cuyos pensares me halagan—, las palabras son logaritmos de las cosas, imágenes, ideas y sentimientos, y por tanto, sólo pueden emplearse como signos de valores, nunca como valores". De acuerdo. Mas la palabra nace justamente con la idea, o coexiste con la idea, pues no podemos darnos cuenta de la una sin la otra. Tal mi sentir, a menos que alguien me contradiga después de haber presenciado el parto del cerebro, observando con el microscopio los neuronas de nuestro gran Cajal.

En el principio está la palabra como única representación. No simplemente como signo, puesto que no hay antes nada que representar. En el principio está la palabra como manifestación de la unidad infinita, pero ya conteniéndola. *Et verbum erat Deus.*

La palabra no es en sí más que un signo, o una combinación de signos; mas lo contiene todo por la virtud demiúrgica. Los que la usan mal, serán los culpables, si no saben manejar esos peligrosos y delicados medios. Y el arte de la ordenación de las palabras no deberá estar sujeto a imposición de yugos, puesto que acaba de nacer la verdad que dice: el arte no es un conjunto de reglas, sino una armonía de caprichos.

Yo no soy iconoclasta. ¿Para qué? Hace siempre falta a la creación el tiempo perdido en destruir. Malhaya la filosofía que viene de Alemania, que viene de Inglaterra o que viene de Francia, si ella viene a quitar, y no a dar. Sepamos que muchas de esas cosas flamantes importadas yacen, entre polillas, en ancianos infolios españoles. Y las que no, son pruebas por corregir para la edición de mañana, en espera de una sucesión de correcciones. Se está ahora, editorialmente —en Palma de Mallorca—, desenterrando de sus cenizas a un Lulio. ¿Creéis que este fénix resucitado contenga menos de lo que puede dar a la percepción filosófica de hoy cualquiera de los *reporters* usuales en las cátedras periodísticas y más o menos sorbónicas del día?

Construir, hacer, ¡oh juventud! Juntos para el templo; solos para el culto. Juntos para edificar, solos para orar. Y con la constancia no será la menor virtud, que en ella va la invencible voluntad de crear. Mas si alguien dijera: "Son cosas de ideólogos", o "son cosas de poetas", decir que no somos otra cosa. Es expresar: además del cerdo y del cisne, que nos han adjudicado ciertos filósofos, tenemos el ángel.

¡Tener ángel, Dios mío! Pido exégetas andaluces.

Resumo: La poesía existirá mientras exista el problema de la vida y de la muerte. El don de arte es un don superior que permite entrar en lo desconocido de antes y en lo ignorado de después, en el ambiente del ensueño o de la meditación. Hay una música ideal como hay una música verbal. No hay escuelas; hay poetas. El verdadero artista comprende todas las maneras y halla la belleza bajo todas las formas. Toda la gloria y toda la eternidad están en nuestra conciencia.

R. D.

EL CANTO ERRANTE

El cantor va por todo el mundo
sonriente o meditabundo.
El cantor va sobre la tierra
en blanca paz o en roja guerra.
Sobre el lomo del elefante
por la enorme India alucinante.
En palanquín y en seda fina
por el corazón de la China;
en automóvil en Lutecia;
en negra góndola en Venecia;
sobre las pampas y los llanos
en los potros americanos;
por el río va en la canoa,
o se le ve sobre la proa
de un *steamer* sobre el vasto mar,
o en un vagón de *sleeping-car*.
El dromedario del desierto,
barco vivo, le lleva a un puerto.
Sobre el raudo trineo trepa
en la blancura de la estepa.
O en el silencio de cristal
que ama la aurora boreal.
El cantor va a pie por los prados,
entre las siembras y ganados.
Y entra en su Londres en el tren,
y en asno a su Jerusalén.
Con estafetas y con malas,
va el cantor por la humanidad.
El canto vuela, con sus alas:
Armonía y Eternidad.

TUTECOTZIMI*

Al cavar en el suelo de la ciudad antigua,
la metálica punta de la piqueta choca
con una joya de oro, una labrada roca,
una flecha, un fetiche, un dios de forma ambigua,
o los muros enormes de un templo. Mi piqueta
trabaja en el terreno de la América ignota.
    ¡Suene armoniosa mi piqueta de poeta!
¡Y descubra oro y ópalos y rica piedra fina,
templo o estatua rota !
Y el misterio jeroglífico adivina
la Musa.
    De la temporal bruma surge la vida extraña
de pueblos abolidos; la leyenda confusa
se ilumina; revela secretos la montaña
en que se alza la ruina.
    Los centenarios árboles saben de procesiones,
de luchas y de ritos inmemoriales. Canta
un zenzontle. ¿Qué canta? ¿Un canto nunca oído?
El pájaro en un ídolo ha fabricado el nido.
(Ese canto escucharon las mujeres toltecas
y deleitó al soberbio príncipe Moctezuma).
Mientras el puma hace crujir las hojas secas
el quetzal muestra al iris la gloria de su pluma
y los dioses animan de la fuente el acento.
Al caer de la tarde un poniente sangriento
tiende su palio bárbaro; y de una rara lira
lleva la lengua musical el vago viento.

    Y Netzahualcoyotl, el poeta, suspira.

                    *   *   *

    Cuaucmichín, el cacique sacerdotal y noble,
viene de caza. Síguele fila apretada y doble
de sus flecheros ágiles. Su aire es bravo y triunfal.
Sobre su frente lleva bruñido cerco de oro;
y vese, al sol que se alza del florestal sonoro,
que en la diadema tiembla la pluma de un quetzal.
    Es la mañana mágica del encendido trópico.
Como una gran serpiente camina el río hidrópico
en cuyas aguas glaucas las hojas secas van.
El lienzo cristalino sopló sutil arruga,
el combo caparacho que arrastra la tortuga,
o la crestada cola de hierro del caimán.

* Escrito en 1892.

61

Junto al verdoso charco, sobre las piedras toscas,
rubí, cristal, zafiro, las susurrantes moscas
del vaho de la tierra pasan cribando el tul;
e intacta, con su veste de terciopelo rico,
abanicando el lodo con su doble abanico,
está como extasiada la mariposa azul.

Las selvas foscas vibran con el calor del día;
al viento el pavo negro su grito agudo fía,
y el grillo aturde el verde, tupido carrizal;
un pájaro del bosque remeda un son de cuerno;
prolonga la cigarra su chincharchar eterno
y el grito de su pito repite el pito-real.

Los altos aguacates invade ágil la ardilla,
su cola es un plumero, su ojo pequeño brilla,
sus dientes llueven fruta del árbol productor;
y con su vuelo rápido que espanta el avispero,
pasa el bribón y obscuro sanate-clarinero
llamando al compañero con áspero clamor.

Su vasto aliento lanzan los bosques primitivos,
vuelan al menor ruido los quetzales esquivos,
sobre la aristoloquia revuela el colibrí;
y junto a la parásita lujosa está la iguana,
como hija misteriosa de la montaña indiana
que anida el teutl oculto del sacro teocalí.

El gran cacique deja los bosques de esmeralda;
camina a su palacio, el carcaj a la espalda,
carcaj dorado y fino que brilla al rubio sol.
Tras él van los flecheros; y en hombros de los siervos,
ensangrentando el suelo, los montaraces ciervos
que hirió la caña elástica del firme huiscoyol.

Camina. Llega al regio palacio el jefe noble.
De las cuadradas puertas en el quicio de roble,
de Otzotskij, su tierna hija, ve el flamante huepil.
Súbito se oye un sordo rumor de voz profunda.
¿Es la onda del Motagua que la ciudad inunda?
No, cacique; ese ruido es del pueblo Pipil.

Como torrente humano que ruge y se desborda,
como un clamor terrible que la ciudad asorda,
hacia el palacio vienen los hijos de Ahuitzol.
Primero, revestidos de cien plumajes varios,
los altos sacerdotes, los ricos dignatarios,
que llevan con orgullo sus mantos tornasol.

Después, van los guerreros, los de brazos membrudos,
los que metal y cuerno tienen en sus escudos,
soldados de Sakulen, soldados de Nabaj;

por último, zahareños, cobrizos y salvajes,
el cuerpo udo y rojo de místicos tatuajes,
Ixiles de la Sierra, con arcos y carcaj.
    Como a la roca el río circundan el palacio.
Sus voces redobladas se elevan al espacio
como voz de montaña y voz de tempestad:
hay jóvenes robustos de fieros aires regios,
ancianos centenarios que saben sortilegios,
brujos que invocar osan al gran Tamagastad.
    Y a la cabeza marcha con noble continente
Tekij, que es el poeta litúrgico y valiente,
que en su pupila tiene la luz de la visión.
Lleva colgado al cuello un quetzalcoatl de oro;
lleva, en los pies, velludos caites de piel de toro;
y alza la frente, altivo, como un joven león.
    Del palacio en la puerta vese erguido el cacique.
Tekij alza sus brazos. Su gesto, como un dique,
contiene el gran torrente de agitación y voz.
Cuaucmichín, orgulloso, se apoya en su arco elástico,
y teniendo en sus labios como un rictus sarcástico,
pone en sus pardas cejas una curva feroz...
    Curva de donde lanza, cual flecha su mirada
sobre las mil cabezas de la turba apiñada,
curva como la curva del arco de Hurakán.
Y Tekij habla al príncipe que le escucha impasible:
y lleva el aire tórrido la palabra terrible,
como el divino trueno de la ira de un Titán.
    — "Cuaucmichín, la montaña te habla en mi lengua ahora.
La tierra está enojada, la raza pipil llora,
y tu nahual maldice, ¡serpiente-tacuazín!
Eres cobarde fiera que reina en el ganado.
¿Por qué de los pipiles la sangre has derramado
como tigre del monte, Cuaucmichín, Cuaucmichín?
    ¡Cuaucmichín! El octavo rey de los mexicanos
era grande. Si abría los dedos de sus manos,
más de un millón de flechas obscurecía el sol.
Era de oro macizo su silla y su consejo.
Tenía en mucho al sabio; pedía juicio al viejo;
su maza era pesada; llamábase Ahuitzol.
    Quelenes, zapotecas, tendales, katchikeles,
las manos que se adornan con ópalos y pieles,
los jefes aguerridos del bélico Kiché,
temían los embates del fuerte Mexicano
que tuvo, como tienen los dioses, en la mano
la flecha que en el trueno relampaguear se ve.

Él quiso ser pacífico y engrandecer un día
su reino. Eso era justo. Y en Guatemala había
tierra fecunda y virgen, montañas que poblar.
Mandó Ahuitzol cinco hombres a conquistar la tierra,
sin lanzas, sin escudos y sin carcaj de guerra,
sin fuerzas poderosas ni pompa militar.

Eran cinco pipiles; eran los Padres nuestros;
eran cultivadores, agricultores diestros
en prácticas pacíficas; sembraban el añil,
cocían argamasas, vendían pieles y aves;
así fundaron, rústicos, espléndidos y suaves,
los prístinos cimientos del pueblo del pipil.

Pipil, es decir, niño. Eso es ingenuo y franco.
Vino un anciano entre ellos con el cabello blanco,
y a ése miraban todos como una majestad.
Vino un mancebo hermoso que abría al monte brechas,
que lanzaba a las águilas sus voladoras flechas,
y que cantaba alegre bajo la tempestad.

El rey murió; la muerte es reina de los reyes.
Nuestros padres formaron nuestras sagradas leyes;
hablaron con los dioses en lengua de verdad.
Y un día, en la floresta, Votán dijo a un anciano
que él no bebía sangre del sacrificio humano,
que sangre es chicha roja para Tamagastad.

Por eso los pipiles jamás se la ofrecimos.
Del plátano fragante cortamos los racimos
para ofrecérselos al dios sagrado y fiel.
La sangre de las bestias el cuchillo derrame;
mas sangre de pipiles, ¡oh, Cuaucmichín infame!,
ayer has ofrecido en holocausto cruel".

—"¡Yo soy el sacerdote, cacique y combatiente!"
Tal ha rugido el jefe. Tekij grita a la gente:
—"Puesto que el tigre muestra las garras, sea pues".
Y, como la tormenta, los clamores humanos,
sobre cabezas ásperas, sobre crispadas manos,
se calman un instante para tornar después.

—"¡Flecheros, al combate!, clama el fuerte cacique;
y cual si no existiese quien el ataque indique,
se quedan los flecheros inmóviles, sin voz.
—"¡Flecheros, muerte al tigre!" responde un indio fiero.
Tekij alza los brazos y quédase el flechero
deteniendo el empuje de la flecha veloz.

Y Tekij: —"¡Es indigno de la flecha o la lanza!
¡La tierra se estremece para clamar venganza!
¡A las piedras, pipiles!"

Cuando el grito feroz
de los castigadores calló y el jefe odiado
en sanguinoso fango quedó despedazado,
vióse pasar un hombre cantando en alta voz
un canto mexicano. Cantaba cielo y tierra,
alababa a los dioses, maldecía la guerra.
Llamáronle: "¿Tú cantas paz y trabajo?" —"Sí".
—"Toma el palacio, el campo, carcajes y huepiles;
celebra a nuestros dioses, dirige a los pipiles."
Y así empezó el reinado de Tutecotzimí.

METEMPSICOSIS *

Yo fui un soldado que durmió en el lecho
de Cleopatra la reina. Su blancura
y su mirada astral y omnipotente.
Eso fue todo.
¡Oh, mirada! ¡oh, blancura! y ¡oh, aquel lecho
en que estaba radiante la blancura!
¡Oh, la rosa marmórea omnipotente!
Eso fue todo.
Y crujió su espinazo por mi brazo;
y yo, liberto, hice olvidar a Antonio
(¡oh, el lecho y la mirada y la blancura!)
Eso fue todo.
Yo, Rufo Galo, fui soldado, y sangre
tuve de Galia, y la imperial becerra
me dio un minuto audaz de su capricho.
Eso fue todo.
¿Por qué en aquel espasmo las tenazas
de mis dedos de bronce no apretaron
el cuello de la blanca reina en broma?
Eso fue todo.
Yo fui llevado a Egipto. La cadena
tuve al pescuezo. Fui comido un día
por los perros. Mi nombre, Rufo Galo.
Eso fue todo.

* Escrita en 1893.

A COLÓN

¡Desgraciado Almirante! Tu pobre América,
tu india virgen y hermosa de sangre cálida,
la perla de tus sueños, es una histérica
de convulsivos nervios y frente pálida.

Un desastroso espíritu posee tu tierra;
donde la tribu unida blandió sus mazas,
hoy se enciende entre hermanos perpetua guerra,
se hieren y destrozan las mismas razas.

Al ídolo de piedra reemplaza ahora
el ídolo de carne que se entroniza,
y cada día alumbra la blanca aurora
en los campos fraternos sangre y ceniza.

Desdeñando a los reyes nos dimos leyes
al son de los cañones y los clarines,
y hoy al favor siniestro de negros beyes
fraternizan los Judas con los Caínes.

Bebiendo la esparcida savia francesa
con nuestra boca indígena semi-española,
día a día cantamos la *Marsellesa*
para acabar danzando la *Carmañola*.

Las ambiciones pérfidas no tienen diques,
soñadas libertades yacen deshechas.
¡Eso no hicieron nunca nuestros Caciques,
a quienes las montañas daban las flechas!

Ellos eran soberbios, leales y francos,
ceñidas las cabezas de raras plumas;
¡ojalá hubieran sido los hombres blancos
como los Atahualpas y Moctezumas!

Cuando en vientres de América cayó semilla
de la raza de hierro que fue de España,
mezcló su fuerza heroica la gran Castilla
con la fuerza del indio de la montaña.

¡Pluguiera a Dios las aguas antes intactas
no reflejaran nunca las blancas velas;
ni vieran las estrellas estupefactas
arribar a la orilla tus carabelas!

Libres como las águilas, vieran los montes
pasar los aborígenes por los boscajes,
persiguiendo los pumas y los bisontes
con el dardo certero de sus carcajes.

Que más valiera el jefe rudo y bizarro
que el soldado que en fango sus glorias finca,
que ha hecho gemir al Zipa bajo su carro
o temblar las heladas momias del Inca.

La cruz que nos llevaste padece mengua;
y tras encanalladas revoluciones,
la canalla escritora mancha la lengua
que escribieron Cervantes y Calderones.
    Cristo va por las calles flaco y enclenque,
Barrabás tiene esclavos y charreteras,
y las tierras de Chibcha, Cuzco y Palenque
han visto engalonadas a las panteras.
    Duelos, espantos, guerras, fiebre constante
en nuestra senda ha puesto la suerte triste:
¡Cristóforo Colombo, pobre Almirante,
ruega a Dios por el mundo que descubriste!

                                    (1892)

MOMOTOMBO

O vieux Momotombo, colosse chauve et nu...

                                    V.H.

El tren irá rodando sobre sus rieles. Era
en los días de mi dorada primavera
y era en mi Nicaragua natal.
De pronto, entre las copas de los árboles, vi
un cono gigantesco, "calvo y desnudo", y
lleno de antiguo orgullo triunfal.
    Ya había yo leído a Hugo y la leyenda
que Squire le enseñó. Como una vasta tienda
vi aquel coloso negro ante el sol,
maravilloso de majestad. Padre viejo
que se duplica en el armonioso espejo
de una agua perla, esmeralda, col.
    Agua de un vario verde y de un gris tan cambiante,
que discernir no deja su ópalo y su diamante,
a la vasta llama tropical.
¡Momotombo se alzaba lírico y soberano,
yo tenía quince años: ¡una estrella en la mano!
Y era en mi Nicaragua natal.
    Ya estaba yo nutrido de Oviedo y de Gomara,
y mi alma florida soñaba historia rara,
fábula, cuento, romance, amor
de conquistas, victorias de caballeros bravos,
incas y sacerdotes, prisioneros y esclavos,
plumas y oro, audacia, esplendor.
    Y llegué y vi en las nubes la prestigiosa testa
de aquel cono de siglos, de aquel volcán de gesta,

que era ante mí de revelación.
Señor de las alturas, emperador del agua,
a sus pies el divino lago de Managua.
con islas todas de luz y canción.
 ¡Momotombo! —exclamé—. ¡Oh nombre de epopeya!
Con razón Hugo el grande en su onomatopeya
ritmo escuchó que es de eternidad.

 Dijérase que fueses para las sombras dique,
desde que oyera el blanco la lengua del cacique
en sus discursos de libertad.

 Padre de fuego y piedra, yo te pedí ese día
tu secreto de llamas, tu arcano de armonía,
la iniciacion que podías dar;
por ti pensé en lo inmenso de Osas y Peliones,
en que arriba hay titanes en las constelaciones
y abajo, dentro la tierra y el mar.

 ¡Oh Momotombo ronco y sonoro! Te amo
porque a tu evocación vienen a mí otra vez,
obedeciendo a un íntimo reclamo,
perfumes de mi infancia, brisas de mi niñez.

 ¡Los estandartes de la tarde y de la aurora!
Nunca los vi más bellos que alzados sobre ti,
toda zafir la cúpula sonora
sobre los triunfos de oro, de esmeralda y rubí.

 Cuando las babilonias del Poniente
en purpúreas catástrofes hacia la inmensidad
rodaban tras la augusta soberbia de tu frente,
eras tú como el símbolo de la Serenidad.
En su incesante hornalla vi la perpetua guerra,
en tu roca unidades que nunca acabarán.
Sentí en tus terremotos la brama de la tierra,
y la inmortalidad de Pan.

 ¡Con un alma volcánica entré en la dura vida,
Aquilón y Huracán sufrió mi corazón.
y de mi mente mueven la cimera encendida
Huracán y Aquilón!

 Tu voz escuchó un día Cristóforo Colombo;
Hugo cantó tu gesta legendaria. Los dos
fueron, como tú, enormes, Momotombo,
montañas habitadas por el fuego de Dios.

 ¡Hacia el misterio caen poetas y montañas;
y romperáse el cielo de cristal
cuando luchen sonando de Pan las siete cañas
y la trompeta del Juicio Final!

ISRAEL

¡Israel! ¡Israel! ¿Cuándo de tu divina
faz en la sangre pura resbalará el diamante?
¿Cuándo el viento del río hará que el arpa cante
entre el concurso eterno de la brisa argentina?
    ¿Cuándo será la cabellera que se inclina
agitada por un viento perseverante?
    ¿Cuándo el brazo de luz dará al Judío Errante
el vaso en que se abreve del agua cristalina?
    ¡Israel! ¡Israel! Eso será en la hora
en que cante a los cielos la alondra pecadora
y en el profundo abismo se conmueva el grande ojo.
    Y cuando levantados el santo y el arisco,
ponga su blanca mano nuestro príncipe Cristo,
ponga su blanca mano sobre el infierno rojo.

SALUTACIÓN AL ÁGUILA *

... May this grand Union have no end!

FONTOURA XAVIER

    Bien vengas, mágica Águila de alas enormes y fuertes,
a extender sobre el Sur tu gran sombra continental,
a traer en tus garras, anilladas de rojos brillantes,
una palma de gloria, del color de la inmensa esperanza,
y en tu pico la oliva de una vasta y fecunda paz.
    Bien vengas, ¡oh mágica Águila!, que amara tanto Walt Whitman,
quién te hubiera cantado en esta olímpica gira,
Águila que has llevado tu noble y magnífico símbolo
desde el trono de Júpiter, hasta el gran continente del Norte.
    Ciertamente, has estado en las rudas conquistas del orbe.
Ciertamente, has tenido que llevar los antiguos rayos.
Si tus alas abiertas la visión de la paz perpetúan,
en tu pico y tus uñas está la necesaria guerra.
    ¡Precisión de la fuerza! ¡Majestad adquirida del trueno!
Necesidad de abrirle el gran vientre fecundo a la tierra
para que en ella brote la concreción de oro de la espiga.
y tenga el hombre el pan con que mueve su sangre.
    No es humana la paz con que sueñan ilusos profetas,
la actividad eterna hace precisa la lucha,
y desde tu etérea altura, tú contemplas, divina Águila,
la agitación combativa de nuestro globo vibrante.

* Escrita en Río de Janeiro, en 1906.

Es incidencia la historia. Nuestro destino supremo
está más allá del rumbo que marcan fugaces las épocas.
Y Palenque y la Atlántida no son más que momentos soberbios
con que puntúa Dios los versos de su augusto Poema.
Muy bien llegada seas a la tierra pujante y ubérrima
sobre la cual la Cruz del Sur está, que miró Dante
cuando, siendo Mesías, impulsó en su intuición sus bajeles
que antes que los del Sumo Cristóbal supieron nuestro cielo.
E pluribus unum! ¡Gloria, victoria, trabajo!
Tráenos los secretos de las labores del Norte,
y que los hijos nuestros dejen de ser los rétores latinos,
y aprendan de los yanquis la constancia, el vigor, el carácter.
¡Dinos, Águila ilustre, la manera de hacer multitudes
que hagan Romas y Grecias con el jugo del mundo presente,
y que, potentes y sobrias, extiendan su luz y su imperio,
y que, teniendo el Águila y el Bisonte y el Hierro y el Oro,
tengan un áureo día para darle las gracias a Dios!
Águila, existe el Cóndor. Es tu hermano en las grandes alturas.
Los Andes le conocen y saben, que, cual tú, mira al Sol.
¡May this grand Union have no end!, dice el poeta.
Puedan ambos juntarse en plenitud, concordia y esfuerzo,
Águila, que conoces desde Jove hasta Zarathustra
y que tienes en los Estados Unidos tu asiento,
que sea tu venida fecunda para estas naciones
que el pabellón admiran constelado de bandas y estrellas.
¡Águila, que estuviste en las horas sublimes de Pathmos,
Águila prodigiosa, que te nutres de luz y de azul,
como una Cruz viviente, vuela sobre estas naciones,
y comunica al globo la victoria feliz del futuro!
Por algo eres la antigua mensajera jupiterina,
por algo has presenciado cataclismos y luchas de razas,
por algo estás presente en los sueños del Apocalipsis,
por algo eres el ave que han buscado los fuertes imperios.
¡Salud, Águila! Extensa virtud a tus inmensos revuelos,
reina de los azures, ¡salud!, ¡gloria!, ¡victoria y encanto!
¡Que la Latina América reciba tu mágica influencia
y que renazca nuevo Olimpo, lleno de dioses y de héroes!
¡Adelante, siempre adelante! *Excelsior!* ¡Vida! ¡Lumbre!
Que se cumpla lo prometido en los destinos terrenos,
y que vuestra obra inmensa las aprobaciones recoja
del mirar de los astros, y de lo que hay más allá!

A FRANCIA

¡Los bárbaros, Francia! ¡Los bárbaros, cara Lutecia!
Bajo áurea rotonda reposa tu gran Paladín.
Del cíclope al golpe, ¿qué pueden las risas de Grecia?
¿Qué pueden las Gracias, si Herakles agita su crin?
  En locas faunalias no sientes el viento que arrecia,
el viento que arrecia del lado del férreo Berlín,
y allí, bajo el templo que tu alma pagana desprecia,
tu vate, hecho polvo, no puede sonar su clarín.
  Suspende, Bizancio, tu fiesta mortal y divina,
¡oh Roma, suspende la fiesta divina y mortal!
Hay algo que viene como una invasión aquilina
    que aguarda temblando la curva del Arco Triunfal.
¡*Tannhäuser!* Resuena la marcha marcial y argentina,
y vese a los lejos la gloria de un casco imperial.

                                                    (1893)

DESDE LA PAMPA

  ¡Yo os saludo desde el fondo de la Pampa! ¡Yo os saludo,
bajo el gran sol argentino
que como un glorioso escudo
cincelado en oro fino
sobre el palio azul de viento
se destaca en el divino
firmamento!
  Os saludo desde el campo lleno de hojas y de luces
cuya verde maravilla cruzan potros y avestruces,
o la enorme vaca roja,
o el rebaño gris, que a un tiempo luz y hoja
busca y muerde,
en el mágico ondular
que simula el fresco y verde
trebolar.
  En la pampa solitaria
todo es himno o es plegaria;
escuchad
cómo cielo y tierra se unen en un cántico infinito;
todo vibra en este grito:
¡Libertad!
  Junto al médano que finge
ya un enorme lomo equino, ya la testa de una esfinge,
bajo un aire de cristal,

71

pasa el gaucho, muge el toro,
y entre fina flor de oro
y entre el cardo episcopal,
la calandria lanza el trino
de tristezas o de amor;
la calandria misteriosa, ese triste y campesino
ruiseñor.
　　Yo os saludo en el ensueño
de pasadas epopeyas gloriosas;
el caballo zahareño
del vencedor; la bandera,
los fusiles con sus truenos y la sangre con sus rosas;
la aguerrida hueste fiera,
la aguerrida hueste fiera que va a toque de clarín,
el que guía, el Héroe, el Hombre;
y en los labios de los bravos, este nombre:
¡San Martín!
　　De la pampa en las augustas
soledades,
al clamor de las robustas
cien bocinas del pampero, yo saludo a las ciudades
de la mar,
con sus costas erizadas de navíos,
con sus ríos
donde mil urnas colmadas su riqueza han de volcar.
　　¡Argentinos! ¡Dios os guarde!
Ven mis ojos cómo riega
perla y rosa de la tarde
el crepúsculo que llega,
mientras la pampa ilumina
rojo y puro, como el oro en el crisol,
el diamante que prefiere la República Argentina:
¡vuestro Sol!

(Colonia "La Merced", Villarino, abril de 1898)

REVELACIÓN

En el acantilado de una roca
que se alza sobre el mar, yo lancé un grito
que de viento y de sal llenó mi boca:
　　a la visión azul de lo infinito,
al poniente magnífico y sangriento,
al rojo sol todo milagro y mito.
　　Y sentí que sorbía en sal y viento
como una comunión de comuniones
que en mí hería sentido y pensamiento.
　　Vidas de palpitantes corazones,
luz que ciencia concreta en sus entrañas,
y prodigios de las constelaciones.
　　Y oí la voz del dios de las montañas
que anunciaba su vuelta en el concierto
maravilloso de sus siete cañas.
　　Y clamé y dijo mi palabra: "¡Es cierto,
el gran dios de la fuerza y de la vida,
Pan, el gran Pan de la inmortal, no ha muerto!"
　　Volví la vista a la montaña erguida
como buscando la bicorne frente
que pone el sol en l'alma del panida.
　　Y vi la singular doble serpiente
que enroscada al celeste caduceo
pasó sobre las olas de repente
　　llevada por Mercurio. Y mi deseo
tornó a Thalasa maternal la vista,
pues todo hallo en la mar cuando la veo.
　　Y vi azul y topacio y amatista,
oro y perla y argento y violeta,
y de la hija de Electra la conquista.
　　Y escuché el ronco ruido de trompeta
que del tritón el caracol derrama,
y a la sirena, amada del poeta.
　　Y con la voz de quien aspira y ama,
clamé: "¿Dónde está el dios que hace del lodo
con el hendido pie brotar el trigo,
　　que a la tribu ideal salva en su exodo?"
Y oí dentro de mí: "Yo estoy contigo,
y estoy en ti y por ti: yo soy el Todo".

EN ELOGIO DEL ILMO. Sr. OBISPO DE CÓRDOBA, Fr. MAMERTO ESQUIÚ, O. M.

Un báculo que era como un tallo de lirios,
una vida en cilicios de adorables martirios,
    un blanco horror de Belzebú,
un salterio celeste de vírgenes y santos,
un cáliz de virtudes y una copa de cantos,
    tal era fray Mamerto Esquiú.
Con su mano sagrada fue a recoger estrellas;
antes cansó su planta, dejando augustas huellas,
    feliz pastor de su país.
Ahora corta del Padre las sacras azucenas;
sobre esta tierra amarga, cogía a manos llenas
    las florecillas del de Asís.
¡Oh luminosas Pascuas! ¡Oh Santa Epifanía!
Salvete flores martyrum!, canta el clarín del día
    con voz de bronce y de cristal.
Sobre la tierra grata brota el agua divina:
la rosa de la gracia su púrpura culmina
    sobre el cayado pastoral.
Crisóstomo le anima, Jerónimo le doma;
su espíritu era un águila con ojos de paloma;
    su verbo es una flor.
Y aquel maravilloso poeta, San Francisco,
las voces enseñóle con que encantó a su aprisco
    en las praderas del Señor.
Tal cual la Biblia dice, con címbalo sonoro,
a Dios daba sus loas. Y formó un santo coro
    de Fe, Esperanza y Caridad.
Trompetas argentinas dicen sus ideales,
y su órgano vibrante tenía dos pedales,
    y eran el Bien y la Verdad.
Trompetas argentinas claman su triunfo ahora,
trompetas argentinos de heraldos de la aurora
    que anuncia el día del altar,
cuando la hostia, esa virgen, y ese mártir, el cirio,
ante su imagen digan el místico martirio
    en que el Cordero ha de balar.
Llegaron a su mente hierosolimitana,
la criselefantina divinidad pagana,
    las dulces musas de Helicón;
y él se ajustó a los números severos y apostólicos,
y en su sermón se escuchan los sones melancólicos
    de los salterios de Sión.

Yo, que la verleniana zampoña toco a veces,
bajo los verdes mirtos o bajo los cipreses,
    canto hoy tan sacra luz;
en el marmóreo plinto cincelo mi epigrama,
y bajo el ala inmensa de la divina Fama,
    ¡grabo una rosa y una Cruz!

VISIÓN

    Tras de la misteriosa selva extraña
vi que se levantaba al firmamento
horadada y labrada, una montaña,
    que tenía en la sombra su cimiento.
Y en aquella montaña estaba el nido
del trueno, del relámpago y del viento.
    Y tras sus arcos negros el rugido
se oía del león, y cual obscura
catedral de algún dios desconocido,
    aquella fabulosa arquitectura
formada de prodigios y visiones,
visión monumental, me dio pavura.
    A sus pies habitaban los leones;
y las torres y flechas de oro fino
se juntaban con las constelaciones.
    Y había un vasto domo diamantino
donde se alzaba un trono extraordinario
sobre sereno fondo azul marino.
    Hierro y piedra primero, y mármol pario
luego, y arriba mágicos metales.
Una escala subía hasta el santuario
    de la divina sede. Los astrales
esplendores, las gradas repartidas
de tres en tres bañaban. Colosales
    águilas con las alas extendidas
se contemplan en el centro de una
atmósfera de luces y de vidas.
    Y en una palidez de oro de luna
una paloma blanca se cernía,
alada perla en mística laguna.
    La montaña labrada parecía
por un majestuoso Piraneso
babélico. En sus flancos se diría
    que hubiese cincelado el bloque espeso
el rayo; y en lo alto, enorme friso
de la luz recibía un áureo beso,

beso de luz de aurora y paraíso.
Y yo grité en la sombra: — ¿En qué lugares
vaga hoy el alma mía? — De improviso
    surgió ante mí, ceñida de azahares
y de rosas blanquísimas, Estela,
la que suele surgir en mis cantares.
    Y díjome con voz de Filomela:
— No temas: es el reino de la lira
de Dante; y la paloma que revuela
    en la luz es Beatrice. Aquí conspira
todo el supremo amor y alto deseo.
Aquí llega el que adora y el que admira.
    — ¿Y aquel trono, le dije, que allá veo?
— Ése es el trono en que su gloria asienta
ceñido el lauro el gibelino Orfeo.
    Y abajo en donde duerme la tormenta.
Y el lobo y el león entre lo obscuro
encienden su pupila, cual violenta
    brasa. Y el vasto y misterioso muro
es piedra y hierro: luego las arcadas
del medio son de mármol; de oro puro
    la parte superior, donde en gloriosas
albas eternas se abre al infinito
la sacrosanta Rosa de las rosas.
    — ¡Oh bendito el Señor! — clamé —, bendito,
que permitió al arcángel de Florencia
dejar tal mundo de misterio escrito
    con lengua humana y sobrehumana ciencia,
y crear este extraño imperio eterno
y ese trono radiante en su eminencia,
    ante el cual abismado me prosterno.
¡Y feliz quien al Cielo se levanta
por las gradas de hierro de su Infierno!
    Y ella: — Que este prodigio diga y cante
tu voz. — Y yo: — Por el amor humano
he llegado al divino. ¡Gloria al Dante!
    Ella, en acto de gracia, con la mano
me mostró de las águilas los vuelos,
y ascendió como un lirio soberano
    hacia Beatriz, paloma de los cielos.
Y en el azul dejaba blancas huellas
que eran a mí delicias y consuelos.
    ¡Y vi que me miraban las estrellas!

IN MEMORIAM

BARTOLOMÉ MITRE

ÁRBOL FELIZ

Árbol feliz, el roble, rey en su selva fragante,
y cuyas ramas altísimas respetó el rudo Bóreas;
   áureas, líricas albas dan sus rayos al árbol ilustre,
cuya sombra, benéfica tienda formara a las tribus.
   Feliz aquel patriarca que, ceñida la frente de lauro,
en la tarde apacible concertando los clásicos números,
   mira alzarse las torres a que diera cimientos y basas
y entre mirajes supremos la aurora futura.
   Sabe el íntegro mármol cuáles varones encarna,
a qué ser da el habitáculo sabe la carne del bronce;
   conocen el momento, las magníficas bocas del triunfo
en que deben sonarse larga trompa y bocina de oro.
   Súbita y mágica música óyese en férvidos ímpetus,
y Jefe, o Padre, o Héroe, siente llegar a su oído,
   entre los himnos sonoros, cual de la mar a la orilla,
el murmullo profundo de un oleaje de almas.
   Pase el iconoclasta quebrantando los ídolos falsos:
el simulacro justo en la gloria del Sol que perdure.
   Que se melle en el tronco venerando la hoz saturnina,
y las generaciones nuevas flores y frutos contemplen.
   Espléndida pompa que brindó al sembrador la cosecha,
panorama sublime, al ver de la vida en la cumbre,
   o al descenso tranquilo que iluminan serenas las horas
con astros por antorchas en la escala del regio crepúsculo.
   Negros y rojos sueños en las noches postreras persiguen
a pastores de gentes que fueron tigres o lobos;
   tarde de imperial púrpura al pastor verecundo y sin tacha,
cívico arco de triunfo y el laurel y la palma sonante.
   Y a quien también adora la beldad de las musas divinas,
visión de golfos de azur y los cisnes de Apolo.
   Mira la augusta Patria de su vástago egregio la gloria;
la hornalla, ha tiempo viva, hace hervir los metales simbólicos.
   Yo, que de la argentina tierra siento el influjo en mi mente,
"llevo mi palma y canto a la fiesta del gran argentino",
   recordando el hexámetro que vibraba en la lira de Horacio
y a Virgilio latino, guía excelso y amado del Dante.

ODA A MITRE Y OTROS POEMAS

1906

ODA A MITRE *

Cingor Apollinea victricia tempora lauro
Et sensi exequias funerais ipse mei.
Decursusque virum motos mihi, donaque regum
    Cunctaque per titulos oppida lecta suos,
Et quo me officio portaverit illa juventus,
    Quæ fuit ante meum tam generosa torum;
Denique laudari sacrato Cæsaris ore
    et merui lacrimas elicuique Deo.

OVIDIO

1

"¡*Oh, captain!* ¡*Oh, my captain!*", clamaba Whitman.
¡Oh, gran capitán de un mundo
nuevo y radiante, ¿yo qué diría
sino "¡mi General!" en un grito profundo
que hiciera estremecerse las ráfagas del día?
    Gran capitán de acero y oro,
gran General que amaste, en la acción y el ensueño,
de Psiquis el decoro,
el único tesoro
que en Dios agranda el átomo de este mundo pequeño.

2

    A la sabia y divina Themis
colocaron las Parcas, según Píndaro,
en un carro de oro para ir hacia el Olimpo.
Que las tres viejas misteriosas
hayan parado en un momento
—el instante de un pensamiento—
el trabajo continuo de sus manos,
cuando, de un lauro y una palma
precedida, ha pasado el alma
de Aquel que los americanos
miraron hace tiempo trasladado y fundido
en el metal que vence la herrumbre del olvido.

3

    Es de todos los puntos de nuestra tierra ardiente
que brota hoy de los vibrantes pechos
voz orgullosa o reverente

* La *Oda a Mitre* fue editada en opúsculo, en París, en 1906 (Imprenta de A. Eyméoud) e incluida en *El Canto Errante*, el año siguiente.

para el que, siendo el alma de todo un continente,
defendió, Cincinato sabio y Catón prudente,
todas las libertades y todos los derechos.
    Pues él era el varón continental. Y era
el amado Patriarca continental. ¡Patriarca
que conservó en sus nobles canas la primavera,
que soportó la tempestad más dura,
y a quien una paloma llevó una rosa al arca,
rosa de porvenir, rosa divina,
rosa que dice el Alba de América futura,
de la América nuestra de la sangre latina!

4

    Jamás se viera una lealtad mayor
que la del León italiano
al amigo de América que amó en fraterno amor.
¡De Garibaldi y Mitre las dos diestras hermanas
sembraron la simiente de encinas italianas
y argentinas que hoy llenan la tierra de rumor!
A ambos cubrió la gran sombra del Dante,
y en el Dante se amaron. En el vasto crisol
se encontraron un día dos almas de diamante,
hechas de libertad y nutridas de sol.

5

    ¡Cóndor, tú reconoces esos sagrados restos!
¡Oh tempestad andina, tú sabes quién es él!
Doncellas de las pampas, rellenad vuestros cestos
de las más frescas flores y de hojas de laurel.

6

    De las fechas de púrpura de la Historia argentina,
del fulgor de sus glorias, de su guerrero horror,
de todo ello se enciende tu apoteosis divina,
hecha de patrio fuego y universal amor.
    Cristal y bronce el verbo, y de cristal tu idea,
tuviste el equilibrio que mantiene en sí mismo,
y ajeno a los halagos de la nocturna Dea,
subiste a las alturas sin miedo del abismo.
    "Los dioses y los hombres tienen un mismo origen",
dice el lírico. Y sabe que el orbe entero gira
por las manos supremas que un plan supremo rigen
como los sacros dedos del alma de la lira.

Cuando hay hombres que tienen el divino elemento
y les vemos en cantos o en obras traspasar
los límites de la hora, los límites del viento,
los reinos de la tierra, los imperios del mar,
   ¡sepamos que son hechos de una carne más pura;
sepamos que son dueños de altas cosas, y los
que, encargados del acto de una ciencia futura,
tienen que darle cuenta de los siglos a Dios!

7

De la magnífica marea
hecha de sombra, hecha de idea,
que sube del mar popular,
asciende a tus conquistas sumas
el perfume de las espumas
de ese inmenso y terrible mar.
   Pues tu pueblo te ama, austero
y pensativo caballero,
que hiciste del deber tu cruz,
y a quien el arcángel ardiente
de la guerra besó en la frente,
dejando una estrella de luz.
   ¡Cuántas veces tu diestra augusta,
cuántas tu palabra robusta
conjurara la tempestad!
¡Cuántas salvaste la bandera,
y cuántas la Argentina fuera
por ti sacra a la Humanidad!
   ¡Cuántas, evitaste los llantos,
la triste faz, los negros mantos
y el morder las manos de horror!
¡Cuántas, con tus acentos grandes
apartaste sobre los Andes
nubes de trueno y de dolor!

8

¡Ilustre abuelo!, partes, pero
cuando contempla el orbe entero
la obra en que hiciste tanto tú,
¡triunfo civil sobre las almas,
el progreso lleno de palmas,
la libertad sobre el ombú!
   Tu gloria crece y se ilumina
en la República Argentina
con una enorme luz de sol,

y tu idea en el continente
ha derramado su simiente
en donde se habla el español.
Lleno de cívico decoro
y limpio de odio y de oro
hacia la eternidad te vas,
como un jefe amado y amante,
con las banderas por delante
y las bendiciones detrás.
¡Oh Capitán! ¡Oh General!,
Jefe sereno e inmortal
que hacia la sombra te encaminas,
recibe el voto de los nobles
y la inclinación de los robles
y el saludo de las encinas.

9

Belgrano te saluda y San Martín y el mundo
americano. El alma latina te decora
con la palma que anuncia el porvenir fecundo,
y una guirnalda fresca y blanca, color de aurora.
Pues tú fuiste aquel fuerte que se reposó un día,
después de los horrores terribles de la guerra,
hallando en los amores de la santa Armonía
la esencia más preciosa del zumo de la tierra.
En el dintel de Horacio y en la dantesca sombra
te vieron las atentas generaciones, alto,
fiel al divino origen del Dios que no se nombra,
desentrañando en oro y esculpiendo en basalto.
Y para mí, Maestro, tu vasta gloria es ésa:
amar, sobre los hechos fugaces de la hora,
sobre la ciencia a ciegas, sobre la historia espesa,
la eterna Poesía, más clara que la aurora.
Cuando, cual los centauros de metopas y estampas,
ibas en un revuelo de tempestad marcial,
bravo generalísimo, jinete de las pampas,
envuelto ya en el alba de un futuro real,
quizás te acompañaba, junto al corcel guerrero,
la musa de tus años en flor; quizás entonces
pensabas en los épicos hexámetros de Homero,
sublimes como mármoles y eternos como bronces.
Y luego, ya en tus horas de Néstor argentino,
sintiendo en ti la fuerza que las edades doma,
te acompañaba el soplo del rudo Gibelino
y Flacco te traía sus músicas de Roma.

81

Supiste que en el mundo los odios, la mentira,
los celos, las crueles insidias, los espantos,
se esfuman ante el alma celeste de la lira
que puebla el universo de estrellas y de cantos.

¡Gloria a ti sobre el sistro antiguo y sobre el parche
que ha sonado con duelo a tu fúnebre paso!
¡Gloria sobre el ejército que en lo futuro marche
con los ojos en ti como en sol sin ocaso!

¡Gloria a ti, que a Catón y a Marco Aurelio hubiste
rimando versos que eran siempre de cosas puras,
pues las Gracias brindaron a tu espíritu, triste
de pensar, los diamantes de sus minas obscuras!

¡Gloria a ti que a tu tierra, fragante como un nido,
rumorosa como una colmena y agitada
como un mar, ofrendaste, vencedor del olvido,
paladín y poeta, un lauro y una espada!

¡Gloria a ti, pensativo de los grandes momentos
para traer el triunfo del instante oportuno,
o cuando hechos relámpagos iban tus pensamientos
vibrando en tus vibrantes arengas de tribuno!

¡Ya tu imagen el útil del estatuario copia;
ya el porvenir te nimba con un eterno rayo;
las líricas victorias vierten su cornucopia,
la Fama el clarín alza que dora el sol de Mayo!

¡Gloria, a ti que, proyecto como al destino plugo,
la ancianidad tuviste más límpida y más bella!
¡Tu enorme catafalco fuera el de Víctor Hugo,
si hubiera en Buenos Aires un Arco de la Estrella!

10

¡Descansa en paz!... Mas no, no descanses. Prosiga
tu alma su obra de luz desde la eternidad,
y guíe a nuestros pueblos tu inspiración, amiga
de lo bello y lo justo, del Bien y la Verdad!

¡Tu presencia abolida, que crezca tu memoria;
alce tu monumento su augusta majestad;
y que tu obra, tu nombre, tu prestigio, tu gloria,
sean, como la América, para la Humanidad!

OTROS POEMAS

FRANCE - AMERIQUE *

(1914)

Un vent plein de sanglots sur la mer impassible
Vient jusqu'ici! La trance écoute, grave. Or,
Ce sont les voix éplorées, la douleur terrible
Des Hécubes en pleurs des Amériques d'or.
La-bas, dans l'épouvante et l'injurie et la haine,
Les chasseurs de la mort ont sonné l'hallali,
Et de nouveau soufflant sa venimeuse haleine,
On croirait voir la bouche d'Huitzilopoxtli.
Il semblerait que tous les démons du passé
Viennent de s'éveiller empoisonnant la terre.
Si contre nous l'étendard sanglant s'est levé,
C'est l'étendard hideux de ce tyran: la Guerre.
Marseillaises de bronze et d'or qui vont dans l'air
Sont pour nos coeurs ardents le chan de l'espérance.
En entendant du coq gaulois le clairon clair
On clame: Liberté! Et nous traduisons: France!
Car la France sera toujours notre espérance.
La France à la Amérique donnera sa main,
La France est la patrie de nos rêves! La France
Est le foyer béni de tout la genre humain!
Crions: Paix!, sous le feux des combattants en marche...
la paix qui prêche l'aube et chante l'angélus,
La paix qui promulga la colombe de l'arche
Et fut la voix de l'ange et la croix de Jésus.
Crions: Fraternité! Que l'oiseau symbolique
Soit nonce de fraternité dans le ciel pur;
Que l'aigle plane sur notre inmense Amérique
Et que le condor soit son frere dans l'azur,
Et toi, Paris!, magicienne de la Race,
Reine latine, éclaire notre jour obscur,
Donnez-nous le secret, que votre pas nous trace,
Et la force du *Fluctuac nec mergitur!*
Et quand nous sommes pris dans cette noire flamme,
Qui fait de nos esprits, de Caïn les égaux,
Nous levons nos regards èt nous chauffons nos âmes
Au soleil de Voltaire et de Victor Hugo!

* La traducción de este poema figura en la página 301. Fue hecha, al parecer, por el propio Darío.

GESTA DEL COSO

Dramatis personae
El toro, el buey, la muchedumbre

América. Un coso. La tarde. El sol brilla radiosamente en un cielo despejado. En el anfiteatro hay un inmenso número de espectadores. En la arena, después de la muerte de varios toros, la cuadrilla se prepara para retirarse triunfante. El primer beluario, cerca de una huella sangrienta, está gallardo, vestido de azul y oro, muleta y espada bajo el brazo. Los banderilleros visten de amarillo y plata. En las chaquetas de los picadores espejean las lentejuelas al resplandor de la tarde. En el toril han quedado: un toro, hermoso y bravo, y un buey de servicio. Son de clarín.

La muchedumbre
¡Otro toro! ¡Otro toro!

El buey
                              ¿Has escuchado?
Prepara empuje, cuernos y pellejo:
ha llegado tu turno. Ira salvaje,
banderillas y picas que te acosan,
aplausos al verdugo; al fin, la muerte.
Y arriba, la impasible y solitaria
contemplación del vasto firmamento.
   Yo, ridículo y ruin, soy el paciente
esclavo. Soy el humillado eunuco.
Mi testuz sabe resistir, y llevo
sobre los pedregales la carreta
cuyas ruedas rechinan, y en cuya alta
carga de pasto crujidor, a veces
cantan versos los fuertes campesinos.
Mis ojos pensativos, al poeta,
dan sospecha de vidas misteriosas
en que reina el enigma. Me complace
meditar. Soy filósofo. Si sufro
el golpe y la punzada, reflexiono
que me concede Dios este derecho:
espantarme las moscas con el rabo.
Y sé que existe el matadero...

El toro

¡Pampa!
¡Libertad! ¡Aire y sol! Yo era el robusto
señor de la planicie, donde el aire
mi bramido llevó, cual son de un cuerno
que soplara titán de anchos pulmones.
Con el pitón a flor de piel, yo erraba
un tiempo en el gran mar de verdes hojas
cerca del cual corría el claro arroyo
donde apagué la sed con belfo ardiente.
Luego, fui bello rey de astas agudas.
A mi voz respondían las montañas,
y mi estampa, magnífica y soberbia,
hiciera arder de amor a Pasifae.
Más de una vez el huracán indómito
que hunde los puños desgarrando el roble,
bajo el cálido cielo del estío,
sopló al paso su fuego en mis narices.
Después fueron las luchas. Era el puma,
que me clavó sus garras en el flanco,
y al que enterré los cuernos en el vientre.
Y tras el día caluroso, el suave
aliento de la noche, el dulce sueño;
sentir el alba, saludar la aurora,
que pone en mi testuz rosas y perlas.
Ver la cuadriga de Titón que avanza,
rasgando nubes con los cascos de oro,
y alrededor de la carroza lírica
desparecer las pálidas estrellas.
Hoy aguardo martirio, escarnio y muerte...

El buey

¡Pobre declamador! Está a la entrada
de la vida una esfinge sonriente.
El azul es en veces negro. El astro
se oculta, desparece, muere. El hombre
es aquí el poderoso traicionero.
Para él, temor. Yo he sido en mi llanura
soberbio como tú. Sobre la grama
bramé orgulloso y respiré soberbio.
Hoy vivo mutilado, como, engordo,
la nuca inclino.

El toro

¡Y bien! Para ti el fresco
pasto, tranquila vida, agua en el cubo,
esperada vejez... A mí, la roja
capa del diestro, reto y burla, el ronco
griterío, la arena donde clavo
la pezuña, el torero que me engaña
ágil y airoso, y en mi carne entierra
el arpón de la alegre banderilla,
encarnizado tábano de hierro;
la tempestad en mi pulmón de bruto,
el resoplido que levanta el polvo,
mi sed de muerte en desbordado instinto,
mis músculos de bronce que la sangre
hinche en hirviente plétora de vida;
en mis ojos dos llamas iracundas,
la onda de rabia por mis nervios loca
que echa su espuma en mis candentes fauces;
el clarín del bizarro torilero
que anima la apretada muchedumbre;
el matador que enterrará hasta el pomo
en mi carne la espada; la cuadriga
de enguirnaldadas mulas que mi cuerpo
arrastrará sangriento y palpitante;
y el vítor y el aplauso a la estocada
que en pleno corazón clava el acero.
¡Oh, nada más amargo! A mí, los labios
del arma fría que me da la muerte;
tras el escarnio, el crudo sacrificio,
el horrible estertor de la agonía...
En tanto que el azul sagrado, inmenso,
continúa sereno, y en la altura,
el oro del gran sol rueda al poniente
en radiante apoteosis...

La muchedumbre

¡Otro toro!

El buey

¡Calla! ¡Muere! Es tu tiempo.

86

El toro

¡Atroz sentencia!
Ayer, el aire, el sol; hoy, el verdugo...
¿Qué peor que este martirio?

El buey

¡La impotencia!

El toro

¿Y qué más negro que la muerte?

El buey

¡El yugo!

RETORNO

El retorno a la tierra natal ha sido tan
sentimental, y tan mental, y tan divino,
que aún las gotas del alba cristalinas están
en el jazmín de ensueño, de fragancia y de trino.
Por el Anfión antiguo y el prodigio del canto
se levanta una gracia de prodigio y encanto
que une carne y espíritu como en el pan y el vino.
En el lugar en donde tuve la luz, y el bien,
¿qué otra cosa podría sino besar el manto
a mi Roma, mi Atenas o mi Jerusalén?
Exprimidos de idea, y de orgullo y cariño,
de esencia de recuerdo, de arte de corazón,
concreto ahora todos mis ensueños de niño
sobre la crin anciana de mi amado León.
Bendito el dromedario que a través del desierto
condujera al Rey Mago, de aureolada sien,
y que se dirigía por el camino cierto
en que el astro de oro conducía a Belén.
Amapolas de sangre y azucenas de nieve
he mirado no lejos del divino laurel,
y he sabido que el vino de nuestra vida breve
precipita hondamente la ponzoña y la hiel.
Mas sabe el optimista, religioso y pagano,
que por César y Orfeo nuestro planeta gira,
y que hay sobre la tierra que llevar en la mano,
dominadora siempre, o la espada o la lira.
El paso es misterioso. Los mágicos diamantes
de la corona o las sandalias de los pies
fueron de los maestros que se elevaron antes,

y serán de los genios que triunfarán después.
Parece que Mercurio llevara el caduceo
de manera triunfal en mi dulce país,
y que brotara pura, hecha por mi deseo,
en cada piedra una mágica flor de lis.
Por atavismo griego o por fenicia influencia,
siempre he sentido en mí ansia de navegar,
y Jasón me ha legado su sublime experiencia
y el sentir en mi vida los misterios del mar.
¡Oh cuántas veces, cuántas veces oí los sones
de las sirenas líricas en los clásicos mares!
¡Y cuántas he mirado tropeles de tritones
y cortejos de ninfas ceñidas de azahares!
Cuando Pan vino a América, en tiempos fabulosos,
en que había gigantes, y conquistaba Pan
y Baco tierra incógnita, y tigres y molosos
custodiaban los templos sagrados de Copán,
se celebraban cultos de estrellas y de abismos;
se tenía una sacra visión de Dios. Y era
ya la vital conciencia que hay en nosotros mismos
de la magnificencia de nuestra Primavera.
Los atlántidas fueron huéspedes nuestros. Suma
revelación un tiempo tuvo el gran Moctezuma,
y Hugo vio en Momotombo órgano de verdad.
A través de las páginas fatales de la historia,
nuestra tierra está hecha de vigor y de gloria,
nuestra tierra está hecha para la Humanidad.
Pueblo vibrante, fuerte, apasionado, altivo;
pueblo que tiene la conciencia de ser vivo,
y que reuniendo sus energías en haz
portentoso, a la Patria vigoroso demuestra
que puede bravamente presentar en su diestra
el acero de guerra o el olivo de paz.
Cuando Dante llevaba a la Sorbona ciencia
y su maravilloso corazón florentino,
creo que concretaba el alma de Florencia,
y su ciudad estaba en el libro divino,
Si pequeña es la Patria, uno grande la sueña.
Mis ilusiones, y mis deseos, y mis
esperanzas, me dicen que no hay patria pequeña.
Y León es hoy a mí como Roma o París.
Quisiera ser ahora como el Ulises griego
que domaba los arcos, y los barcos y los
destinos. Quiero ahora deciros ¡hasta luego!
¡Porque no me resuelvo a deciros adiós!

(1907).

ENSUEÑO

"DREAM"

Se desgrana un cristal fino
sobre el sueño de una flor;
trina el poeta divino...
¡Bien trinado, Ruiseñor!
    Bottom oye ese cristal
caer, y, bajo la brisa,
se siente sentimental.
Titania toda es sonrisa.
    Shakespeare va por la floresta,
Heine hace un "lied" de la tarde...
Hugo acompasa la fiesta
"Chez Thérèse". Verlaine arde
    en las llamas de las rosas,
alocado y sensitivo,
y dice a las ninfas cosas
entre un querubín y un chivo.
    Aubrey Beardsley se desliza
como un silfo zahareño:
con carbón, nieve y ceniza
da carne y alma al ensueño.
    Nerval suspira a la luna.
Laforgue suspira de
males de genio y fortuna.
Va en silencio Mallarmé.

VERSOS DE OTOÑO

Cuando mi pensamiento va hacia ti, se perfuma;
tu mirar es tan dulce, que se torna profundo.
Bajo tus pies desnudos, aún hay blancor de espuma
y en tus labios compendias la alegría del mundo.
    El amor pasajero tiene el encanto breve,
y ofrece un igual término para el gozo y la pena.
Hace una hora que un nombre grabé sobre la nieve;
hace un minuto dije mi amor sobre la arena.
    Las hojas amarillas caen en la alameda,
en donde vagan tantas parejas amorosas.
Y en la copa de Otoño un vago vino queda
en que han de deshojarse, Primavera, tus rosas.

"SUM..."

Yo soy en Dios lo que soy
y mi ser es voluntad
que, perseverando hoy,
existe en la eternidad.

Cuatro horizontes de abismo
tiene mi razonamiento,
y el abismo que más siento
es el que siento en mí mismo.

Hay un punto alucinante
en mi villa de ilusión:
la torre del elefante
junto al quiosco del pavón.

Aun lo humilde me subyuga
si lo dora mi deseo.
La concha de la tortuga
me dice el dolor de Orfeo.

Rosas buenas, lirios pulcros,
loco de tanto ignorar,
voy a ponerme a gritar
al borde de los sepulcros:

¡Señor, que la fe se muere!
¡Señor, mira mi dolor!
¡Miserere! ¡Miserere!...
Dame la mano, Señor...

LA BAILARINA
DE LOS PIES DESNUDOS

Iba en un paso rítmico y felino
a avances dulces, ágiles o rudos,
con algo de animal y de divino,
la bailarina de los pies desnudos.

Su falda era la falda de las rosas,
en sus pechos había dos escudos...
Constelada de casos y de cosas...
La bailarina de los pies desnudos.

Bajaban mil deleites de los senos
hacia la perla hundida del ombligo,
e iniciaban propósitos obscenos
azúcares de fresa y miel de higo.

A un lado de la silla gestatoria
estaban mis bufones y mis mudos...
¡Y era toda Selene y Anactoria
la bailarina de los pies desnudos!

90

LA CANCIÓN DE LOS PINOS

¡Oh pinos, oh hermanos en tierra y en ambiente,
yo os amo! Sois dulces, sois buenos, sois graves.
Diríase un árbol que piensa y que siente,
mimado de auroras, poetas y aves.

Tocó vuestra frente la alada sandalia;
habéis sido mástil, proscenio, curul,
¡oh pinos solares, oh pinos de Italia,
bañadas de gracia, de gloria, de azul!

Sombríos, sin oro del sol, taciturnos,
en medio de brumas glaciales y en
montañas de ensueños, oh pinos nocturnos,
¡oh pinos del norte, sois bellos también!

Con gestos de estatuas, de mimos, de actores,
tendiendo a la dulce caricia del mar,
¡oh pinos de Nápoles, rodeados de flores,
oh pinos divinos, no os puedo olvidar!

Cuando en mis errantes pasos peregrinos
la Isla Dorada me ha dado un rincón
do soñar mis sueños, encontré los pinos,
los pinos amados de mi corazón.

Amados por tristes, por blandos, por bellos.
Por su aroma, aroma de una inmensa flor,
por su aire de monjes, sus largos cabellos,
sus savias, rüidos y nidos de amor.

¡Oh pinos antiguos que agitara el viento
de las epopeyas, amados del sol!
¡Oh líricos pinos del Renacimiento,
y de los jardines del suelo español!

Los brazos eolios se mueven al paso
del aire violento que forma al pasar
ruidos de pluma, rüidos de raso,
rüidos de agua y espumas de mar.

¡Oh noche en que trajo tu mano, Destino,
aquella amargura que aún hoy es dolor!
La luna argentaba lo negro de un pino,
y fui consolado por un ruiseñor.

Románticos somos... ¿Quién que Es, no es romántico?
Aquel que no sienta ni amor ni dolor,
aquel que no sepa de beso y de cántico,
que se ahorque de un pino: será lo mejor...

Yo, no. Yo persisto. Pretéritas normas
confirman mi anhelo, mi ser, mi existir.
¡Yo soy el amante de ensueños y formas
que viene de lejos y va al porvenir!

VESPER

Quietud, quietud... Ya la ciudad de oro
ha entrado en el misterio de la tarde.
La catedral es un gran relicario.
La bahía unifica sus cristales
en un azul de arcaicas mayúsculas
de los antifonarios y misales.
Las barcas pescadoras estilizan
el blancor de sus velas triangulares
y como un eco que dijera: "Ulises",
junta alientos de flores y de sales.

EN UNA PRIMERA PÁGINA

Cálamo, deja aquí correr tu negra fuente.
Es el pórtico en donde la Idea alza la frente
luminosa y al templo de sus ritos penetra.
Cálamo, pon el símbolo divino de la letra
en gloria del vidente, cuya alma está en su lira.
Bendición al que entiende, bendición al que admira.
De ensueño, plata o nieve, ésta es la blanca puerta.
Entrad los que pensáis o soñáis. Ya está abierta.

"¡EHEU!"

Aquí, junto al mar latino,
digo la verdad:
Siento en roca, aceite y vino,
yo mi antigüedad.

¡Oh qué anciano soy, Dios santo;
oh, qué anciano soy!...
¿De dónde viene mi canto?
Y yo, ¿adónde voy?

El conocerme a mí mismo
ya me va costando
muchos momentos de abismo
y el cómo y el cuándo...

Y esta claridad latina,
¿de qué me sirvió
a la entrada de la mina
del yo y el no yo...?

Nefelibata contento,
creo interpretar
las confidencias del viento,
la tierra y el mar...

Unas vagas confidencias
del ser y el no ser,
y fragmentos de conciencias
de ahora y ayer.
Como en medio de un desierto
me puse a clamar;
y miré al sol como muerto
y me eché a llorar.

LA HEMBRA DEL PAVO REAL

En Ecbatana fue una vez...
O más bien creo que en Bagdad...
Era en una rara ciudad,
bien Samarcanda o quizá Fez.
La hembra del pavo real
estaba en el jardín desnuda;
mi alma amorosa estaba muda
y habló la fuente de cristal.
Habló con su trino y su alegro
y su *stacatto* y son sonoro,
y venían del bosque negro
voz de plata y llanto de oro.
La desnuda estaba divina,
salomónica y oriental:
era una joya diamantina
la hembra del pavo real.
Los brazos era dos poemas
ilustrados de ricas gemas.
Y no hay un verso que concentre
el trigo y albor de palomas,
y lirios y perlas y aromas
que había en los senos y el vientre.
Era una voluptuosidad
que sabía a almendra y a nuez
y a vinos que gustó Simbad...
En Ecbatana fue una vez,
o más bien creo que en Bagdad.
En las gemas resplandecientes
de las colas de los pavones
caían gotas de las fuentes
de los Orientes de ilusiones.
La divina estaba desnuda.
Rosa y nardo dieron su olor...

Mi alma estaba extasiada y muda
y en el sexo ardía una flor.
En las terrazas decoradas
con un gusto extraño y fatal
fue desnuda ante mis miradas
la hembra del pavo real.

HONDAS

A Pichardo

Yo soñé que era un hondero
mallorquín.
Con las piedras que en la costa
recogí,
cazaba águilas al vuelo,
lobos, y
en la guerra iba a la guerra
contra mil.
Un guijarro de oro puro
fue al cenit
una tarde en que, en la altura
azul, vi
un enorme gerifalte
perseguir
a una extraña ave radiante,
un rubí
que rayara el firmamento
de zafir.
No tornó mi piedra al mundo.
Pero sin
vacilar vino a mí el ave-
querubín.
"Partió herida —dijo— el alma
de Goliat, y vengo a ti.
¡Soy el alma luminosa
de David!"

A UN PINTOR

Vamos a cazar, ¡oh Ramos!,
vamos por allí;
suenan cuernos y reclamos
y ecos de jaurías; y
vamos a cazar colores,
vamos a cazar
entre troncos y entre flores,

arte singular.
Pintor de melancolías,
amigo pintor,
la perla que tú deslías
tendrá mi dolor.
Teorías de dolores
has pintado tú;
y prïapeas y ardores
que da Belcebú.
Amas la luz y la furia
que es un don de Pan,
la poderosa lujuria
que los dioses dan.
Lúgubres atardeceres
y amor y dolor,
crepúsculos de mujeres,
masculino horror...
Vagos éxodos funestos,
gestos de pesar,
gestos terribles y gestos
de llorar y aullar.
El sol poniente que quema
la última ilusión,
o la bruma de un poema
que es fin de pasión.
Honduras negruras de abismo
y espanto fatal,
lividez de cataclismo
o anuncio mortal.
Ráfagas de sombra y frío
y un errante ir...
(¡Vamos a morir, Dios mío,
vamos a morir!)
Pintor de melancolías,
deja esa visión.
Hay soles de eternos días,
Olimpo y Sión.
Vamos a cazar colores,
ilusión los bosques dan,
las dríadas brindan flores
y alegría el egipán.
El trigal sueña en la misa;
hay de besos un rumor;
y en la seda de la brisa
va la gracia del amor.

A ANTONIO MACHADO

Misterioso y silencioso
iba una y otra vez.
Su mirada era tan profunda
que apenas se podía ver.
Cuando hablaba tenía un dejo
de timidez y de altivez.
Y la luz de sus pensamientos
casi siempre se veía arder.
Era luminoso y profundo
como era hombre de buena fe.
Fuera pastor de mil leones
y de corderos a la vez.
Conduciría tempestades
o traería un panal de miel.
Las maravillas de la vida
y del amor y del placer,
cantaba en versos profundos
cuyo secreto era de él.
Montado en un raro Pegaso,
un día al imposible fue.
Ruego por Antonio a mis dioses;
ellos le salven siempre. Amén.

PRELUDIO

En "Alma América"

de J. S. Chocano

Hay un tropel de potros sobre la pampa inmensa.
¿Es Pan que se incorpora? No: es un hombre que piensa,
es un hombre que tiene una lira en la mano:
él viene del azul, del sol, del Oceano.
Trae encendida en vida su palabra potente
y concreta el decir de todo un continente...
Tal vez es desigual... (¡El Pegaso da saltos!)
Tal vez es tempestuoso... (¡Los Andes son tan altos!..)
Pero hay en ese verso tan vigoroso y terso
una sangre que apenas veréis en otro verso;
una sangre que cuando en la estrofa circula,
como la luz penetra y como la onda ondula...
Pegaso está contento, Pegaso piafa y brinca,
porque Pegaso pace en los prados del inca.
Y este fuerte poeta de alma tan ardorosa
sabe bien lo que cuentan los labios de la rosa,

comprende las dulzuras del panal y comprende
lo que dice la abeja del secreto del duende...
Pero su brazo es para levantar la trompeta
hacia donde se anuncia la aurora del Profeta;
es hecho para dar a la virtud del viento
la expresión del terrible clarín del pensamiento.
Él sabe de Amazonas, Chimborazos y Andes.
Siempre blande su verso para las cosas grandes.
Va como Don Quijote en ideal campaña,
vive de amor de América y de pasión de España;
y envuelto en armonía y en melodía y canto,
tiene rasgos de héroe y actitudes de santo.
"¿Me permites, Chocano, que, como amigo fiel,
te ponga en el ojal esta hoja de laurel?"
Tal dije cuando don J. Santos Chocano,
último de los incas, se tornó castellano.

NOCTURNO

Silencio de la noche, doloroso silencio
nocturno... ¿Por qué el alma tiembla de tal manera?
Oigo el zumbido de mi sangre,
dentro mi cráneo pasa una suave tormenta.
¡Insomnio! No poder dormir, y, sin embargo,
soñar. Ser la auto-pieza
de disección espiritual, ¡el auto-Hamlet!
Dilüir mi tristeza
en un vino de noche,
en el maravilloso cristal de las tinieblas...
Y me digo: ¿a qué hora vendrá el alba?
Se ha cerrado una puerta...
Ha pasado un transeúnte...
Ha dado el reloj trece horas... ¡Si será Ella!...

CASO *

A un cruzado caballero,
garrido y noble garzón,
en el palenque guerrero
le clavaron un acero
tan cerca del corazón,
que el físico al contemplarle,
tras verle y examinarle,

* Escrita en 1886, y titulada "Caso Cierto".

97

dijo: "Quedará sin vida
si se pretende sacarle
el venablo de la herida."
    Por el dolor congojado,
triste, débil, desangrado,
después que tanto sufrió,
con el acero clavado
el caballero murió.
    Pues el físico decía
que, en dicho caso, quien
una herida tal tenía,
con el venablo moría,
sin el venablo también.
    ¿No comprendes, Asunción,
la historia que te he contado,
la del garrido garzón
con el acero clavado
muy cerca del corazón?
    Pues el caso es verdadero;
yo soy el herido, ingrata,
y tu amor es el acero;
¡si me lo quitas, me muero;
si me lo dejas, me mata!

LIBROS EXTRAÑOS

A F. Sicardi

    Libros extraños que halagáis la mente
en un lenguaje inaudito y tan raro,
y que de lo más puro y lo más caro,
hacéis brotar la misteriosa fuente;
    inextinguible, inextinguiblemente
brota el sentir del corazón preclaro,
y por él se alza un diamantino faro
que al mar de Dios mira profundamente...
    Fuerza y vigor que las almas enlaza,
seda de luz y pasos de coloso,
y un agitar de martillo y de maza,
    y un respirar de leones en reposo,
y una virtual palpitación de raza;
y el cielo azul para Orlando Furioso...

98

EPÍSTOLA

A la señora de Leopoldo Lugones

1

Madame Lugones, ja'i commencé ces vers
en écoutant la voix d'un carillon d'Anvers...

¡Así empecé, en francés, pensando en Rodenbach
cuando hice hacia el Brasil una fuga... ¡de Bach!
En Río de Janeiro iba yo a proseguir,
poniendo en cada verso el oro y el zafir
y la esmeralda de esos pájaros-moscas
que melifican entre las áureas siestas foscas
que temen los que temen el cruel vómito negro.
Ya no existe allá fiebre amarilla. ¡Me alegro!
Et pour cause. Yo pan-americanicé
con un vago temor y con muy poca fe,
en la tierra de los diamantes y la dicha
tropical. Me encantó ver la vera machicha,
mas encontré también un gran núcleo cordial
de almas llenas de amor, de ensueños, de ideal.
Y si había un calor atroz, también había
todas las consecuencias y ventajas del día,
en panorama igual al de los cuadros y hasta
igual al mejor de la fantasía. Basta.
Mi ditirambo brasileño es ditirambo
que aprobaría tu marido. *Arcades ambo.*

2

Mas al calor de ese Brasil maravilloso,
tan fecundo, tan grande, tan rico, tan hermoso,
a pesar de Tijuca y del cielo opulento,
a pesar de ese foco vivaz de pensamiento
a pesar de Nabuco, embajador, y de
los delegados panamericanos que
hicieron lo posible por hacer cosas buenas,
saboreé lo ácido del saco de mis penas;
quiero decir que me enfermé. La neurastenia
es un don que me vino con mi obra primigenia.
¡Y he vivido tan mal, y tan bien, cómo y tanto!
¡Y tan buen comedor guardo bajo mi manto!
¡Y tan buen bebedor guardo bajo mi capa!
¡Y he gustado bocados de cardenal y papa...!
Y he exprimido la ubre cerebral tantas veces,
que estoy grave. Esto es mucho rüido y pocas nueces,
según dicen doctores de una sapiencia suma.

Mis dolencias se van en ilusión y espuma.
Me recetan que no haga nada ni piense nada,
que me retire al campo a ver la madrugada
con las alondras y con Garcilaso, y con
el *sport*. ¡Bravo! Sí. Bien. Muy bien. ¿*Y La Nación?*
¿Y mi trabajo diario y preciso y fatal?
¿No se sabe que soy cónsul como Stendhal?
Es preciso que el médico que eso recete, dé
también libro de cheques para el *Crédit Lyonnais*,
y envíe un automóvil devorador del viento,
en el cual se pasee mi egregio aburrimiento,
harto de profilaxis, de ciencia y de verdad.

3

En fin, convaleciente, llegué a nuestra ciudad
de Buenos Aires, no sin haber escuchado
a míster Root a bordo del *Charleston* sagrado.
Mas mi convalecencia duró poco. ¿Qué digo?
Mi emoción, mi entusiasmo y mi recuerdo amigo,
y el banquete de *La Nación*, que fue estupendo,
y mis viejas siringas con su pánico estruendo,
y ese fervor porteño, ese perpetuo arder,
y el milagro de gracia que brota en la mujer
argentina, y mis ansias de gozar de esa tierra,
me pusieron de nuevo con mis nervios en guerra.
Y me volví a París. Me volví al enemigo
terrible, centro de la neurosis, ombligo
de la locura, foco de todo *surmenage*,
donde hago buenamente mi papel de *sauvage*
encerrado en mi celda de la *rue Marivaux*,
confiando sólo en mí y resguardando el yo.
¡Y si lo resguardara señora!... ¡Si no fuera
lo que llaman los parisienses una *pera*!
A mi rincón me llegan a buscar las intrigas,
las pequeñas miserias, las traiciones amigas,
y las ingratitudes. Mi maldita visión
sentimental del mundo me aprieta el corazón,
y así cualquier tunante me explotará a su gusto.
Soy así. Se me puede burlar con calma. Es justo.
Por eso los astutos, los listos, dicen que
no conozco el valor del dinero. ¡Lo sé!
Que ando, nefelibata, por las nubes... Entiendo.
Que no soy hombre práctico en la vida... ¡Estupendo!
Sí, lo confieso: soy inútil. No trabajo
por arrancar a otro su pitanza; no bajo
a hacer la vida sórdida de ciertos previsores.

Yo no ahorro ni en seda ni en champaña, ni en flores.
No combino sutiles pequeñeces, ni quiero
quitarle de la boca su pan al compañero.
Me complace en los cuellos blancos ver los diamantes.
Gusto de gentes de maneras elegantes
y de finas palabras y de nobles ideas.
Las gentes sin higiene ni urbanidad, de feas
trazas, avaros, torpes, o malignos y rudos,
mantienen, lo confieso, mis entusiasmos mudos.
    [Si el *sportman* es Petronio, con él mis gustos son:
porque si no, prefiero a Verlaine o a Villon.]
    No conozco el valor del oro... ¿Saben esos
que tal dicen, lo amargo del jugo de mis sesos,
del sudor de mi alma, de mi sangre y mi tinta,
del pensamiento en obra y de la idea encinta?
¿He nacido yo acaso hijo de millonario?
¿He tenido yo Cirineo en mi Calvario?

4

    Tal continué en París lo empezado en Anvers.
Hoy, heme aquí en Mallorca, *la terre dels foners*,
como dice Mossén Cinto, el gran Catalán.
Y desde aquí, señora, mis versos a ti van,
olorosos a sal marina y azahares,
al suave aliento de las Islas Baleares.
Hay un mar tan azul como el Partenopeo;
y al azul celestial, vasto como un deseo,
su techo cristalino bruñe con sol de oro.
Aquí todo es alegre, fino, sano y sonoro.
Barcas de pescadores sobre la mar tranquila
descubro desde la terraza de mi *villa*,
que se alza entre las flores de su jardín fragante,
con un monte detrás y con la mar delante.
    [Veo el vuelo gracioso de las velas de lona,
y los barcos que vienen de Argel y Barcelona.
Tengo arbolitos verdes llenos de mandarinas;
tengo varios conejos y unas cuantas gallinas,
y conforme el poeta, tengo un Cristo y un máuser.
Así vive este hermano triste de Gaspar Hauser.]

5

    A veces me dirijo al mercado, que está
en la Plaza Mayor. (¿Qué Coppeé, no es verdá?)
Me rozo con un núcleo crespo de muchedumbre
que viene por la carne, la fruta y la legumbre.

Las mallorquinas usan una modesta falda,
pañuelo en la cabeza y la trenza a la espalda.
(Esto, las que yo he visto, al pasar, por supuesto.
Y las que no la llevan, no se enojen por esto).
He visto unas payesas con sus negros corpiños,
con cuerpos de odaliscas y con ojos de niños;
y un velo que les cae por la espalda y el cuello,
dejando al aire libre lo obscuro del cabello.
Sobre la falda clara, un delantal vistoso.
Y saludan con un *bon di tengui* gracioso,
entre los cestos llenos de patatas y coles,
pimientos de corales, tomates de arreboles,
sonrosadas cebollas, melones y sandías,
que hablan de las Arabias y las Andalucías.
Calabazas y nabos para ofrecer asuntos
a Madame Noailles y Francis Jammes juntos.
   A veces me detengo en la plaza de abastos
como si respirase soplos de vientos vastos,
como si se me entrase con el respiro el mundo.
Estoy ante la casa en que nació Raimundo
Lulio. Y en ese instante mi recuerdo me cuenta
las cosas que le dijo la Rosa a la Pimienta...
¡Oh, cómo yo diría el sublime destierro
y la lucha y la gloria del Mallorquín de hierro!
¡Oh, cómo cantaría en un carmen sonoro
la vida, el alma, el numen, del Mallorquín de oro!
De los hondos espíritus es de mis preferidos.
Sus robles filosóficos están llenos de nidos
de ruiseñor. Es otro y es hermano del Dante.
   ¡Cuántas veces pensara su verbo de diamante
delante la Sorbona vieja del París sabio!
¡Cuántas veces he visto su infolio y su astrolabio
en una bruma vaga de ensueño, y cuántas veces
le oí hablar a los árabes cual Antonio a los peces,
en un imaginar de pretéritas cosas
que, por ser tan antiguas, se sienten tan hermosas!
   [Excúsame, si quieres, oh Juana de Lugones,
estas filosofías llenas de digresiones;
mas mi pasión por Ramón Lull es pasión vieja,
perfumada de siglos, de verso y de conseja.
Núñez de Arce hizo un bello poema; Núñez de Arce
blancos pétalos sueltos del azahar esparce;
mas Ramón Lull es el limosnero de Hesperia,
injerto en el gran roble del corazón de Iberia,
que necesita el Hércules fuerte que le sacuda
para sembrar de estrellas nuestra tierra desnuda.]

6

Hice una pausa.
                    El tiempo se ha puesto malo. El mar
a la furia del aire no cesa de bramar.
El temporal no deja que entren vapores. Y
un *yacht* de lujo busca refugio en Porto-Pí.
Porto-Pí es una rada cercana y, pintoresca.
Vista linda: aguas bellas, luz dulce y tierra fresca.

¡Ah, señora, si fuese posible a algunos el
dejar su Babilonia, su Tiro, su Babel,
para poder venir a hacer su vida entera
en esta luminosa y espléndida ribera!

Hay no lejos de aquí un archiduque austríaco
que las pomas de Ceres y las uvas de Baco
cultiva, en un retiro archiducal y egregio.
Hospeda como un monje —y el hospedaje es regio—.
Sobre las rocas se alza la mansión señorial
y la isla le brinda ambiente imperial.
Es un pariente de Jean Orth. Es un atrida
que aquí ha encontrado el cierto secreto de su vida.
Es un cuerdo. Aplaudamos al príncipe discreto
que aprovecha a la orilla del mar ese secreto.

La isla es florida y llena de encanto en todas partes.
Hay un aire propicio para todas las artes.
En Pollensa ha pintado Santiago Rusiñol
cosas de flor de luz y de seda de sol.
Y hay villa de retiro espiritual famosa:
La literata Sand escribió en Valldemosa
un libro. Ignoro si vino aquí con Musset,
y si la vampiresa sufrió o gozó, no sé.*

¿Por qué mi vida errante no me trajo a estas sanas
costas antes de que las prematuras canas
de alma y cabeza hicieran de mí la mezcolanza
formada de tristeza, de vida y esperanza?
¡Oh, qué buen mallorquín me sentiría ahora!
¡Oh, cómo gustaría sal de mar, miel de aurora,
al sentir comó en un caracol en mi cráneo
el divino y eterno rumor mediterráneo!

Hay en mí un griego antiguo que aquí descansó un día
después que le dejaron loco de melodía
las sirenas rosadas que atrajeron su barca.
Cuanto mi ser respira, cuanto mi vista abarca,

---

* He leído ya el libro que hizo Aurora Dupin.
  Fue Chopin el amante aquí, ¡Pobre Chopin!...

es recordado por mis íntimos sentidos,
los aromas, las luces, los ecos, los rüidos,
como en ondas atávicas me traen añoranzas
que forman mis ensueños, mis vidas y esperanzas.
Mas, ¿dónde está aquel templo de mármol, y la gruta
donde mordí aquel seno dulce como una fruta?
¿Dónde los hombres ágiles que las piedras redondas
recogían para los cueros de sus hondas?...
      Calma, calma. Esto es mucha poesía, señora.
Ahora hay comerciantes muy modernos. Ahora
mandan barcos prosaicos la dorada Valencia,
Marsella, Barcelona y Génova. La ciencia
comercial es hoy fuerte y lo acapara todo.
      Entre tanto, respiro mi salitre y mi iodo
brindados por las brisas de aqueste golfo inmenso,
y a un tiempo, como Kant y como el asno, pienso.
Es lo mejor.

7

      Y aquí mi epístola concluye.
Hay un ansia de tiempo que de mi pluma fluye
a veces, como hay veces de enorme economía.
"Si hay, he dicho, señora, alma clara, es la mía."
Mírame transparentemente, con tu marido,
y guárdame lo que tú puedas del olvido.

Anvers, Buenos Aires, París,
Palma de Mallorca, 1906.

A REMY DE GOURMONT

      Desde Palma de Mallorca,
en donde Lulio nació,
te dirijo este romance,
¡Oh, Remigio de Gourmont!
Va lleno de sal marina
y va caliente de sol,
del sol que gozó Cartago
y que a Aníbal dio calor.
Llevan las gymnesias brisas
algo de azahar. Y son
para ti gratas, ilustre
nieto de conquistador.
Por tu sangre de Cortés
puedes ornar tu blasón

104

con signos que aquí en España
mejorara sólo Dios.
Y pues de Cortés blasonas,
vaya esta salutación
llena de frases corteses
a tu hogar de sabidor.
Yo te recordé por Lulio,
a quien amas con razón,
pues no hay para seres tales
más que razonado amor.
De las plantas de Raimundo
tu herbario bien sabe el don,
si él tuvo antes don de lenguas,
donde lenguas tienes hoy.
Raimundo fue combativo;
tú lo eres en lo interior,
y si lapidado fue,
tú mereces el honor
de ser quemado en la hoguera
de la Santa Inquisición.
Aquí hay luz, vida. Hay un mar
de cobalto aquí, y un sol
que estimula entre las venas
sangre de pagano amor.
Aquí estaría Simona
bajo un toronjero en flor,
viendo las velas latinas
en la azulada visión.
Y tú tendrías la mente
en un eco, en una voz
en un cangrejo, en la arena,
o en una constelación.

ECO Y YO

A la señora Susana Torres de Castex

Eco, divina y desnuda
como el diamante del agua,
mi musa estos versos fragua
y necesita tu ayuda,
pues, sola, peligros teme.
—¡Heme!
—Tuve en momentos distantes,
antes,
que amar los dulces cabellos
bellos

de la ilusión que primera
era
en mi alcázar andaluz,
luz;
en mi palacio de moro,
oro;
en mi mansión dolorosa,
rosa.
Se apagó como una estrella
ella.
Deja, pues, que me contriste.
—¡Triste!
—¡Se fue el instante oportuno!
—¡Tuno!...
—¿Por qué, si era yo süave
ave
que sobre el haz de la tierra
yerra
y el reposo de la rama
ama?
Guióme por varios senderos
Eros,
mas no se portó tan bien
en
esquivarme los risueños
sueños,
que hubieran dado a mi vida
ida,
menos crueles mordeduras
duras.
Mas hoy el duelo aún me acosa.
—¡Osa!
¿Osar, si el dolor revuela?
—¡Vuela!
—Tu voz ya no me convence.
—Vence.
—¡La suerte errar me demanda!
—Anda.
—Mas de ilusión las simientes...
—¡Mientes!
—¿Y ante la desesperanza?
—Esperanza.
y hacia el vasto porvenir
ir.
—Tu acento es bravo, aunque seco,
Eco.

Sigo, pues, mi rumbo, errante,
                    ante
los ojos de las rosadas
                    hadas.
Gusté de amor hidromieles,
                    mieles;
probé de Horacio divino,
                    vino;
entretejí en mis delirios
                    lirios.
Lo fatal con sus ardientes
                    dientes
apretó mi conmovida
                    vida;
mas me libró en toda parte
                    Arte.
Lista está a partir mi barca,
                    arca
do va mi gala suprema,
                    —Rema.
—Un blando mar se consigue.
                    —Sigue.
—La aurora rosas reparte.
                    —¡Parte!
¡Y a la ola que te admira
                    mira,
y a la sirena que encanta,
                    canta!

BALADA EN HONOR DE LAS MUSAS
DE CARNE Y HUESO

A G. Martínez Sierra

Nada mejor para cantar la vida
y aun para dar sonrisas a la muerte,
que la áurea copa en donde Venus vierte
la esencia azul de su viña encendida.
Por respirar los perfumes de Armida
y por sorber el vino de su beso,
vino de ardor, de beso, de embeleso,
fuérase al cielo en la bestia de Orlando.
¡Voz de oro y miel para decir cantando
La mejor musa es la de carne y hueso!
    Cabellos largos en la buhardilla,
noches de insomnio al blancor del invierno,
pan de dolor con la sal de lo eterno

107

y ojos de ardor en que Juvencia brilla;
el tiempo en vano mueve su cuchilla,
el hilo de oro permanece ileso;
visión de gloria, para el libro impreso
que en sueños va como una mariposa,
y una esperanza en la boca de rosa.
¡La mejor musa es la de carne y hueso!

Regio automóvil, regia cetrería,
borla y muceta, heráldica fortuna
nada son como a luz de la luna
una mujer hecha una melodía.
Barca de amar busca la fantasía,
no el *yacht* de Alfonso o la barca de Creso.
Da al cuerpo llama y fortifica el seso
ese archivado y vital paraíso;
pasad de largo, Abelardo y Narciso:
¡La mejor musa es la de carne y hueso!

Clío está en la frente hecha de Aurora,
Euterpe canta en esta lengua fina,
Talía ríe en la boca divina,
Melpómene es ese gesto que implora;
en estos pies Terpsícore se adora,
cuello inclinado es de Erato embeleso,
Polymnia intenta a Caliope proceso
por esos ojos en que Amor se quema.
Urania rige todo ese sistema:
¡La mejor musa es la de carne y hueso!

No protestéis con celo protestante,
contra el panal de rosas y claveles
en que Tiziano moja sus pinceles
y gusta el cielo de Beatrice el Dante.
Por eso existe el verso de diamante,
por eso el iris tiéndese y por eso
humano genio es celeste progreso.
Líricos cantan y meditan sabios
por esos pechos y por esos labios:
¡La mejor musa es la de carne y hueso!

ENVÍO

Gregorio: nada al cantor determina
como el gentil estímulo del beso;
Gloria al sabor de la boca divina.
¡La mejor musa es la de carne y hueso!

AGENCIA...

¿Qué hay de nuevo?... Tiembla la tierra.
En La Haya incuba la guerra.
Los reyes han terror profundo.
Huele a podrido en todo el mundo.
No hay aromas en Galaad.
Desembarcó el marqués de Sade
procedente de Seboím.
Cambia de curso el *gulf-stream*.
París se flagela a placer.
Un cometa va a aparecer.
Se cumplen ya las profecías
del viejo monje Malaquías.
En la iglesia un diablo se esconde.
Ha parido una monja... (¿En dónde?...)
Barcelona ya no está bona
sino cuando la bomba sona...
China se corta la coleta.
Henry de Rothschild es poeta.
Madrid abomina la capa.
Ya no tiene eunucos el Papa.
Se organizará por un *bill*
la prostitución infantil.
La fe blanca se desvirtúa
y todo negro *continúa*.
En alguna parte está listo
el palacio del Anticristo.
Se cambian comunicaciones
entre lesbianas y gitones.
Se anuncia que viene el Judío
Errante... ¿Hay algo más, Dios mío?...

"FLIRT"

Que a las dulces gracias la áurea rima loe,
que el amable Horacio brinde un canto a Cloe,
que a Margot o a Clelia dé un rondel Banville,
eso es justo y bello, que esa ley nos rija,
eso lisonjea y eso regocija
a la reina Venus y a su paje Abril.

El ilustre cisne, cual labrado en nieve,
con el cuello en arco, bajo el aire leve,
boga sobre el terso lago especular.
Y aunque no lo dice, va ritmando un aria

109

para la entreabierta rosa solitaria
que abre el fresco cáliz a la luz lunar.
   Albas margaritas, rosas escarlatas,
¿no guardan memoria de las serenatas
con que un tierno lírico os habló de amor?
¿Conocéis la gama breve y cristalina
en que, enamorado, su canción divina
con su bandolina trina el ruiseñor?
   Estas tres estrofas, deliciosa amiga,
son un corto prólogo para que te diga
que tus bellos ojos de luz sideral
y tus labios, rimas ricas de corales,
merecen la ofrenda de los madrigales
floridos de líricas rosas de cristal.
   De tu fresca gracia los elogios rimo,
de un rondel galante la fragancia exprimo
para ungir la alfombra donde estén tus pies.
Yo saludo el lindo triunfo de las damas,
y en mis versos siento renacer las llamas
que eran luz del triunfo del Rey Sol francés.

(1893)

CAMPOAMOR

Éste del cabello cano,
como la piel del armiño,
juntó su candor de niño
con su experiencia de anciano;
cuando se tiene en la mano
un libro de tal varón,
abeja es cada expresión
que, volando del papel,
deja en los labios la miel
y pica en el corazón.

ESQUELA A CHARLES DE SOUSSENS *

A la vista del blanco lucero matutino
a tu amistad envío mi saludo cordial,
pues tus dedos despiertan el alambre divino,
sobre la lira, sobre el tímpano inmortal:
   Tu Suiza, coronada de un halo diamantino,
circundada en abismos de torres de cristal,

* Escrita en 1895.

alzará un día, para tu numen peregrino,
un busto blanco y fino de firme pedestal.

Compañero que traes, en tu lira extranjera
caras rosas nativas a nuestra primavera,
y que tu *Ranz* nos cantas en el modo español,

¡que la América escuche tu noble melodía,
y a Suiza, Buenos Aires pueda enviar algún día
tu cabeza lunática coronada de sol!

HELDA

Helda c'est la musique et le rythme charmant,
évocateur. C'est la femme mysterieuse
et plastique, amoureuse, et pleureuse, et rieuse,
et même elle est le vers qui caline et qui ment.

Je ne boirai jamais le vin de son serment,
et la coupe d'or de cette femme amoureuse
n'enivrera jamais mon áme malheureuse,
malheureuse d'Amor; ma Belle au bois dormant.

Mais Helda est pour moi comme une harpe éolienne:
et de mes rêves est aussi musicienne
en fleurissant sa voix des paroles de jour.

Je voudrais être Roi du pays d'Utopie
et je donnerais la couronne à mon amie,
des perles de musique, et des diamants d'amour.

A UNA NOVIA

Alma blanca, más blanca que el lirio;
frente blanca, más blanca que el cirio
que ilumina el altar del Señor:
Ya serás por hermosa encendida,
ya serás sonrosada y herida
por el rayo de luz del amor.

Labios rojos de sangre divina,
labios donde la risa argentina
junta el albo marfil al clavel:
ya veréis cómo el beso os provoca,
cuando Cipris envíe a esa boca
sus abejas sedientas de miel.

Manos blancas, cual rosas benditas,
que sabéis deshojar margaritas
junto al fresco rosal del Pensil,
¡ya daréis la canción del amado
cuando hiráis el sonoro teclado
del triunfal clavicordio de Abril!

Ojos bellos de ojeras cercados,
¡ya veréis los palacios dorados
de una vaga, ideal Estambul,
cuando lleven las hadas a Oriente
a la Bella del Bosque Durmiente,
en el carro del Príncipe Azul!
  ¡Blanca flor! De tu cáliz risueño
la libélula errante del Sueño
alza el vuelo veloz, ¡blanca flor!
Primavera su palio levanta
y hay un coro de alondras que canta
la canción matinal del amor.

SONETO

Para el Sr. D. Ramón del Valle-Inclán

Este gran don Ramón, de las barbas de chivo,
cuya sonrisa es la flor de su figura,
parece un viejo dios, altanero y esquivo,
que se animase en la frialdad de su escultura.
El cobre de sus ojos por instantes fulgura
y da una llama roja tras un ramo de olivo.
Tengo la sensación de que siento y que vivo
a su lado una vida más intensa y más dura.
Este gran don Ramón del Valle-Inclán me inquieta,
y a través del zodíaco de mis versos actuales
se me esfuma en radiosas visiones de poeta,
  o se me rompe en un fracaso de cristales.
Yo le he visto arrancarse del pecho la saeta
que le lanzan los siete pecados capitales.

QUERIDA DE ARTISTA

Cultiva tu artista, mujer,
que por cierto debes tener
los ojos de las hechiceras...
Cultiva tu artista, mujer,
sin abusar del alfiler
y del filo de las tijeras.
  Y si eres de las hechiceras
que, desnudas, se dejan ver
en las pieles de las panteras,
o si de las tristes y fieras,
cultiva tu artista, mujer...

"TANT MIEUX..."

Gloria al laboratorio de Canidia,
gloria al sapo y la araña y su veneno,
gloria al duro guijarro, gloria al cieno,
gloria al áspero errar, gloria a la insidia,
    gloria a la cucaracha que fastidia,
gloria al diente del can de rabia lleno,
gloria al parche vulgar que imita al trueno,
gloria al odio bestial, gloria a la envidia.
    Gloria a las ictericias devorantes
que sufre el odiador; gloria a la escoria
que padece la luz de los diamantes,
    pues toda esa miseria transitoria
hace afirmar el paso a los Atlantes
cargados con el orbe de su gloria.

LÍRICA

A Eduardo Talero

Eduardo: está en el reino de nuestra fantasía
el pabellón azul de nuestro rey divino.
Saludemos al dios en el pan y en el vino,
saludemos al dios en la noche y el día.
    Todavía está Apolo triunfante, todavía
gira bajo su lumbre la rueda del destino
y viértense del carro en el diurno camino
las ánforas de fuego, las urnas de armonía.
    Hundámonos en ese mar vasto de éter puro
en que las almas libres del cautiverio obscuro
de la sombra, celebran el divino poder
    de cantar. Tal será nuestra eterna retórica.
En tanto suena la música pitagórica
y brilla en el celeste abismo Lucifer.

DANZA ELEFANTINA

Oíd, Cloe, Aglae, Nice,
que es singular.
El elefante dice:
Voy a danzar.
    Lleno de filosofía
tiene el testuz,
la trompa es sabiduría,
los colmillos, luz.

113

Las formidables orejas
gravedades son
muy llenas de cosas viejas
y de erudición.
Cuatro patas misteriosas,
pues no viene sin
haber chafado las rosas
de griego y latín.
van a trenzar unas danzas
que son la verdad,
los ensueños esperanzas
de la humanidad.
¿El elefante está enfermo?
¿Harto de laurel
índico, está el paquidermo
rehúso al rabel?
Basta pesadez le sobra
para la función,
y danza mejor la cobra
de la flauta al son.
Ninfas, danzad. El alisio
besa vuestros pies.
El virtual don de Dionisio
con vosotros es.
Oíd, Cloe, Nice, Aglae,
toda mi ciencia es amor:
Y en mis danzas se distrae
mi maestro el ruiseñor.

INTERROGACIONES

¿Abeja, qué sabes tú,
toda de miel y oro antiguo?
¿Qué sabes, abeja helénica?
—Sé de Píndaro.

—León de hedionda melena,
meditabundo león,
¿sabes de Hércules acaso...?
—Sí. Y de Job.

—Víbora, mágica víbora,
¿entre el sándalo y el loto,
has adorado a Cleopatra?
—Y a Petronio...

114

—Rosa, que en la cortesana
fuiste sobre seda azul,
¿amabas a Magdalena?...
—Y a Jesús...

—Tijera ue destrozaste
de Sansón la cabellera,
¿te atraía a ti Sansón?
—No. Su hembra...

—¿A quién amáis, alba blanca,
lino, espuma, flor de lis,
estrellas puras, ¿a Abel?
—A Caín.

—Águila que eres la Historia,
¿dónde vas hacer tu nido?
¿A los picos de la gloria?...
—Sí. ¡En los montes del olvido!

LOS PIRATAS

Remacha el postrer clavo en el arnés. Remacha
el postrer clavo en la fina tabla sonora.
Ya es hora de partir, buen pirata, ya es hora
de que la vela pruebe el pulmón de la racha.

Bajo la quilla el cuello del tritón ya se agacha;
y la vívida luz del relámpago dora
la quimera de bronce incrustada en la prora,
y una sonrisa pone en el labio del hacha.

La coreada canción de la piratería,
saludará el real oriflama del día
cuando el clarín del alba nueva ha de sonar

¡glorificando a los caballeros del viento
que ensangrientan la seda azul del firmamento
con el rojo pendón de los reyes del mar!

10

POEMA DEL OTOÑO
Y OTROS POEMAS*
(1909 -1910)

---

*Estas composiciones, desde "Mediodía", aparecieron bajo el título de *Intermezzo tropical* en el volumen *El viaje a Nicaragua*, Bibl. "Ateneo", Madrid, 1909.

...Resulta el hombre significativo de un nuevo Renacimiento que interesa a cien millones de hombres, el último libertador de América, el creador de un nuevo espíritu. Sólo la premiosa superficialidad de nuestra vida nos impide ver que andamos entre prodigios, como éste de codearnos con seres que tienen el don divino de crear espíritus inmortales. La obra de arte que sobrevive a su autor y sigue con ello despertando interés, simpatía, emociones; engendrando obras análogas, suscitando vida, en una palabra, es, sin duda, un ser viviente. Y cuando se incorpora al ser de una raza modificando su orientación, resulta espíritu inmortal.

LEOPOLDO LUGONES

Homenaje Póstumo

(22 de mayo de 1916, Teatro de la Ópera, Buenos Aires)

Soñador y arisco, aíslase en vetusta biblioteca; aprende los arcaicos metros castellanos y las maneras del divino marqués de Santillana al par con el *dernier cri* parisiense, y échase a cantar, desde que vio una garza perderse en los juncales de un lago. Y sus amoríos adolescentes comienzan a ser piezas de antología. A Darío acompaña el cisne, ave heráldica, en cuyas alas escribe su proeza. Para 1892, Darío hace el descubrimiento al revés; para 1907, ya los jóvenes poetas españoles Villaespesa, Machado, Juan Ramón, son daríacos; y más tarde, pululan los posdaríacos.

HUMBERTO TEJERA

Revista *Horizontes* (México, abril de 1963)

DEDICATORIA

A Mariano Miguel de Val

Tú que estás la barba en la mano,
meditabundo,
¿has dejado pasar, hermano,
la flor del mundo?

Te lamentas de los ayeres
con quejas vanas:
¡aún hay promesas de placeres
en las mañanas!

Aún puedes casar la olorosa
rosa, y el lis,
y hay mirtos para tu orgullosa
cabeza gris.

El alma ahíta cruel inmola
lo que la alegra,
como Zingua, reina de Angola,
lúbrica negra.

Tú has gozado de la hora amable,
y oyes después
la impresión del formidable
Eclesiastés.

El domingo de amor te hechiza;
mas mira cómo
llega el miércoles de ceniza;
· *Memento, homo...*

Por eso hacia el florido monte
las almas van,
y se explican Anacreonte
y Omar Kayam.

Huyendo del mal, de improviso
se entra en el mal
por la puerta del paraíso
artificial.

Y, no obstante, la vida es bella,
por poseer
la perla, la rosa, la estrella
y la mujer.

119

Lucifer brilla. Canta el ronco
mar. Y se pierde
Silvano oculto tras el tronco
del haya verde.

Y sentimos la vida pura,
clara, real,
cuando la envuelve la dulzura
primaveral.

¿Para qué las envidias viles
y las injurias,
cuando retuercen sus reptiles
pálidas furias?

¿Para qué los odios funestos
de los ingratos?
¿Para qué los lívidos gestos
de los Pilatos?

¡Si lo terreno acaba, en suma,
cielo e infierno,
y nuestras vidas son la espuma
de un mar eterno!

Lavemos bien de nuestra veste
la amarga prosa;
soñemos en una celeste
mística rosa.

Cojamos la flor del instante;
¡la melodía
de la mágica alondra cante
la miel del día!

Amor a su fiesta convida
y nos corona.
Todos tenemos en la vida
nuestra Verona.

Aun en la hora crepuscular
canta una voz:
"¡Ruth, risueña, viene a espigar
para Booz!"

Mas coged la flor del instante,
cuando en Oriente
nace el alba para el fragante
adolescente.

¡Oh! niña que con Eros juegas,
niños lozanos,
danzad como las ninfas griegas
y los silvanos!

120

El viejo tiempo tódo roe
y va de prisa;
sabed vencerle, Cintia, Cloe
y Cidalisa.
 Trocad por rosas azahares,
que suena el son
de aquel *Cantar de los Cantares*
de Salomón.
 Príapo vela en los jardines
que Cipris huella;
Hécate hace aullar los mastines;
mas Diana es bella,
 y apenas envuelta en los velos
de la ilusión,
baja a los bosques de los cielos
por Endimión.
 ¡Adolescencia! Amor te dora
con su virtud;
goza del beso de la aurora,
¡oh juventud!
 ¡Desventurado el que ha cogido
tarde la flor!
Y ¡ay de aquel que nunca ha sabido
lo que es amor!
 Yo he visto en tierra tropical
la sangre arder,
como en un cáliz de cristal,
en la mujer,
 y en todas partes la que ama
y se consume
como una flor hecha de llama
y de perfume.
 Abrasaos en esa llama
y respirad
ese perfume que embalsama
la Humanidad.
 Gozad de la carne, ese bien
que hoy nos hechiza
y después se tornará en
polvo y ceniza.
 Gozad del sol, de la pagana
luz de sus fuegos;
gozad del sol, porque mañana
estaréis ciegos.

Gozad de la dulce armonía
que a Apolo invoca;
gozad del canto, porque un día
no tendréis boca.

Gozad de la tierra, que un
bien cierto encierra;
gozad, porque no estáis aún
bajo la tierra.

Apartad el temor que os hiela
y que os restringe;
la paloma de Venus vuela
sobre la Esfinge.

Aún vencen muerte, tiempo y hado
las amorosas;
en las tumbas se han encontrado
mirtos y rosas.

Aún Anadiómena en sus lidias
nos da su ayuda;
aún resurge en la obra de Fidias
Friné desnuda.

Vive el bíblico Adán robusto,
de sangre humana,
y aún siente nuestra lengua el gusto
de la manzana.

Y hace de este globo viviente
fuerza y acción
la universal y omnipotente
fecundación.

El corazón del cielo late
por la victoria
de este vivir, que es un combate
y es una gloria.

Pues aunque hay pena y nos agravia
el sino adverso,
en nosotros corre la savia
del universo.

Nuestro cráneo guarda el vibrar
de tierra y sol,
como el ruido de la mar
el caracol.

La sal de la mar en nuestras venas
va a borbotones;
tenemos sangre de sirenas
y de tritones.

A nosotros encinas, lauros,
frondas espesas;
tenemos carne de centauros
y satiresas.
En nosotros la vida vierte
fuerza y calor.
¡Vamos al reino de la Muerte
por el camino del Amor!

"INTERMEZZO" TROPICAL

1

MEDIODÍA

Midi, *roi des étés,* como cantaba el criollo
francés. Un mediodía
toda la isla quema. Arde el escollo;
y el azul, fuego envía.
Es la isla del Cardón, en Nicaragua.
Pienso en Grecia, en Morea o en Zacinto.
Pues al brillo del cielo y al cariño del agua
se alza enfrente una tropical Corinto.
Penachos verdes de palmeras. Lejos,
ruda de antigüedad, grave de mito,
la tribu en roca de volcanes viejos,
que, como todo, aguarda su instante de infinito.
Un ave de rapiña pasa a pescar y torna
con un pez en las garras.
Y sopla un vaho de horno que abochorna
y tuesta en oro las cigarras

2

VESPERAL

Ha pasado la siesta
y la hora del Poniente se avecina,
y hay ya frescor en esta
costa, que el sol del Trópico calcina.
Hay un suave dentar de aura marina,
y el Occidente finge una floresta
que una llama de púrpura ilumina.
Sobre la arena dejan los cangrejos
la ilegible escritura de sus huellas.
Conchas de color rosa y de reflejos

áureos, caracolillos y fragmentos de estrellas
de mar, forman alfombra
sonante al paso, en la armoniosa orilla.
Y cuando Venus brilla,
dulce, imperial amor de la divina tarde,
creo que en la onda suena
o son de lira, o canto de sirena.
Y en mi alma otro lucero, como el de Venus, arde.

3

CANCIÓN OTOÑAL

Aire de "Seminole",
de Egbert Vanalstyre.

En Occidente húndese
el sol crepuscular;
vestido de oro y púrpura
mañana volverá.
En la vida hay crepúsculos
que nos hacen llorar,
porque hay soles que pártense
y no vuelven jamás.

CORO

Vuela la mágica ilusión
en un ocaso de pasión,
y la acompaña una canción
del corazón.
Éste era un rey de Cólquida,
o quizá de Thulé,
un rey de ensueños líricos
que sonrió una vez.
De su sonrisa hermética
jamás se supo bien
si fue doliente y pálida
o si fue de placer.

CORO

Vuela la mágica ilusión
en un ocaso de pasión,
y la acompaña una canción
del corazón.
La tarde melancólica
solloza sobre el mar.
Brilla en el cielo Véspero

en su divina paz.
Y hay en el aire trémulo
ansias de suspirar,
porque pasa con Céfiro
como el alma otoñal.

CORO

Vuela la mágica ilusión
en un ocaso de pasión,
y la acompaña una canción
del corazón.

4

RAZA

Hisopos y espadas
han sido precisos,
unos regando el agua
y otras vertiendo el vino
de la sangre. Nutrieron
de tal modo a la raza los siglos.
Juntos alientan vástagos
de beatos e hijos
de encomenderos con
los que tienen el signo
de descender de esclavos africanos,
o de soberbios indios,
como el gran Nicarao, que un puente de canoas
brindó al cacique amigo
para pasar el lago
de Managua. Esto es épico y es lírico.

5

CANCIÓN

Niñas que dais al viento,
al cielo y a la mar
la mirada, el acento
y el olor de azahar
que de vuestros cabellos
bellos
amamos respirar;
damas de sol y ensueño,
de luz y de ilusión,

que anima el dios risueño,
dueño del corazón,
por vuestros ojos cálidos,
pálidos
los soñadores son.
   Obras de arte del sacro
artista universal,
tan bello simulacro
dé su gracia fatal
y en tal estatua vibre,
libre,
la psique de cristal.
   Pues sois de la existencia,
la dicha en lo fugaz,
y vuestra dulce ciencia
suele ser eficaz,
quémese uno en tal fuego;
luego
puede dormirse en paz.

6

A DOÑA BLANCA DE ZELAYA

   Señora, de las Blancas que tenemos noticia,
la primera sería Diana la Cazadora,
a menos que no fuese la Diosa de Justicia,
o la que nos anuncia la entrada de la Aurora.
   Después hay muchas Blancas entre la negra historia,
que astros de venturanza para los pueblos son,
ya perlas de consuelo, o diamantes de gloria;
por ejemplo: la dulce Blanca de Borbón.
   En un fondo de azul, como una estrella brilla,
siendo como la reina de las flores de lis,
la prestigiosa doña Blanca de Castilla,
decoro de las reinas y madre de San Luis.
   En un ambiente de bizarría y fragancia,
otra blancura viene que prestigia y que da
a la maravillosa doña Blanca de Francia
la música de triunfo que por sus nupcias va.
   Y en lo que el cronista preciosamente narra,
entre lujos de justa y reflejos de lid,
nos aparece doña Blanca de Navarra
orgullosa, preclara y biznieta del Cid.

Mas ante este desfile que de la gloria arranca,
entre tantas blancuras siendo una regia flor,
por sencilla, por pura, por garrida y por blanca,
Blanca de Nicaragua nos será la mejor.

7

A MARGARITA DEBAYLE

Margarita, está linda la mar,
y el viento
lleva esencia sutil de azahar;
yo siento
en el alma una alondra cantar
tu acento.
Margarita, te voy a contar
un cuento.

Éste era un rey que tenía
un palacio de diamantes,
una tienda hecha del día
y un rebaño de elefantes.

Un kiosko de malaquita,
un gran manto de tisú,
y una gentil princesita,
tan bonita,
Margarita,
tan bonita como tú.

Una tarde la princesa
vio una estrella aparecer;
la princesa era traviesa
y la quiso ir a coger.

La quería para hacerla
decorar un prendedor,
con un verso y una perla,
una pluma y una flor.

Las princesas primorosas
se parecen mucho a ti.
Cortan lirios, cortan rosas,
cortan astros. Son así.

Pues se fue la niña bella,
bajo el cielo y sobre el mar,
a cortar la blanca estrella
que la hacía suspirar.

Y siguió camino arriba,
por la luna y más allá;

mas lo malo es que ella iba
sin permiso del papá.
　　Cuando estuvo ya de vuelta
de los parques del Señor,
se miraba toda envuelta
en un dulce resplandor.
　　Y el rey dijo: "¿Qué te has hecho
Te he buscado y no te hallé;
y ¿qué tienes en el pecho,
que encendido se te ve?"
　　La princesa no mentía.
Y así dijo la verdad:
"Fui a cortar la estrella mía
a la azul inmensidad."
　　Y el rey clama: "¿No te he dicho
que el azul no hay que tocar?
¡Qué locura! ¡Qué capricho!
El Señor se va a enojar."
　　Y dice ella: "No hubo intento;
yo me fui no sé por qué.
Por las olas y en el viento
fui a la estrella y la corté."
　　Y el papá dice enojado:
"Un castigo has de tener:
vuelve al cielo y lo robado
vas ahora a devolver."
　　La princesa se entristece
por su dulce flor de luz,
cuando entonces aparece
sonriendo el Buen Jesús.
　　Y así dice: "En mis campiñas
esa rosa le ofrecí:
son mis flores de las niñas
que al soñar piensan en Mí."
　　Viste el rey ropas brillantes,
y luego hace desfilar
cuatrocientos elefantes
a la orilla de la mar.
　　La princesita está bella,
pues ya tiene el prendedor
en que lucen con la estrella
verso, perla, pluma y flor.
　　Margarita, está linda la mar,
y el viento
lleva esencia sutil de azahar:
tu aliento.

128

Ya que lejos de mí vas a estar,
guarda, niña, un gentil pensamiento
al que un día te quiso contar
un cuento.

8

EN CASA DEL DOCTOR
LUIS H. DEBAYLE — TOAST *

Esta casa de gracia y de gloria me augura,
en tan dulces momentos, que son de Epifanía,
como el amanecer de un encantado día
que iniciase las horas de una dicha futura.
Aquí un verbo ha brotado que anima y que perdura,
aquí se ha consagrado a la eterna Armonía
por las rosas de idea que han dado al alma mía,
en sus pétalos frescos la fragancia más pura.
Suaves reminiscencias de los primeros años
me brindaron consuelos en países extraños,
y hoy sé, por el destino prodigioso y fatal,
que si es amarga y dura la sal de que habla el Dante,
no hay miel tan deleitosa, tan fina y tan fragante
como la miel divina de la tierra natal.

Y para Casimira
el oro de la lira,
y las flores de lis
que junten la fragancia
de Nicaragua y Francia
por su adorado Luis.

VARIA

SANTA ELENA DE MONTENEGRO

Hora de Cristo en el Calvario,
hora de terror milenario,
hora de sangre, hora de osario.
La luna huraño humor destila
en la tumba de la Sibila
y *solvet sæclum in favilla...*
Hécate aullante y fosca yerra,
y lanza al infierno su guerra
por las pústulas de la tierra.

* *Toast* significa "brindis".

El hambre medieval va por
sendas de sulfúreo vapor
y olor de muerte. ¡Horror, horror!
　Ladran con un furioso celo
los canes del diablo hacia el cielo
por la boca de Mongibelo.
　Tiemblan pueblos en desvarís
de hambre, de terror y de frío...
¡Dios mío! ¡Dios mío! ¡Dios mío!
　Como en la dantesca Comedia
nos eriza el pelo y asedia
el espanto de la Edad Media.
　Pasan furias haciendo gestos,
pasan mil rostros descompuestos;
allá arriba hay signos funestos.
　Hay pueblos de espectros humanos
que van mordiéndose las manos.
Comienzan su obra los gusanos.
　Falta la terrible trompeta.
Mas oye el alma del poeta
crujir los huesos del planeta.
　Al ruido terráqueo, un ruido
se agrega, profundo, inoído...
Viene de lo desconocido.
　Entre tanto, la muchedumbre
grita sin fe, sin pan, sin lumbre,
alocada de pesadumbre.
　Y bajo el obscuro destino
se oyen rechinar de contino
los. rojos dientes de Hugolino.
　Y todo espíritu se pasma
al ver entre el fuego y el miasma
retorcerse al dolor-fantasma.
　Arruga el ceño el Deo Ignoto,
y Atropos, Laquesis y Cloto
hacen señas al Terremoto...
　Ululan voces lamentables;
son idénticos y espantables
millonarios y miserables.
　Van rebaños dolientes... Van
visiones de duelo y afán
cual vio en su Apocalipsis Juan.
　Y sobre ellas ceniza avienta
el corazón de la tormenta,
y un rencor divino revienta.

Y bajo sus pies huye el suelo,
y sobre sus frentes el duelo
cae de lo triste del cielo.
    ¡Oh asombro y miedo de las Musas!
¡Oh cabelleras de Medusas!
¡Oh los rictus de las empusas!
    ¡Oh amarga máscara amarilla,
ojos do luz siniestra brilla
y escenarios de pesadilla!
    Acres relentes, voz que hiere
repentina, gente que muere...
¡Ay! ¡Miserere!... ¡Miserere!
    ¡Jardines que hoy son cementerios
destruidos por los cauterios
de los temerosos Misterios!
    Región que el espanto prefiere
y en donde la Muerte más hiere...
¡Ay! ¡Miserere!... ¡Miserere!
    ¡Mas oíd un celeste *allegro*!
Es que pasa en el horror negro
Santa Elena de Montenegro.

GAITA GALAICA

    Gaita galaica, sabes cantar
lo que profundo y dulce nos es.
Dices de amor, y dices después
de un amargor como el de la mar.
    Canta. Es el tiempo. Haremos danzar
al fino verso de rítmicos pies.
Ya nos lo dijo el Eclesiastés:
tiempo hay de todo: hay tiempo de amar,
    tiempo de ganar, tiempo de perder,
tiempo de plantar, tiempo de coger,
tiempo de llorar, tiempo de reír,
    tiempo de rasgar, tiempo de coser,
tiempo de esparcir y de recoger,
tiempo de nacer, tiempo de morir.

A MISTRAL

¡Mistral!, la copa santa llena de santo vino
        alza el mundo por ti,
y lleva nueva sangre al corazón latino
        su líquido rubí.

131

¡Gran patriarca! Tu canto lleva el mistral sonoro,
    canto de amor y de fe,
y alza su palma lírica tu Provenza de oro
    por su gran Capoulié.
Provenza que cultiva sus olivos y parras,
    cuida el verde laurel,
y al glorïoso son de liras y cigarras
    te corona con él.
Provenza canta himnos para su rey de cantos,
    para su hijo inmortal,
y dice odas pindáricas, o dice salmos santos,
    griega y pontifical.
Y las hermanas de Mireio, la preciosa,
    flor que el Arquero hirió,
por su memoria ofrendan ramos de mirto y rosa
    a quien vida le dio.
Sonad, sonad, trompetas que anunciáis la victoria
    de este amado del Sol,
y que entre vuestro coro se oiga tocando a gloria,
    un clarín español.
Y que sobre los mares lleven los vientos libres
    la divina verdad,
¡emperador de musas y rey de los felibres!,
    de tu inmortalidad.

EL CLAVICORDIO DE LA ABUELA *

    En el castillo, fresca, linda,
la marquesita Rosalinda,
mientras la blanda brisa vuela,
con su pequeña mano blanca
una pavana grave arranca
al clavicordio de la abuela.
    ¡Notas de Lully y de Rameau!
Versos que a ella recitó
el primo rubio tan galán,
que tiene el aire caprichoso,
y que es gallardo y orgulloso
como un mancebo de Rohán.
    Va la manita en el teclado,
como si fuese un lirio alado,
lanzando al aire la canción,
y con sonrisa placentera

*Por haber sido escrito en 1892, este poema debió aparecer en *Prosas Profanas*.

132

sonríe el viejo de gorguera
en los tapices del salón.
En el tapiz está un amor,
y una pastora da una flor
al pastorcito que la anhela.
Es una boca en flor la boca
de la que alegre y viva toca
el clavicordio de la abuela.
Es una fresa, es una guinda:
los labios son de Rosalinda,
que toca y toca y toca más.
Tiene en su rostro abril y mayo;
en su mirada brilla un rayo;
con la cabeza hace el compás.
¡Qué linda está la marquesita!
Es una blanca margarita,
es una rosa, es un jazmín.
Su cabellera es un tesoro;
se ríe, brota un canto de oro
en su reír de querubín.
El cielo tiene sobre el traje:
si hay una nube, es un encaje,
espuma, bruma, suave tul;
como ella es blanca y sonrosada,
y de oro puro coronada
¡qué bien le sienta el traje azul!
Ella hacia un lado inclina suave
la cabecita, como un ave
que casi va, que casi vuela;
y alza su mano al son sutil
de la blancura del marfil
del clavicordio de la abuela.
La niña, dulce cual la miel,
canta a compás rondó y rondel,
canta los versos de Ronsard;
y cuando lanza en su clamor
los tiernos versos del amor,
se pone siempre a suspirar.
Amor sus rosas nuevas brinda
a la marquesa Rosalinda,
que al amor corre sin cautela,
sin escuchar que en el teclado
canta un amor desengañado
el clavicordio de la abuela.
¡Amar, reír! La vida es corta.

Gozar de abril es lo que importa
en el primer loco delirio;
bello es que el leve colibrí
bata alas de oro y carmesí
sobre la nieve azul del lirio.

Y aunque al terrible viaje largo
empuja el ronco viento amargo
cuyo siniestro nombre hiela,
bien es que al pobre viajador
anime el vivo son de amor
del clavicordio de la abuela.

CANTO A LA ARGENTINA

– 1910 –

¡Argentina! ¡Argentina!
¡Argentina! El sonoro
viento arrebata la gran voz de oro.
Ase la fuerte diestra la bocina,
y el pulmón fuerte, bajo los cristales
del azul, que han vibrado,
lanza el grito : *Oíd, mortales,*
Oíd el grito sagrado.

Oíd el grito que va por la floresta
de mástiles que cubre el ancho estuario,
e invade el mar; sobre la enorme fiesta
de las fábricas trémulas de vida;
sobre las torres de la urbe henchida;
sobre el extraordinario
tumulto de metales y de lumbres
activos; sobre el cósmico portento
de obra y de pensamiento
que arde en las poliglotas muchedumbres;
sobre el construir, sobre el bregar, sobre el soñar,
sobre la blanca sierra,
sobre la extensa tierra,
sobre la vasta mar.

¡Argentina, región de la aurora!
¡Oh tierra abierta al sediento
de libertad y de vida,
dinámica y creadora!
¡Oh barca augusta de prora
triunfante, de doradas velas!

De allá de la bruma infinita,
alzando la palma que agita,
te saluda el divo Cristóbal,
príncipe de las Carabelas.

Te abriste como una granada,
como una ubre te henchiste,
como una espiga te erguiste
a toda raza congojada,
a toda humanidad triste,
a los errabundos y parias
que bajo nubes contrarias
van en busca del buen trabajo,
del buen comer, del buen dormir,
del techo para descansar
y ver a los niños reír,
bajo el cual se sueña y bajo
el cual se piensa morir.

¡Éxodos! ¡Éxodos! Rebaños
de hombres, rebaños de gentes
que teméis los días huraños,
que tenéis sed sin hallar fuentes
y hambre sin el pan deseado,
y amáis la labor que germina.
Los éxodos os han salvado.
¡Hay en la tierra una Argentina!
He aquí la región del Dorado,
he aquí el paraíso terrestre,
he aquí la ventura esperada,
he aquí el Vellocino de Oro,
he aquí Canaán la preñada,
la Atlántida resucitada;
he aquí los campos del Toro
y del Becerro simbólico;
he aquí el existir que en sueños
miraron los melancólicos,
los clamorosos, los dolientes
poetas visionarios
que en sus olimpos o calvarios
amaron a todas las gentes.

He aquí el gran Dios desconocido
que todos los dioses abarca.
Tiene su templo en el espacio;
tiene su gazofilacio

en la negra carne del mundo.
Aquí está la mar que no amarga,
aquí está el Sahara fecundo,
aquí se confunde el tropel
de los que al infinito tienden;
y se edifica la Babel
en donde todos se comprenden.

Tú, el hombre de las estepas,
sonámbulo de sufrimiento,
nacido ilota y hambriento,
al fuego del odio huido,
hombre que estabas dormido
bajo una tapa de plomo,
hombre de las nieves del zar,
mira al cielo azul, canta, piensa;
mujik redento, escucha cómo
en tu rancho, en la pampa inmensa,
murmura alegre el samovar.

¡Cantad, judíos de la pampa!
Mocetones de ruda estampa,
dulces Rebecas de ojos francos.
Rubenes de largas guedejas,
patriarcas de cabellos blancos,
y espesos cómo hípicas crines;
cantad, cantad, Saras viejas,
y adolescentes Benjamines,
con voz de vuestro corazón:
¡Hemos encontrado a Sión!

Hombres de Emilia y los del agro
romano, lígures, hijos
da la tierra del milagro
partenopeo, hijos todos
da Italia, sacra a las gentes,
familia que sois descendientes
de quienes vieron errantes
a los olímpicos dioses
de los antaños, amadores
da danzas gozosas y flores
purpúreas y del divino
don da la sangre del vino;
hallasteis un nuevo hechizo,
hallasteis otras estrellas,
encontrasteis prados en donde

se siembra, espiga y barbecha,
se canta en la fiesta del grano,
y hay un gran sol soberano,
como al da Italia y de Jonia,
que en oro al terruño convierte:
el enemigo de la muerte
sus urnas vitales vierte
en el seno de la colonia.

Hombres de España poliforme,
finos andaluces sonoros,
amantes da zambras y toros,
astures que entre peñascos
aprendisteis a amar a la augusta
Libertad, elásticos vascos
como hechos da antiguas raíces,
raza heroica, raza robusta,
rudos brazos y altas cervices;
hijos de Castilla la noble,
rica de hazañas ancestrales;
firmas gallegos de roble,
catalanas y levantinos
que heredasteis los inmortales
fuegos de hogares latinos;
iberos de la península
que las huellas del paso de Hércules
visteis en al suelo natal;
¡he aquí la fragante campaña
en donde crear otra España
en la Argentina universal!

¡Helvéticos! La nación nueva
ama el canto del libre. ¡Dad
al pampero, que el trueno lleva
vuestros cantos de libertad!
El Sol de Mayo os ilumina.
Como en la patria natal,
veréis el blancor que culmina
allá donde en la tierra austral,
erige una Suiza argentina
sus ventisqueros de cristal.

Llegad, hijos de la astral Francia:
hallaréis en estas campiñas,
entre los triunfos de la estancia,
las guirnaldas de vuestras viñas.

137

Hijos del gallo de Galia,
cual los de la loba de Italia,
placen al cóndor magnífico,
que ebrio de celeste azur,
abre sus alas en el sur
desde el Atlántico al Pacífico.

Vástagos de hunos y de godos,
ciudadanos del orbe todos,
cosmopolitas caballeros
que antes fuisteis conquistadores,
piratas y aventureros,
reyes en el mar y en el viento,
argonautas de lo posible,
destructores de lo imposible,
pioneers de la Voluntad:
he aquí el país de la armonía,
el campo abierto a la energía
de todos los hombres. ¡Llegad!

Os espera el reino oloroso
al trébol que pisa el ganado,
océano de tierra sagrado
al agricultor laborioso
que rige el timón del arado.
¡La pampa! La estepa sin nieve,
el desierto sin sed crüenta,
en donde benéfico llueve
riego fecundador que aumenta
las demetéricas savias.
Bella de honda poesía,
suave de inmensidad serena,
de extensa melancolía
y de grave silencio plena;
o bajo el escudo del sol
y la gracia matutina,
sonora de la pastoral
diana de cuerno, caracol
y tuba de la vacada;
o del grito de la triunfal
máquina de la ferro-vía;
o del volar del automóvil
que pasa quemando leguas,
o de las voces del gauchaje,
o del resonar salvaje
o del tropel de potros y yeguas.

¡La pampa! Inmolad un corcel
a Hiperión el radiante,
cual Ganta un dueño del laurel
del Lacio. ¡La pampa fragante!
En la extendida luz del llano
flotaba un ambiente eficaz.
Al forastero, el pampeano
ofreció la tierra feraz;
el gaucho de broncínea faz
encendió su fogón de hermano,
y fue el mate de mano en mano
como el calumet de la paz.

¡Oh, cómo, cisne de Sulmona,
brindarás allí nuevos fastos,
celebrarías nuevos ritos
y ceñirías la corona
lírica por los campos vastos
y los sembrados infinitos!
Otros Evandros de América
juntarán arcádicos lauros
mientras van en fuga quimérica
otros tropeles de centauros.

Animará la virgen tierra
la sangre de los finos brutos
que da la pecuaria Inglaterra;
irán cargados de tributos
los pesados carros férreos
que arrastran candentes y humeantes
los aulladores elefantes
de locomotoras veloces;
segarán las mieses las hoces
de artefactos casi vivientes;
habrá montañas de simientes;
como un litúrgico aparato
se herirán miles de testuces
en las hecatombes bovinas;
y junto al bullicio del hato,
semejantes a ondas marinas,
irán las ondas de avestruces.
Pasarán los largos dragones
con sus caudas de vagones
por la extensión taciturna
en donde el árbol legendario,
como un soñador solitario,

139

da sus cabellos al pampero.
Y en la poesía nocturna,
surgirá del rancho primero
el espíritu del pasado,
que a modo de luz vaga existe,
cuyo último vigor palpita
en el payador inspirado
que lanza el solloza del triste
o el llanto de la vidalita.

¡Oh Pampa! ¡Oh entraña robusta,
mina del oro supremo!
He aquí que se vio la augusta
resurrección de Triptolemo.
En maternal continente
una república ingente
crea el granero del orbe,
y sangre universal absorbe
para dar vida al orbe entero.
De ese inexhausto granero
saldrán las hostias del mañana:
el hambre será, si no vana,
menos multiplicada y fuerte,
y será el paso de la muerte
menos cruel con la especie humana.

¡Argentina! Tu ser no abriga
la riqueza tentacular
que a Europa finisecular
incubó la furia enemiga.
Y si oyes un día explotar
el trágico odio del iluso,
regando ciega desventura,
es que Ananke la bomba puso
en la mano de la Locura.
¡Deméter, tu magia prolífica
del esfuerzo por la bondad
envíe la hostia pacífica
a la boca de la ciudad!

Se agita la urbe, se alza
la Metrópoli reina, viste
el regio manto, se calza
de oro, tiarada de azur
yergue la testa imperiosa
de Basilea del Sur.

Es la fecunda, la copiosa,
la bizarra, grande entre grandes;
la que el gran Cristo de los Andes
bendice, y saluda de lejos,
entre los vívidos reflejos
del luminar que la corona,
la Libertad anglosajona.
Saluda a la Urbe argentina
el Garibaldi romano,
cabalgante en su colina,
en nombre de Roma materna,
vestida de su memoria
y, como su decoro, eterna.
La saluda Londres, que empuña
el gran Tridente de acero
por dominar el mar entero.
La saluda Berlín, casqueada
y con égida y espada,
como una Minerva bélica.
Y Nueva York la Babélica
y Melbourne la oceánica,
y las viejas villas asiáticas,
y presididas por Lutecia,
todas las hermanas latinas
y hermanas por la libertad.
La saluda toda urbe viva
en donde creyente y activa
va al porvenir la humanidad.

¡Buenos Aires! Es tu fiesta.
Sentada estás en el solio;
el himno, desde la floresta
hasta el colosal Capitolio,
tiende sus mil plumas de aurora.
Flora propia te decora,
mirada universal te mira.
En tu homenaje pasar veo
a Mercurio y su caduceo,
al rey Apolo y la lira.

Es la fiesta del Centenario.
El Plata, padre extraordinario,
más que del Tíber y el Sena,
más que del Támesis rubio,
más que del azul Danubio
y que del Ganges indiano,

141

es el misterioso hermano
del Tigris y Eufrates bíblicos,
pues junto a él han de surgir
los Adanes del porvenir.
Cual por llamamientos cíclicos,
Argentina, solar de hermanos,
diste, por tus virtuales leyes,
hogar a todos los humanos,
templos a todas las greyes,
cetro a todos los soberanos
que decoran sus propias frentes,
que se coronan por sus manos
con *kohinoores* y regentes
tallados en sus almas propias,
vertederos de cornucopias,
emperadores de simientes,
césares de la labor,
multiplicadores de pan,
más potentes que Gengis-Khan
y que Nabucodonosor.

Se erizaron de chimeneas
los *docks*; a los puertos flamantes
llegaron músculos e ideas
que enviaban los pueblos distantes.
Se rasparon viejas carcomas,
se redujeron a pedazos
falsos ídolos, armas romas,
e impusieron sus firmes lazos
la fraternidad de los brazos,
la transmisión de los idiomas.
Para dar las gracias a Dios
guarda la ciudad liberal
las naves de su catedral.
Y se verán construidos los
muros de las iglesias todas,
todas igualmente benditas,
las sinagogas, las mezquitas,
las capillas y las pagodas.
Y en la floración eclesiástica,
los que buscan luz en la sombra,
por la media luna o la suástica,
o por la tora, o por la cruz,
irán al Dios que no se nombra
y hallarán en la sombra luz.

Tráfagos, fuerzas urbanas,
trajín de hierro y fragores,
veloz, acerado hipogrifo,
rosales eléctricos, flores
miliunanochescas, pompas
babilónicas, timbres, trompas,
paso de ruedas y yuntas,
voz de domésticos pianos,
hondos rumores humanos,
clamor de voces conjuntas,
pregón, llamada, todo vibra,
pulsación de una tensa fibra,
sensación de un foco vital,
como el latir del corazón
o como la respiración
del pecho de la capital.

¡Que vuestro himno soberbio vibre
hombres libres en tierra libre!
Nietos de los conquistadores,
renovada sangre de España,
transfundida sangre de Italia,
o de Germania o de Vasconia,
o venidos de la entraña
de Francia, de la Gran Bretaña,
vida de la Policolonia,
savia de la patria presente,
de la nueva Europa que augura
más grande Argentina futura.
¡Salud, Patria, que eres también mía,
puesto que eres de la Humanidad:
salud en nombre de la Poesía,
salud en nombre de la Libertad!
¡El himno, nobles ancianos!
¡El himno, varones robustos!
Pueriles coros escolares,
¡el himno! Llevad en las manos
palmas, coronad los bustos
de los patricios; a millares
dad flores a los monumentos.
El himno de los instrumentos
de armónicas bandas bélicas
que animan las fiestas pacíficas.
El himno en las bocas angélicas
de las gallardas mujeres,
de las matronas prolíficas,

143

de las parecidas a Ceres,
de las a Diana asemejadas,
las esposas y las amadas.
El himno en la egregia ciudad
y en el inmenso imperio agrario
anuncie el victorioso día,
y vierta su sonoridad
como una copa de armonía
en la fiesta del Centenario.

¡Saludemos las sombras épicas
de los hispanos capitanes,
de los orgullosos virreyes,
de América en los huracanes
águilas bravas de las gestas
o gerifaltes de los reyes;
duros pechos, barbadas testas
y fina espada de Toledo;
capellán, soldado sin miedo,
don Nuño, don Pedro, don Gil,
crucifijo, cogulla, estola,
marinero, alcalde, alguacil,
tricornio, casaca y pistola,
y la vieja vida española!
¡Y gloria! ¡Gloria a los patricios,
bordeadores de precipicios
y escaladores de montañas,
como el Abuelo secular
que, fatigado de triunfar
y cansado de padecer,
se fue a morir de cara al mar,
lejos, allá en Boulogne-sur-Mer!

¡Héroes de la guerra gaucha,
lanceros, infantes, soldados
todos, héroes mil consagrados,
centauros de fábula cierta,
sacrificados del terruño,
granaderos el rayo al puño,
locos de gloria, despierta
al sol la mente! La Fama
a todos ilustres proclama,
sus hechos ínclitos nombra,
constela con ellos la sombra
y forma un halo en el azur
a la dantesca Cruz del Sur.

Así la sideral retórica
de las odas y de las águilas
va en sublimes hipérboles
a ofrendar sus rítmicos dones
al gran Dios de las naciones.
¡Por todo el himno! La expresión
del colosal corazón
de esa patria palpitante:
la nieve de la cordillera
y el azul forman la bandera
que sostiene un brazo de Atlante.
La Argentina de fuertes pechos
confía en su seno fecundo
y ofrece hogares y derechos
a los ciudadanos del mundo.

¡Oh Sol! ¡Oh padre teogónico!
¡Sol símbolo que irradias
en el pabellón! ¡Salomónico
y helénico, lumbre de Arcadias,
mítico, incásico, mágico!
¡Foibos triunfante en el trágico
vencimiento de las sombras;
Tabú y Tótem del abismo!
¡Oh Sol! que inspiras y asombras,
que perdure tu portento
que el orbe todo ilumina,
tal como en el firmamento
desde la enseña argentina.
Y con la lluvia sagrada,
y con el aire propicio,
brinda a la tierra labrada
en el rural ejercicio
plurales savias y fragancias
y el don de matriz y de ubre
que de cosechas pingües cubre
los edenes de las estancias.
Ilumina el advenimiento
del creciente pensamiento
que crea el caudal en la banca,
o en el taller la estatua blanca
que decora el monumento.
Al lírico que al verso arranca
del corazón del instrumento.
A los que Píndaro diera,

por los olímpicos juegos,
por el salto, por la carrera,
la oda cara a los griegos,
que se cerniría sonora
sobre el aquilino aeroplano
que es grifo, pegaso y quimera;
sobre el remero que evoca
haciendo volar la prora,
los de la pristina galera;
sobre los que en lucha loca
disputan la elástica esfera;
sobre las sudorosas frentes
de los sanos adolescentes.
Ilumina el casco griego
que cubre la cabeza altiva
de los combatientes del fuego;
vierte tu luz genitiva
sobre las mil procesiones
que arbolan sus estandartes
y cantan en sus canciones
la paz, la dicha y las artes.
Van los magistrados egregios,
van las espadas relumbrosas,
van las pompas y lujos regios,
van las niñas de los colegios
como lirios y como rosas.
¡Sonad, oh claros clarines,
sonad, tambores guerreros,
en el milagroso escenario;
los nombres de los paladines,
nombres oros, nombres aceros,
se oyen en vuestros sones fieros
en la fiesta del Centenario!
Viento de amor en la floresta
cívica pasa. Es la fiesta
de las guirnaldas de fe,
de los ramos de esperanza,
de los mirtos de amor y de
los olivos de bonanza.
Hojas de roble; hojas de hiedra,
para el fundador de las ciudades,
que puso la primera piedra,
que unificó las voluntades,
que dedicara las vigilias,
que consagrara los dineros

al colmenar de los obreros
y a los nidos de las familias.
    Conspicuas guirnaldas de gloria
a aquellos antiguos que hacen
de bronce y de mármol la Historia.
Hoy los abuelos renacen
en la floración de los nietos.
Por sublimes amuletos
lo antes soñado ahora existe,
y la Argentina reviste
su presente manto suntuario
y piensa en los brillos futuros,
en la fiesta del Centenario.
Ahora es cuando los videntes
de los porvenires obscuros
miran las estrellas polares,
e interpretando los orientes
cantan cármenes seculares.
Hoy los cuatro caballos sacros
las fogosas narices hinchan,
como en versos y simulacros,
huellan nubes, al sol relinchan,
y a un más allá se encaminan
marcando el cielo de huellas;
mientras otros astros declinan
ellos van entre las estrellas
por obra de la ley eterna
que el ritmo del orbe gobierna.
Ante la cuadriga que crina
de orgullos de Olimpo su llama,
voz de augurio animador clama:
¡Hay en la tierra una Argentina!

    Diré la beldad y la gracia
de la mujer. Así cual
por singular eficacia
el buen jardinero acierta
a crear en su arte vegetal,
por lo que combina e injerta,
por lo que reparte o resume,
inédito tipo de rosas,
de crisantemos o jacintos,
con raros aspecto y perfume,
con corolas esplendorosas,
con formas y tonos distintos;

147

así la mujer argentina,
con savias diversas creada,
espléndida flor animada,
esplende, perfuma y culmina.

Talle del vals es de Viena,
ojo morisco es de España,
crespa y espesa pestaña
es de latina sirena;
de Britania será esa piel
cual la de la pulpa del lis
y que se sonrosa en el
rostro angélico de la *miss*;
esa ondulante elegancia
es de la estelar París;
y esa luminosa fragancia,
de las entrañas del país.
Concentración de hechizos varios,
mezcla de esencias y vigores,
nórdico oro, mármoles parios,
algo de la perla y del lirio,
música plástica, visión
del más encantador martirio,
voluptuosidad, ilusión,
placidez que todo mitiga,
o pasión que todo lo arrolla,
leona amante o dulce enemiga,
tal la triunfante Venus criolla.

Se tejerán frescas coronas
en recuerdo de las patricias
que fueron como las matronas
de Roma, como las mujeres
de Esparta. Las que son delicias
y ensueños de las moradas
cumplirán filiales deberes
con las genitoras pasadas;
y recordándolas a ellas,
siendo las amadas y esposas,
llenarán radiantes y bellas
la obligación de las estrellas
y la misión de las rosas.

Diré de la generación
en flor de las almas flamantes,
primavera e iniciación;

de vosotros, ¡oh estudiantes!,
empenachados de ilusión
y acorazados de audacia,
que tendéis vuestras almas plenas
de amor, de fuerza y de gracia,
al divino Platón de Atenas
o al celeste Orfeo de Tracia,
a la Verdad o a la Armonía,
robustos de confianza propia,
al Cálculo o al Ensueño,
firmes de ardor, vivos de empeño,
y a quienes es justo que ceda
la fugaz Fortuna su rueda,
la Abundancia su cornucopia;
vosotros que sabéis por qué
abre Pegaso las alas
y hay misterio en la lumbre de
los ojos de búho de Palas,
sed cantados y bendecidos.
Estad atentos a los ruidos
que preceden la alba naciente,
estad atentos a los nidos
que se incuban en el presente,
a lo que vendrá y se anuncia,
en la palabra que pronuncia
vuestra boca. El grito sagrado
para vosotros resuena
como pitagórico verso,
clamad así ante el universo:
Ave, Argentina, vita plena!
Jóvenes, frentes para lauros,
brazos para amantes abrazos,
pero también gímnicos brazos
para hidras y minotauros;
infantes de mundial estirpe,
¡que vuestra voluntad extirpe
falso anhelo, odio victimario,
y en el patriótico sagrario
dejéis como ofrendas de aristos
ansias de Perseos o Cristos
en la fiesta del Centenario!

Cuando el carro de Apolo pasa,
una sombra lírica llega
junto a la cuadriga de brasa

149

de la divinidad griega.
Y se oyen como vagos aires
que acarician a Buenos Aires:
es el alma de Santos Vega.
El gaucho tendrá su parte
en los jubileos futuros,
pues sus viejos cantares puros
entrarán al reino del Arte.
Se sabrá por siempre jamás
que, en la payada de los dos,
el vencido fue Satanás
y Vega el payador de Dios.

Cantaré del primer navío
que velivolante saliera
desde las aguas del Río
de la Plata con la bandera
bicolor al mástil gallardo.
Recordad al nauta que vino
de Saint-Tropez, a Buchardo,
el capitán franco-argentino,
hábil sobre las marejadas,
bajo las tormentas ufano;
y a todos sus camaradas,
que fueron por el oceano,
denodados predecesores
de los que hoy en acorazadas
naves portan a sol y bruma
los dos simbólicos colores
flameantes sobre la espuma.
Bien vayan torres y palacios
erizados de cañones,
suprimiendo tiempo y espacios,
a visitar a las naciones;
pero reo por guerra voraz,
productora de luto y llanto,
mas diciendo como en el canto
del italiano: ¡Paz! ¡Paz! ¡Paz!
Heroica nación bendecida,
ármate para defenderte;
sé centinela de la Vida
y no ayudante de la Muerte.
Que tus máquinas de hierro
y que las bruñidas bocas
crüentas no alegren al perro

negro avernal. Que tu lanza,
cual la libertad que invocas,
garantía a tu pueblo sea;
que tu casco abrigue la Idea,
sabiduría y esperanza,
como el de Palas Atenea.

¡Salgan y lleguen en buen hora,
dominando los elementos,
las velas que el marino adora,
y los *steamers* humeantes
que conducen los alimentos,
la carga de los fabricantes,
las ejércitos de emigrantes,
el designio, el brazo que va
a arar, sembrar y producir
en el latifundio, en el pago:
partan las naves de Cartago
y arriben las naves de Ofir!
¡Y bien se escuche en las funciones
de conmemoración el trueno
de las salvas de los cañones
del mar, conmoviendo el estuario
de hímnicas vibraciones lleno
en la fiesta del Centenario!

¡Gloria a América prepotente!
Su alto destino se siente
por la continental balanza
que tiene por fiel el istmo:
los dos platos del continente
ponen su caudal de esperanza
ante el gran Dios sobre el abismo.
¿Y por quién sino por tu gloria,
oh, Libertad, tanto prodigio?
Águila, Sol y Gorro Frigio
llenan la americana historia.
Y en lo infinito ha resonado,
júbilo de la Humanidad,
repetido el grito sagrado:
¡Libertad! ¡Libertad! ¡Libertad!
Antes que Ceres fue Mavorte
el triunfador continental.
Sangre bebió el suelo del Norte
como el suelo Meridional.
Tal a los siglos fue preciso.

Para ir hacia lo venidero,
para hacer, si no el paraíso,
la casa feliz del obrero
en la plenitud ciudadana,
vínculo íntimo eslabona
e ímpetu exterior hermana
a la raza anglo-sajona
con la latino-americana,
Proles múltiples, muchedumbres,
tupidas colmenas de hombres,
transformadoras de costumbres,
con nuevos valores y nombres,
en vosotras está la suma
de fuerza en que América finca;
fuisteis presentidas del Inca;
os adivinó Moctezuma.
En este día supremo:
¡Excelsior!, se oye en un extremo;
en el otro se oye: ¡Adelante!
¡Glorificado el instante
en que resurge Triptolemo!
América que la dicha encierra
vivirá del sol y la tierra;
y hoy la tierra, pánico incensario,
encendido por el destino,
perfuma el día argentino
en la fiesta del Centenario.

A las evocaciones clásicas
despiertan los dioses autóctonos,
los de los altares pretéritos
de Copán, Palenque, Tihuanaco,
por donde quizá pasaran
en lo lejano de tiempos
y epopeyas Pan y Baco.
Y en lo primordial poético
todo lo posible épico,
todo lo mítico posible
de mahabaratas y génesis,
lo fabuloso y lo terrible
que está en lo ilimitado y quieto
del impenetrable secreto.

Cantaré la Paz sobre todo.
Huya el demonio perverso,
huya el demonio beodo
que incendia en mal al universo;

desaparezcan las furias
que con sangre de los ejércitos
empurpuraron las centurias;
que no más rujan los tigres
marciales, sino de alegría,
y que a la paz se alce un templo
como aquel que, dando un ejemplo
insigne, Augusto romano
ordenara elevar un día.
El industrioso ciudadano
el ramo de olivo venere;
que tenga sus armas listas,
no para inhumanas conquistas,
mas para defender su tierra
donde por la patria se muere.

    ¡Guerra, pues, tan sólo a la guerra!
Paz, para que el pensamiento
domine el globo, y vaya luego,
cual bíblico carro de fuego,
de firmamento en firmamento.
¡Paz para los creadores,
descubridores, inventores,
rebuscadores de verdad;
paz a los poetas de Dios,
paz a los activos y a los
hombres de buena voluntad!
En paz la hora renaciente,
continua y poliformemente,
el movimiento y no la inercia,
legiones dueñas de sus actos,
gente que osa, que comercia,
multiplica los artefactos,
combate la escasez, la negra
miseria, y pasa sus revistas
a las usinas y talleres;
y sus horas áureas alegra
con la invención de los artistas
y la beldad de las mujeres.
¿A qué los crüeles filósofos?
¿A qué los falsos crisóstomos
de la inquina y de la blasfemia?
¡Al pueblo que busca ideal
ofrezca una nueva academia
sus enseñanzas contra el mal,
su filosofía de luz;

que no más el odio emponzoñe,
y un ramaje de paz retoñe
del madero de la cruz!

¡Argentina! El cantor ha oteado
desde la alta región tu futuro.
Y vio en lo inmemorial del pasado
las metrópolis reinas que fueron,
las que por Dios malditas cayeron
en instante pestífero; el muro
que crujió remordido de llamas;
la hervorosa Persépolis, Tiro,
la imperial Babilonia que aún brama
y las urbes que vieron a Ciro,
a Alejandro, y a todos los fuertes
que escoltaron victorias y muertes.
Y miró a Bizancio y a Atenas,
y a la que, domadora del mundo,
siendo Lupa indomable, fue Roma.
Y vio tronos, suplicios, cadenas,
y con tiaras a tigres y hienas.
Y cien más capitales precitas
donde el hombre fue ciego a la vasta
Libertad, donde fueron escritas
terroríficas y duras leyes,
contra tribus y pueblos y casta,
o las leyes fueron voluntades;
y a través de tragedias y gestas,
derrumbáronse tronos y reyes,
o se hicieron ceniza ciudades
por ensalmos de frases funestas.
Y después otros siglos y luchas,
otra vez lo que arrasa y escombra,
muchos reinos que surgen y muchas
vanidades que caen en la sombra
infinita. Mane, Thecel, Phares.
Y el poeta miró un astro eterno
sobre ruinas y tierras y mares,
que alumbraba con su claridad
nuevos cultos, cultura y gobierno,
y a su brillo quedó deslumbrado:
era el astro de la Libertad.
Argentinos, la inmortal estrella
a vosotros simbólica es Sol:
las naciones son grandes por ella;

lo sabía el abuelo español.
¡Dad a todas las almas abrigo,
sed nación de naciones, hermana,
convidad a la fiesta del trigo,
al domingo del lino y la lana
thanks-giving, yon kipour, romería,
la confraternidad de destinos,
la confraternidad de oraciones,
la confraternidad de canciones,
bajo los colores argentinos!

Argentina, el día en que te vistes
de gala, en que brillan tus calles
y no hay aspectos ni almas tristes
en alturas, pampas y valles;
el día en que desde tus fuertes,
tus cruceros y tus cuarteles
salvas lanzas, músicas viertes
entre las palmas y laureles,
visitada por los príncipes
de reinos y tierras lejanas
y mensajeros de repúblicas,
son las patrias americanas
las que más comparten tu júbilo.
Son las próximas hermanas
las que te proclaman primera
en el decoro familial,
después de heroica y guerrera,
hospitalaria y maternal.
Argentina tiarada de ónice
y de mármol, se puede ver
cuán luce sobre tu frente
el diamante, refulgente
de las alturas, Lucifer:
pues eres la aurora de América.
Magnifícase tu apoteosis,
regazo de múltiples climas,
preferida del nuevo siglo,
y en sus cláusulas y en sus rimas
te profetizan tus profetas
y te poetizan tus poetas.
Crece el tesoro año por año,
mientras prosigues las tareas
de las por Dios suspendidas
civilizaciones de antaño;
encarnas, produces, creas

cerebro para otras ideas,
útero para nuevas vidas.
Tus hijos llevarán en sí,
por su sangre, el hierro y rubí
de los cuatro puntos del globo.
Concentración de los varones
de vedas, biblias y coranes,
en el colmo de sus afanes,
en el logro de sus acciones,
tu floración de floraciones
tendrá un perfume latino.
En el primitivo crisol,
Roma influyó en tu destino,
cuando a través del español
puso su enérgico metal.
Y sus históricas llamas
animarán genios y famas
al argentino Arco Triunfal.

    ¡Y yo, por fin, qué he de decirte,
en voto cordial, Argentina!
Que tu bajel no encuentre sirte,
que sea inexhausta tu mina,
inacabables tus rebaños
y que los pueblos extraños
coman el pan de tu harina.
¡Cómalo yo en postreros años
de mi carrera peregrina,
sintiendo las brisas del Plata!
Que libre de hambres y pestes
por tus tesoros y tu ciencia,
jamás enemigas huestes
te combatan. Tu preeminencia
sea siempre mayor, y homérica
voz de tu genio viril
por ti diga el triunfo de América.

    Y mi inspiración, alumna
del Musagetes, al viento
las alas, mi pensamiento
florido da a la columna,
riega junto al monumento;
y en lo solemne del coro,
del himno al acento canoro
une mi amor y mi acento:

156

¡Argentina, tu día ha llegado!
¡Buenos Aires, amada ciudad,
el Pegaso de estrellas herrado
sobre ti vuela en vuelo inspirado!
Oíd, mortales, el grito sagrado:
¡Libertad! ¡Libertad! ¡Libertad!

OTROS POEMAS

VERSOS DE AÑO NUEVO

(Los Regalos de Puck).

Puck se despierta y se encanta
y se retuerce de risa,
porque el alba se levanta
        en camisa...
Y muestra al salir del lecho,
descuidada y perezosa,
en la pierna y en el pecho,
        nieve y rosa.
Cómo un mirlo lechuguino
mira a Puck que se divierte;
le reprende de esta suerte:
        — ¡Libertino!
Puck no chista; disimula
y se lanza a la pradera
cual si fuera una ligera
        libélula.
Como duende alegre y rico,
los regalos de Año Nuevo
va a buscar Robín, Buen Chico.
        Del renuevo
de un rosal donde se posa
va a una rama verde y fresca,
donde está una mariposa
        pintoresca;
o a los ámbares y granas
de las rosas soñolientas;
se detiene en las gencianas
        y en las mentas;
y estremece, cuando vuela,
los retoños de una caña,
o da un salto por la tela
        de una araña;

o en la copa de un clavel
se mece y hace en seguida
de una hoja recién nacida
    su escabel.
  Y después el duende vuela
con sus alas sonrosadas
a vaciar donde las hadas
    su escarcela.

  Compra un collar de coral,
que sobré una hortensia brilla,
y compra una gargantilla
    de cristal,
  que cuenta a cuenta se enreda
al borde de una hoja fina;
y compra a un gusano, seda
    de la China.
  Adquiere de un moscardón
un ala limpia y hermosa,
flabel que dará a la esposa
    de Oberón.
  Para tapiz compra el buche
de un ligero colibrí,
y a una granada un estuche
    de rubí;
  a un rosal una guirnalda
que aromó la primavera
y a una juncia una pulsera
    de esmeralda.
  De una paloma pretende
los zapatitos Luis-Quince;
pero la paloma es lince:
    no los vende.
  Una azucena gentil
le ofrece un áureo alfiler,
y una abeja un *necessaire*
    de marfil.
  Y entre amapolas sangrientas
y entre pájaros vibrantes,
Puck va con joyas y cuentas
    y diamantes,
  de tal modo y con tal bulla,
que de un árbol de limón
le lanza, al paso, una pulla,
    un gorrión.

Fue de vuelo Puck. De pronto
a Colombina encontró,
y junto a ella, hecho un tonto,
    a Pierrot.
Colombina sonreía,
y la cara de Pierrot
decía tristeza, no
    picardía.
Dice a Puck: — ¡Merezco un palo!
¡Al nido de ella no llevo,
la mañana de Año Nuevo,
    ni un regalo!
Perlas le dará Arlequín,
oropeles Pantalón,
y le dará una canción
    Querubín.
(Cerca están unas violetas
que oyen a los tarambanas...
¡Cómo se ríen con ganas
    las coquetas!)
Puck dice: — Ten tú presente:
en amores ¡paso a paso!
Y no hay que hacer mucho caso
    de la gente.
Si perlas le da Arlequín,
hoy tú, cuando nace el día,
repítele "¡linda!" sin
    cortesía.
Si oropeles Pantalón,
lánzale tu mirada
que lleve encendida, alada,
    tu pasión.
Y si Querubín travieso
le canta dulces amores,
tú llévala entre las flores,
    ¡dale un beso!
Vuela Puck. Mil besos hay
en las brisas indiscretas.
Y se quejan las violetas
    estrujadas: — ¡Ay, ay, ay!...

2

PEQUEÑO POEMA INFANTIL

Para Carmencita Calderón Gomar

Las hadas, las bellas hadas,
existen, mi dulce niña.
Juana de Arco las vio aladas
en la campiña.

Las vio al dejar el mirab,
ha largo tiempo, Mahoma.
Más chica que una paloma,
Shakespeare vio a la Reina Mab.

Las hadas decían cosas
en la cuna
de las princesas antiguas;
que si iban a ser dichosas
o bellas como la luna;
o frases raras y ambiguas.

Con sus diademas y alas,
pequeñas como azucenas,
había hadas que eran buenas
y había hadas que eran malas.

Y había una jorobada,
la de profecía odiosa:
la llamada
Carabosa.

Si ésta llegaba a la cuna
de las suaves princesitas,
no se libraba ninguna
de sus palabras malditas.

Y esa hada era muy fea,
como son
feos toda mala idea
y todo mal corazón.

Cuando naciste, preciosa,
no tuviste hadas paganas,
ni la horrible Carabosa
ni sus graciosas hermanas.

Ni Mab, que en los sueños anda,
ni las que celebran fiesta
en la mágica floresta
de Brocelianda.

Y, ¿sabes tú, niña mía,
por qué ningún hada había?
Porque allí

estaba cerca de ti
quien tu nacer bendecía:
Reina más que todas ellas,
la Reina de las Estrellas,
la dulce Virgen María.

Que ella tu senda bendiga,
como tu Madre y tu amiga;
con sus divinos consuelos
no temas infernal guerra;
que perfume tus anhelos
su nombre que el mal destierra,
pues ella aroma los cielos
y la tierra!

3

BALADA SOBRE LA SENCILLEZ
DE LAS ROSAS PERFECTAS

A la señorita Carmen de S. Concha

Esta visión de sonrosado encanto,
floral ternura de mil gracias llena,
¿la he visto yo cubierta con el manto
que Dios conoce en la mujer chilena?
¿En miniatura de historia agarena?
¿En medieval poema iluminado?
¿Bajo el azul, en una flor del prado,
o en una infanta de cortes fastuosas?
Yo no lo sé; pero en ella he encontrado
la sencillez de las perfectas rosas.

Celebrad, prestigiosas Scherezadas,
llenas de hechizos miliunanochescos;
dad vuestros versos a huríes y hadas
o a reinas de otros reinos pintorescos.
Noble visión hay en templos y frescos
para loor de mil divinas cosas
que se han visto o se han imaginado;
mas nada que a esto sea comparado:
la sencillez de las perfectas rosas.

Puede la orquídea, hecha sueño o delirio,
ser flor fatal que casi piensa y anda;
puede encantar con su blancor de lirio
y con su broche el tulipán de Holanda.
Ritmo latino, flor de Italia escanda;
copla española, el clavel encarnado;
y que en David la amada y el amado

161

sean un sueño a vírgenes y esposas:
todo ello encierra haber aquí cantado
la sencillez de las perfectas rosas.

ENVÍO

Carmen: El tiempo vuela apresurado;
mas se oirá algún pájaro encantado,
como en hagiografías deleitosas
donde hay un monje lírico extasiado,
cuando en tu rostro se haya contemplado
la sencillez de las perfectas rosas.

4

¿DONDES ESTÁS...?

ODITA

Estrella, ¿te has ido al cielo?
Paloma, ¿te vas de vuelo?
          ¿Dónde estás?
Ha tiempo que no te miro.
¿Te fuiste como un suspiro
y para siempre jamás?
     Vivaracha muchachita,
¿es que Puck te ha dado cita
en recóndito jardín?
¿Es que partes al llamado
de algún tierno enamorado
          serafín?
     Primorosa musa mía,
mensajera de alegría,
          dulce flor;
¿por qué ocultas el semblante
a los ojos de tu amante
          soñador?
     ¿Es que tienes un palacio
de diamantes, de topacio,
en un mágico país?
¿Es que algún genio te manda
a Bagdad, a Samarcanda
          o a París?
     ¿O en el carro de algún mago,
o en un cisne, sobre un lago,
como un ramo de jazmín,
vas brindando tu delicia,
mientras suave te acaricia
un amado Lohengrín?

162

Deliciosa chiquitina,
que en tu risa cristalina
das la gama del amor;
mariposa pintoresca,
siempre viva, siempre fresca
de perfume embriagador:
Yo sabía
que por ti la luz del día
recelosa estaba y fiera;
que por ti sufre y se irrita
la envidiosa señorita
Primavera.
Pero, ¿dónde estás, mi vida?
Si en un bosque estás perdida,
o en un negro torreón,
donde el vivo amor te prende
de algún genio, de algún duende
de la corte de Oberón;
si un osado caballero,
como a un ángel prisionero,
te llevó,
mi Zoraida, mi Fatima,
quien te busque y te redima
seré yo.
Pero mándame un mensaje
con tu enano, con tu paje,
con el viento, con el sol,
o, aromado con tu aroma,
que lo traiga una paloma
tornasol.
¿Vuelves? ¿Vienes? ¡Estoy triste!
Más crÜel dolor no existe
que el no verte nunca más.
Dime, perla, margarita,
primorosa muchachita,
¿dónde estás?

LA CARTUJA

Este vetusto monasterio ha visto,
secos de orar y pálidos de ayuno,
con el breviario y con el Santo Cristo,
a los callados hijos de San Bruno.

A los que en su existencia solitaria,
con la locura de la cruz y al vuelo
místicamente azul de la plegaria,
fueron a Dios en busca de consuelo.

Mortificaron con las disciplinas
y los cilicios la carne mortal
y opusieron, orando, las divinas
ansias celestes al furor sexual.

La soledad que amaba Jeremías,
el misterioso profesor de llanto,
y el silencio, en que encuentran armonías
el soñador, el místico y el santo,

fueron para ellos minas de diamantes
que cavan los mineros serafines
a la luz de los cirios parpadeantes
y al son de las campanas de maitines.

Gustaron las harinas celestiales
en el maravilloso simulacro,
herido el cuerpo bajo los sayales,
el espíritu ardiente en amor sacro.

Vieron la nada amarga de este mundo,
pozos de horror y dolores extremos,
y hallaron el concepto más profundo
en el profundo *De morir tenemos.*

Y como a Pablo e Hilarión y Antonio,
a pesar de cilicios y oraciones,
les presentó, con su hechizo, el demonio
sus mil visiones de fornicaciones.

Y fueron castos por dolor y fe,
y fueron pobres por la santidad,
y fueron obedientes porque fue
su reina de pies blancos la humildad.

Vieron los belcebúes y satanes
que esas almas humildes y apostólicas
triunfaban de maléficos afanes
y de tantas acedias melancólicas.

Que el *Mortui estis* del candente Pablo
les forjaba corazas arcangélicas
y que nada podía hacer el diablo
de halagos finos o añagazas bélicas.

¡Ah!, fuera yo de esos que Dios quería,
y que Dios quiere cuando así le place,
dichosos ante el temeroso día
de losa fría y *Requiescat in pace!*

Poder matar el orgullo perverso
y el palpitar de la carne maligna,
todo por Dios, delante el Universo,
con corazón que sufre y se resigna.

Sentir la unción de la divina mano,
ver florecer de eterna luz mi anhelo,
y oír como un Pitágoras cristiano
la música teológica del cielo.

Y al fauno que hay en mí, darle la ciencia,
que al Ángel hace estremecer las alas.
Por la oración y por la penitencia
poner en fuga a las diablesas malas.

Darme otros ojos, no estos ojos vivos
que gozan en mirar, como los ojos
de los sátiros locos medio-chivos,
redondeces de nieve y labios rojos.

Darme otra boca en que queden impresos
los ardientes carbones del asceta;
y no esta boca en que vinos y besos
aumentan gulas de hombre y de poeta.

Darme unas manos de disciplinante
que me dejen el lomo ensangrentado,
y no estas manos lúbricas de amante
que acarician las pomas del pecado.

Darme una sangre que me deje llenas
las venas de quietud y en paz los sesos,
y no esta sangre que hace arder las venas,
vibrar los nervios y crujir los huesos.

¡Y quedar libre de maldad y engaño
y sentir una mano que me empuja
a la cueva que acoge al ermitaño,
o al silencio o la paz de la Cartuja!

PEQUEÑO POEMA DE CARNAVAL

A Madame Leopoldo Lugones

Ha mucho que Leopoldo
me juzga bajo un toldo
de penas, al rescoldo
de la última ilusión.
O bien cual hombre adusto
que agriado de disgusto
no hincha el cuello robusto
lanzando una canción.

Juzga este ser titánico
con buen humor tiránico
que estoy lleno de pánico,
desengaño o esplín,
porque ha tiempo no mana
ni una rima galana
ni una prosa profana
de mi viejo violín.

Y por tales cuidados
me vino con recados,
lindamente acordados,
que dice que le dio
primavera, la niña
de florida basquiña
a quien por la campiña
harto perseguí yo.

No hay tal, señora mía.
Y aquí vengo este día,
lleno de poesía,
pues llega el Carnaval,
a hacer sonar, en grata
hora, lira de plata,
flauta que olvidos mata,
y sistro de cristal.

Pues en París estamos,
parisienses hagamos
los más soberbios ramos
de flores de París,
y llenen esta estancia
de gloria y de fragancia
bellas rosas de Francia
y la hortensia y la lis.

¡Viva la ciudad santa
—de diabla que es— que encanta

166

con tanta gracia y tanta
furia de porvenir;
que es la única en el mundo
donde en sueños me hundo
con lo dulce y profundo
del gozo del vivir!

¡Viva, con sus coronas
de laurel, sus sorbonas,
y sus lindas personas
pérfidas como el mar;
viva, con *gamin* listo
estudiante y aristo,
y el gallo nunca visto
y el gorrión familiar!

Yo he visto a Venus bella,
en el pecho una estrella,
y a Mammón ir tras ella
que con ligero pie
perseguía adelante,
parándose delante
del fuego del diamante
de la *rue de la Paix*.

Creí, tras los macizos
de un jardín, los carrizos
oír, llenos de hechizos,
de la flauta de Pan.
Reía Primavera
de la canción ligera;
el griego dios no era:
era el pobre Lelián.

Y ahora, cuando empache
la fiesta, y el apache
su mensaje despache
a la Alegría vil,
dará púrpura a Momo,
en un divino asomo,
escapada de un tomo,
la sombra de Banville.

Las musas y las gracias
vuelven de las acacias
con sus aristocracias
doradas por el luis;
y el avaro de Plauto,
o Molière, irá incauto
tras las huellas del auto
al café de París.

Pero todo, señora,
lo consagra y decora,
lo suaviza y lo dora
la mágica ciudad
hecha de amor, de historia,
de placer y de gloria,
de hechizo y de victoria,
de triunfo y claridad.
    ¡Vivan los Carnavales
parisienses! Los males
huyen a los cristales
de la viuda Clicquot.
Y pues que Primavera
quería un canto, ¡fuera
la armoniosa quimera
que llevo dentro yo!
    Y de nuevo las rosas
y las profanas prosas
vayan a las hermosas,
al aire, al cielo, al sol:
vaya el verso con alas
y la estrofa de galas
y suenen cosas galas
con el modo español.
    Así verá Lugones
cómo las ilusiones
reviven a los sones
del canto fraternal,
y brota el tallo tierno
en otoño o invierno.
¡Pues Apolo es eterno
y el arte es inmortal!
    Que mire nuestro Orfeo
cumplido su deseo
y que no encuentre un reo
de silencios en mí,
y para mi acomodo
no emplee agudo modo,
pues, "a pesar de todo",
nuestro Hugo no era así.
    Vivat Gallia Regina!
Aquí nos ilumina
un sol que no declina;
Eros brinda su flor,
Palas nos da la mano

mientras va, soberano
rigiendo su aeroplano,
Ícaro vencedor.
¡Ah, señora!, yo expreso
mi gratitud, mi exceso
de gratitud, y beso
tanto ilustre laurel.
Celebro aulas sagradas,
artes, modas lanzadas,
y las damas pintadas
y los *maîtres d'hotel*.
Y puesta la careta
ha cantado el poeta
con cierta voz discreta
que propia suya es;
y reencontró su aurora,
sin viña protectora
o caricia traidora
de brebaje escocés.
Sepa la Primavera
que mi alma es compañera
del sol que ella venera
y del supremo Pan.
Y que si Apolo ardiente
la llama, de repente,
contestará: ¡Presente,
mi capitán!

VALLDEMOSA

Vago con los corderos y con las cabras trepo
como un pastor por estos montes de Valldemosa,
y entre olivares pingües y entre pinos de Alepo
diviso el mar azul que el sol baña de rosa.

Y en tanto que el Mediterráneo me acaricia
con su aliento yodado y su salino aroma,
creo mirar surgir una barca fenicia,
una vela de Grecia, un trirreme de Roma.

Y me saca de mi éxtasis en la dulce mañana
el oír que del campo cercano llegan unas
notas de evocadora melopea africana
que canta una payesa recogiendo aceitunas.

Pían los libres pájaros en los vecinos huertos;
se enredan las copiosas viñas a las higueras,
y muestra el sexual higo dos labios entreabiertos
junto al ámbar quemado de las uvas postreras.

169

Plinio llama *Baleares funda bellicosas*
a estas islas hermanas de las islas Pytiusas;
yo sé que coronadas de pámpanos y rosas
aquí a un tiempo danzaron ante la mar las musas.
Y si a esta región dieron Catarina y Raimundo
paz que a Cristo pidieron Raimundo y Catarina,
aún se oye el eco de la flauta que dio al mundo
con la música pánica vitalidad divina.

LOS MOTIVOS DEL LOBO *

El varón que tiene corazón de lis,
alma de querube, lengua celestial,
el mínimo y dulce Francisco de Asís,
está con un rudo y torvo animal,
bestia temerosa, de sangre y de robo,
las fauces de furia, los ojos de mal:
el lobo de Gubbia, el terrible lobo,
rabioso ha asolado los alrededores,
crüel ha deshecho todos los rebaños;
devoró corderos, devoró pastores,
y son incontables sus muertes y daños.
Fuertes cazadores armados de hierros
fueron destrozados. Los duros colmillos
dieron cuenta de los más bravos perros,
como de cabritos y de corderillos.
Francisco salió:
al lobo buscó
en su madriguera.
Cerca de la cueva encontró a la fiera
enorme, que al verlo se lanzó feroz
contra él. Francisco, con su dulce voz,
alzando la mano,
al lobo furioso dijo: *¡Paz, hermano
lobo!* El animal
contempló al varón de tosco sayal;
dejó su aire arisco,
cerró las abiertas fauces agresivas,
y dijo: *¡Está bien, hermano Francisco!*
¡Cómo! —exclamó el santo—. *¿Es ley que tú vivas
de horror y de muerte?*
¿La sangre que vierte
tu hocico diabólico, el duelo y espanto
que esparces, el llanto

* Publicada en Madrid, en 1913.

170

de los campesinos, el grito, el dolor
de tanta criatura de Nuestro Señor,
¿no has de contener tu encono infernal?
¿Vienes del infierno?
¿Te ha infundido acaso su rencor eterno
Luzbel o Belial?
Y el gran lobo humilde: *¡Es duro el invierno,*
y es horrible el hambre! En el bosque helado
no hallé qué comer; y busqué el ganado
y a veces comí ganado y pastor.
¡La sangre? Yo vi más de un cazador
sobre su caballo, llevando el azor
al puño; o correr tras el jabalí,
el oso o el ciervo; y a más de uno vi
mancharse de sangre, herir, torturar,
de las roncas trompas al sordo clamor,
a los animales de Nuestro Señor.
Y no era por hambre que iban a cazar.
Francisco responde: *En el hombre existe*
mala levadura.
Cuando nace viene con pecado. Es triste.
Mas el alma simple de la bestia es pura.
Tú vas a tener
desde hoy qué comer.
Dejarás en paz
rebaños y gente en este país.
¡Que Dios melifique tu ser montaraz!
— Está bien, hermano Francisco de Asís.
— Ante el Señor, que todo ata y desata,
en fe de promesa tiéndeme la pata.
El lobo tendió la pata al hermano
de Asís, que a su vez le alargó la mano.
Fueron a la aldea. La gente veía
y lo que miraba casi no creía.
Tras el religioso iba el lobo fiero,
y, baja la testa, quieto le seguía
como un can de casa, o como un cordero.
Francisco llamó la gente a la plaza
y allí predicó.
Y dijo: *He aquí una amabla caza.*
El hermano lobo se viene conmigo;
me juró no ser ya nuestro enemigo,
y no repetir su ataque sangriento.
Vosotros, en cambio, daréis su alimento
a la pobre bestia de Dios — ¡Así sea!,
contestó la gente toda de la aldea.

171

Y luego, en señal
de contentamiento,
movió testa y cola el buen animal,
y entró con Francisco de Asís al convento.

Algún tiempo estuvo el lobo tranquilo
en el santo asilo.
Sus bastas orejas los salmos oían
y los claros ojos se le humedecían.
Aprendió mil gracias y hacía mil juegos
cuando a la cocina iba con los legos.
Y cuando Francisco su oración hacía,
el lobo las pobres sandalias lamía.
Salía a la calle,
iba por el monte, descendía al valle,
entraba en las casas y le daban algo
de comer. Mirábanle como a un manso galgo.
Un día Francisco se ausentó. Y el lobo
dulce, el lobo manso y bueno, el lobo probo,
desapareció, tornó a la montaña,
y recomenzaron su aullido y su saña.
Otra vez sintióse el temor, la alarma,
entre los vecinos y entre los pastores;
colmaba el espanto los alrededores,
de nada servían el valor y el arma,
pues la bestia fiera
no dio treguas a su furor jamás,
como si tuviera
fuegos de Moloch y de Satanás.
    Cuando volvió al pueblo el divino santo,
todos le buscaron con quejas y llanto,
y con mil querellas dieron testimonio
de lo que sufrían y perdían tanto
por aquel infame lobo del demonio.
    Francisco de Asís se puso severo.
Se fue a la montaña
a buscar al falso lobo carnicero.
Y junto a su cueva halló a la alimaña.
— *En nombre del Padre del sacro universo,*
conjúrote — dijo — ¡oh lobo perverso!,
a que me respondas. ¿Por qué has vuelto al mal?
Contesta. Te escucho.
Como en sorda lucha, habló el animal,
la boca espumosa y el ojo fatal:
Hermano Francisco, no te acerques mucho...

Yo estaba tranquilo, allá en el convento,
al pueblo salía,
y si algo me daban estaba contento
y manso comía.
Mas empecé a ver que en todas las casas
estaban la Envidia, la Saña, la Ira,
y en todos los rostros ardían las brasas
de odio, de lujuria, de infamia y mentira.
Hermanos a hermanos hacían la guerra,
perdían los débiles, ganaban los malos,
hembra y macho eran como perro y perra,
y un buen día todos me dieron de palos.
Me vieron humilde, lamía las manos
y los pies. Seguía tus sagradas leyes,
todas las criaturas eran mis hermanos:
los hermanos hombres, los hermanos bueyes,
hermanas estrellas y hermanos gusanos.
Y así, me apalearon y me echaron fuera.
Y su risa fue como un agua hirviente,
y entre mis entrañas revivió la fiera,
y me sentí lobo malo de repente;
mas siempre mejor que esa mala gente.
Y recomencé a luchar aquí,
a me defender y a me alimentar,
como el oso hace, como el jabalí,
que para vivir tiene que matar.
Déjame en el monte, déjame en el risco,
déjame existir en mi libertad,
vete a tu convento, hermano Francisco,
sigue tu camino y tu santidad.
El santo de Asís no le dijo nada.
Le miró con una profunda mirada,
y partió con lágrimas y con desconsuelos,
y habló al Dios eterno con su corazón.
El viento del bosque llevó su oración,
que era: *Padre nuestro, que estás en los cielos...*

LA ROSA NIÑA

A Mademoiselle Margarita M. Guido

Cristal, oro y rosa, Alba en Palestina.
Salen los tres reyes de adorar al Rey,
flor de infancia llena de una luz divina
que humaniza y dora la mula y el buey.

Baltasar medita, mirando a la estrella
que guía en la altura. Gaspar sueña en

173

la visión sagrada. Melchor ve en aquella
visión la llegada de un mágico bien.

Las cabalgaduras sacuden los cuellos
cubiertos de sedas y metales. Frío
matinal refresca belfos de camellos,
húmedos de gracia, de azul y rocío.

Las meditaciones de la barba sabia
van acompasando los plumajes flavos,
los ágiles trotes de potros de Arabia
y las risas blancas de negros esclavos.

¿De dónde vinieron a la Epifanía?
¿De Persia? ¿De Egipto? ¿De la India? Es en vano
cavilar. Vinieron de la Luz, del Día,
del Amor. Inútil pensar, Tertuliano.

El fin anunciaban de un gran cautiverio.
Y el advenimiento de un raro tesoro.
Traían un símbolo de triple misterio,
portando el incienso, la mirra y el oro.

En las cercanías de Belén se para
el cortejo. ¿A causa? A causa de que
una dulce niña de belleza rara
surge ante los magos, toda ensueño y fe.

"¡Oh Reyes! —les dice—. Yo soy una niña
que oyó a los vecinos pastores cantar,
y desde la próxima florida campiña
miré vuestro regio cortejo pasar.

Yo sé que ha nacido Jesús Nazareno,
que el mundo está lleno de gozo por Él,
y que es tan rosado, tan lindo y tan bueno,
que hace al sol más sol, y a la miel más miel.

Aún no llega el día... ¿Dónde está el establo?
Prestadme la estrella para ir a Belén.
No tengáis cuidado que la apague el diablo,
con mis ojos puros la cuidaré bien."

Los magos quedaron silenciosos. Bella
de toda belleza, a Belén tornó
la estrella, y la niña llevada por ella
al establo, cuna de Jesús, entró.

Pero cuando estuvo junto a aquel infante,
en cuyas pupilas miró a Dios arder,
se quedó pasmada, pálido el semblante,
porque no tenía nada que ofrecer.

La Madre miraba su Niño-lucero,
las dos bestias buenas daban su calor;
sonreía el santo viejo Carpintero,
y la niña estaba temblando de amor.

Allí había oro en cajas reales,
perfumes en frascos de hechura oriental,
inciensos en copas de finos metales,
y quesos, y flores, y miel de panal.
Se puso rosada, rosada, rosada...
ante la mirada del Niño Jesús.
(Felizmente que era su madrina un hada,
de Anatole France o el doctor Mardrús).
¡Qué dar a este niño, qué dar sino ella!
¿Qué dar a ese tierno, divino Señor?
Le hubiera ofrecido la mágica estrella,
la de Baltasar, Gaspar y Melchor...
Mas a los influjos del hada amorosa,
que supo el secreto de aquel corazón,
se fue convirtiendo poco a poco en rosa,
en rosa más bella que las de Sarón.
La metamorfosis fue santa aquel día.
(La sombra lejana de Ovidio aplaudía.)
Pues la dulce niña ofreció al Señor,
que le agradecía y le sonreía,
en la melodía de la Epifanía,
su cuerpo hecho pétalos y su alma hecha olor...

LA CANCIÓN DE LOS OSOS

Osos,
osos misteriosos,
yo os diré la canción
de vuestra misteriosa evocación.

Osos negros y velludos del riñón de las montañas,
silenciosos viejos monjes de una iglesia inmemorial,
vuestros ritos solitarios, vuestras prácticas extrañas,
las humanas alimañas
neronizan y ensangrientan la selvosa catedral.
Osos tristes y danzantes que los zíngaros de cobre
martirizan; oso esclavo, oso fúnebre, oso pobre,
arrancado a las entrañas de los montes del Tirol:
sé leer en vuestros ojos y podemos hablar sobre
Atta Troll...
Osos blancos de los polos, bellos osos diamantinos,
nadie sabe que venís
sobre el hielo, de un imperio de hombres blancos y divinos
que coronan con castillos argentinos
su país.

Osos,
osos misteriosos,
yo os diré la canción
de vuestra misteriosa evocación.

¡Arcas! ¡Víctima sañgrienta! Plantas, flores, ecos, liras;
—Malhadado y cruento crimen del infausto Lycaón;
en Arcadia los amores y los cánticos que inspiras,
y en el cielo, con Calixto, la inmortal constelación—.
Los dos osos son asombro para el Toro y el León.
    ¡Va Criniso! Muchas ansias lleva el mozo y vida mucha;
si cual toro lucha fiero, como oso mejor lucha
quien de Egesta será esposo;
cruje el monstruo entre sus brazos en la lucha que se escucha:
¡Lucha, oso! ¡Lucha, oso! ¡Lucha, oso! ¡Lucha, oso!
    Bellos osos de oro rojo que ya estáis en el regazo
del azul donde el zodíaco sublimiza su visión:
de la lira hacedme oír el son;
dad saludos a la Virgen en mi nombre, y un zarpazo,
si podéis, al escorpión.

Osos,
osos misteriosos,
yo os diré la canción
de vuestra misteriosa evocación.

    Danzad suave y cuerdamente,
que la peluda alpargata
cubra la prudente pata
cuyo paso no se siente.
Y bajo la huyente frente
mirad con ojo mañero
al gitano,
que canta con voz de Oriente
un raro canto lejano
y hace sonar el pandero
con la mano
con que remienda el caldero.
A los sueldos de los pobres
encomienda alrededor vuestra persona,
y en el parche del pandero caen los cobres
por los osos, por el perro y por la mona.

Osos,
osos misteriosos,
yo os diré la canción
de vuestra misteriosa evocación.

A vuestro lado va la gitanilla.
Brilla
su mirada de negros diamantes,
y su boca roja es fresca;
gitanilla pintoresca,
gitanilla de Cervantes,
o Esmeralda huguesca,
ya vosotros bien sabéis de quién os hablo,
pues cien veces junto a ella contemplásteis cola y cuernos
del señor don Diablo,
protector de las lujurias en la tierra y los infiernos.

> *Osos,*
> *osos misteriosos,*
> *yo os diré la canción*
> *de vuestra misteriosa evocación.*

Danzad, osos, ¡oh cofrades, oh poetas!;
id: chafad en las campiñas los tomillos y violetas,
y tornad entre las flores del sendero,
y danzad en el suburbio para el niño y el obrero,
para el hosco vagabundo de las escabrosas rutas,
para el pálido bandido que regó sangre y espanto,
y para las prostitutas
que mastican pan de crimen y de llanto.
Pues vuestra filosofía
no señala diferencia ni da halago ni reproche
a la mística azucena que adornó el pecho del día,
o a lúgubre mandrágora de la entraña de la noche.

> *Osos,*
> *osos misteriosos,*
> *yo os diré la canción*
> *de vuestra misteriosa evocación.*

Osos ermitaños
que ponéis pavores
en pastores
y rebaños;
el agudo cazador advierte
que os ponéis en cruz ante la muerte,
o para dar el formidable abrazo
que ha de exprimir la vida
contra vuestro regazo;
vais en dos patas como el adanida,
es así que he admirado

177

vuestro andar de canónigo, o bien de magistrado.
Con la argolla al hocico sacudís vuestra panza.
¡Osos sabios, osos fuertes y cautivos, a la danza!

Osos,
Osos misteriosos,
yo os diré la canción
de vuestra misteriosa evocación.

   Y al pasar un entierro
os he visto en la senda con la mona y el perro,
entre el círculo formado por hombres zarrapastrosos.
Grotescos enterradores
iban conduciendo el carro de podredumbre y de flores;
como signo de respeto
descubríanse un mendido y un soldado.
El gitano se acordó de su amuleto.
Y tú, oso danzarín domesticado,
se diría que reías como estando en el secreto
del finado,
de la losa, de la cruz y el esqueleto.

Osos,
osos misteriosos,
yo os diré la canción
de vuestra misteriosa evocación.

   Mas no el *requiem*, ni el *oremus*, ni el responso del gangoso
chantre llegue a vuestro oído,
sabio y suave oso;
mas el canto de las zíngaras, o la música del nido,
la estrofa del poeta,
el rüido de los besos, o el rüido
del amor errante, ardiente en la carreta.
   Bien sabéis: la vida es corta,
teniendo en vuestras fauces una torta,
o un panal,
profesáis vuestros principios más allá del Bien y el Mal.

Osos,
osos misteriosos,
yo os diré la canción
de vuestra misteriosa evocación.

RITMOS ÍNTIMOS

María, en la primavera,
era
como una divina flor.
En la primavera estamos,
amos
de la vida y del amor
María, sé la gallarda:
arda
tu corazón sin razón,
y ten la dicha que espero.,
pero
dentro de tu corazón.
[Yo, primaveral María,
te daría,
si pudiese, todos los
sueños de dichas amantes
y diamantes
que para ti pido a Dios.]
Con muchas cosas supremas,
un palacio de oro y gemas,
y después...
un príncipe enamorado
a tu lado,
para besarte los pies.
Estupendos pavos reales
a tus males
llevarán consolación,
y soberanos lebreles,
siempre fieles,
[guardarán] tu corazón.
Estatua viva y gallarda,
por ti arda
una misteriosa flor.
Y vibrante y anhelante
sé la amante
de la vida y del amor.
Deshójate como rosa.
Sé la esposa
de toda ilusión fugaz,
pues el tiempo al amor muerde
y la ilusión que se pierde
ya no nos vuelve jamás.

Y así, María, sé blanca,
sé rosada y sé gentil,
sé melodiosa y sé franca,
y de mañana y de abril.
Sé muy fragante y muy buena,
parecida a la azucena.
Sé apasionada y sé fina,
parecida a la englantina;
sé rosada y orgullosa
como si fueras la rosa.
En fin, María, sé bella,
sé parecida a la estrella:
toda luz, toda claror.
¡Vuela del mundo pequeño,
sé parecida al ensueño,
al ensueño y al amor!

BALADA DE LA BELLA
NIÑA DEL BRASIL

Existe un país encantado,
donde las horas son tan bellas,
que el tiempo pasa callado
sobre diamantes, bajo estrellas.
Odas, cantares o querellas
se lanzan al aire sutil
en gloria de perpetuo abril,
pues allí la flor preferida
para mí es Anna Margarida,
la niña bella del Brasil.
Existe un mágico Eldorado,
en donde Amor de rey está,
donde hay Tijuca y Corcovado,
y donde canta el sabiá.
El tesoro divino da
allí mil hechizos y mil
sueños: mas nada tan gentil
como la flor de alba encendida
que he visto en Anna Margarida,
la niña bella del Brasil.
Dulce, dorada y primorosa,
infanta de lírico rey,
es una princesita rosa
que amara a Katy Greenaway.
¿Buscará por la eterna ley

el pájaro azul de Tyltil?
¡Sistro, oboe, arpa, añafil,
hoy que Aurora a vivir convida,
a la rosa Anna, Margarida,
la niña bella del Brasil!

ENVÍO

¡Princesa en flor, nada en la vida
hecho de oro, rosa y marfil,
iguala a esta joya querida:
la pequeña Anna Margarida,
la niña bella del Brasil!

DANZAS GYMNESIANAS

BOLERAS

Danzan, danzan los payeses
las boleras mallorquinas;
forman, sus ochos y eses
al son de las bandolinas.
Danzar veo a una pareja:
él danza como los majos;
ella está toda bermeja
y tiene los ojos bajos.
Cantan los músicos alto
a acompasados compases,
el bailarín da su salto
y hay pases y contrapases.
Otra mujer se aficiona,
si algo gallarda, algo fea,
y aunque es un poco jamona
muy bien que se zarandea.
Luego va una adolescente
calipigia y de ojo brujo,
con una cara inocente,
de hacer pecar a un cartujo.
Y al vocerío sonoro
ella gira y se gobierna
con tal cuidado y decoro,
que apenas se ve la pierna.
La payesita galana
no mueve, en su fuga arisca,
el talle, a la gaditana,
los senos, a la morisca.

Sino que ella, con el
compañero payesito,
desempeñan el papel
como quien oficia un rito.

Se regocija la sala
cuando hecha rosa y jazmín
sale una alegre zagala
con un payés chiquitín.

A ella en sus vueltas graciosas
el dulce ritmo la impele,
y él hace unas raras cosas
con sus brazos de pelele.

Los mozos están gozosos,
las niñas tienen ojeras,
y hay indicios voluptuosos
en estas graves boleras.

Ya no hay buenos feligreses,
ya no hay beatas Catarinas...
Danzan, danzan los payeses
las boleras mallorquinas.

11

POESÍA DISPERSA*
(1888 -1916)

---

* Poemas de R. D, no reunidos en libro. Escritos desde la última década del siglo pasado hasta su muerte. No hay acuerdo sobre la fecha de composición de muchos de ellos.

¡Puede estar satisfecho el laureado Rubén Darío de esta nueva condecoración de triunfo, al haber encontrado un prosista poeta y un Fidias crítico (José Enrique Rodó) que haya adivinado y esculturado, al mismo tiempo, la Musa exótica y crepuscular del autor de *Azul*, presentándola en todas sus andrajosidades sublimes y todas sus exquisiteces voluptuosas, sus lujos orientales, su coquetería parisiense, su sensualidad artística, su rareza bizantina, su desnudez aristocrática, su galantería Borboniana y su delicadeza florentina!

JULIO HERRERA Y REISSIG

(Tarjeta a José E. Rodó, con motivo de su estudio sobre Rubén Darío, fechada el 15 de marzo de 1899)

Rubén Darío ha sido el último gran poeta de estilo antiguo que hemos tenido; es decir, el poeta obseso de su arte, que al revés de la mayor parte de los hombres, no vive en la realidad, sino en la estrofa, y no aspira a tener una vida limpia y clara con tal que su verso brille. Poseso del *deus* o el numen le llama Rafael Arévalo Martínez que (dicho sea de paso) es el primer poeta de Guatemala. Y así es la verdad. Rubén va por la vida como un sonámbulo, ebrio de sueño y de alcohol, musitando palabras sibilinas que pueden ser una incoherencia o un mensaje, y no se cuida de averiguar si a su paso está pisoteando esas mismas rosas y lirios que en sus versos canta.

R. CANSINOS ASSENS

El Poseído del "Deus"

184

ROSAS PROFANAS

Sobre el diván dejé la mandolina.
Y fui a besar la boca purpurina,
la boca de mi hermosa florentina.

Y es ella dulce, y roza y muerde y besa;
y es una boca roja, rosa, fresa
y Amor no ha visto boca como ésa.

Sangre, rubí, coral, carmín, claveles,
hay en sus labios finos y crüeles
pimientas fuertes, aromadas mieles.

Los dientes blancos riman como versos,
y saben esos finos dientes tersos
mordiscos caprichosos y perversos.

Dulce serpiente y suave y larga poma,
fruta viva y flexible, seda, aroma,
entre rosa y blancor, la lengua asoma.

La florentina es sabia, y ella dice
que en ella están Elena y Cloe y Nice,
y Safo y Cloni y Galatea y Bice.

Su risa es risa de una lira loca:
en el teclado de sus dientes toca
Amor la sinfonía de su boca.

Y ese cáliz hallé de mieles lleno,
y él el placer y el mal puso en mi seno,
y en él bebí la sangre y el veneno.

(¿París, 1893?)

2

SALMO

Un golpe fatal
quebranta el cristal
de mi alma inmortal,
   ante el tiempo muda
por la espina aguda
de la horrible duda.
   Mi pobre conciencia
busca la alta ciencia
de la penitencia;
   mas falta la gracia
que guía y espacia
con santa eficacia.
¡Mi sendero elijo
y mis ansias fijo
por el crucifijo!
   Mas caigo y me ofusco
por un golpe brusco,
en sendas que busco.
   No hallo todavía
el rayo que envía
mi Madre María.
   Aún la voz no escucho
del Dios por que lucho.
¡He pecado mucho!
   Fuegos de pasión
necesarios son
a mi corazón.
   Un divino empeño,
¿me dará el beleño
de un místico sueño?
   Del órgano el son
me dé la oración
y el *Kyrieleisón*.
   Y la santa ciencia
venga a mi conciencia
por la penitencia.

3

FLOR ARGENTINA

¿De dónde viene aquella maravillosa, aquella
que cuando pasa, a paso de reina, Diosa va?
¿De Viena acaso?... ¿Acaso de Sevilla o Marsella?
Acaso... pues su imperio doquiera imperará.

Es la flor de Argentina, divinamente bella,
azucena del Plata, rosa del Paraná,
y que siempre aparece con su fulgor de estrella,
ya la pinte Boldine o de La Gandará...

Ella es la que a las reinas del gran París emula,
pues, como ellas, encanta y sonríe y ondula;
y cual ellas transforma, al golpe de su pie,

en primavera pura un triste otoño enfermo,
en el *Bois de Boulogne* el Bosque de Palermo,
y la calle Florida en la *Rue de la Paix*.

4

"COMO PALOMAS..."

Como palomas tórnanse los tigres de la Hircania
ante la rubia Cipria que enciende el corazón;
ya se oye el ruido alegre del carro de Titania
que busca enamorada los besos de Oberón.

La fiesta de las rosas y el canto de los nidos
llenan los verdes campos y pueblan el vergel,
despiertan en las cumbres los pájaros dormidos
sobre las frescas hojas del lirio y del laurel.

¿Quién es ésa que llega tan bella como Flora?
¿Quién es esa adorable, divina emperatriz?
¿Quién es ésa que tiene los labios de la Aurora,
la frente casta y pura como una flor de lis?

Cuando anda, riega lirios, y cuando mira, estrellas.
¡Quién su sonrisa viera para morir después!...
¡Quién fuera un bello príncipe para seguir sus huellas!...
¡Quién fuera un dios amante para besar sus pies!...

Un pájaro está triste por ella en la montaña,
porque sintió el perfume de la fragante flor.
La vio el cielo una noche magnífica y extraña,
y un astro está por ella muriéndose de amor.

5

CABECITA RUBIA

Tus cabellos de oro son del siglo de oro.
Sólo tus cabellos valen un tesoro,
oro que a la tierra nos envía el sol.
Y eres tan graciosa y eres tan bonita
que tu blonda imagen en mí resucita
toda una leyenda del suelo español.

Tu cabeza es oro de veinte naciones,
oro que llevaron todos los galeones
y que nunca pudo tener el inglés.
Y aunque te la ciñas o te la desates,
tu cabeza es de oro de veintiún quilates
que trae homenajes de amor a tus pies.

Tus coqueterías son de la Giralda,
y si tus pupilas no son de esmeralda,
tienen el misterio del Guadalquivir;
una vez América las ve y no se engaña:
en ellas se encienden los soles de España,
ojos que nos dicen: ¡amar... y morir!

Tal mi fantasía sueña Andalucía,
ojos que parecen de la luz del día,
ojos que han nacido de la obscuridad;
que son de igual modo como dos luceros,
como dos caricias, como dos aceros
que en los corazones se hunden sin piedad.

Boca soñadora de rosa y de mora,
estuche que guarda perlas de Bassora,
dichas de un ausente, sueños de un Don Juan.
¡Oh gentil gitana, con ese salero,
pareces la amada rubia de un torero
que fuese poeta, guerrero o sultán!

Mas mi fantasía —indiana o moruna—
quisiera mirarte, con luz de la luna,
asomada al marco de altivo ajimez,
y al cantarte muchas cosas pasionales
besar con mis, labios tus labios sensuales,
mientras que la escala se llega a mis pies.

6

MIMA*

ELEGÍA PAGANA

A Manuel Argerich

¿Sabéis? La rusa, la soberbia y blanca rusa
que danzó en Buenos Aires, feliz como una musa
enamorada, y sonrió mucho, y partió luego
a dar sol a sus rosas al Paraguay de fuego;
    la rusa más hermosa de las rusas viajeras,
manzana matutina, flor de las primaveras,
diamante de los popes y perla de los zares;
la musa que tenía su ramo de azahares
frescos para la fiesta nupcial, Mima, no existe...
    Que Menalcas, llorando, rompa la flauta triste;
que en desagravio a Venus se maten mil palomas;
rómpase el vaso alegre y los frascos de aromas
y vierta el dulce Véspero su elegía nocturna,
su elegía de oro doloroso, en la urna
en que descansa aquella gentil carne divina.
    No descansa en el lago de la muerte patina
la regia rusa, brillan sus patines de plata
al halago lunar. Mágica serenata
hace sonar un ruiseñor en lo invisible,
y Mima es ya princesa de un imperio imposible.
    La llamaron las voces de un coro de rusalcas;
partió, y echó en olvido la flauta de Menalcas,
los azahares y las tórtolas sonoras.
¿No recuerdas un día, amante que la lloras,
en que gozosa y orgullosa fue mi rima
encuadernado el libro con un guante de Mima?
    Propiciatoriamente, yo invocaba a Himeneo...
Aún veo el libro todo blanco y oro. Aún veo
una noche a la eslava que tú adoraste ciego,
digna de amor latino, como de culto griego,
pues la petersburguesa, parisiense y latina,
tuvo todas las gracias y además, la argentina.
    Como la Diana de Falguière, ella ha partido
virgen a lanzar flechas al bosque del olvido.
Como la Diana de Falguière, blanca y pura,
a cazar imposibles entre la selva oscura.

---

*Publicada en la revista *Buenos Aires*, el 17 de octubre de 1897. Darío había obsequiado a
la artista un ejemplar de *Prosas Profanas* forrado con la piel de un guante blanco de Mima.

7

"LÆTITIA"

¡Alegría, alegría! El sol, rey rubio,
cruza el azul con su diadema de oro,
y va en el aire el ritmo y el efluvio;
    canta el bosque sonoro.
¡Alegría! La alondra sube al cielo
y las almas también. ¡Todo se alegra!
Brota la flor su seda y terciopelo
    sobre la tierra negra.
¡Alegría! Sus arpas pulsa el viento.
Dice un ave en un árbol: "¡Soy dichosa!",
y, rojos, dejan escapar su aliento
    los labios de la rosa.
¡Alegría! La sangre se acelera,
la savia corre por el tronco henchido;
y saluda a la Reina Primavera
    la música del nido.
¡Alegría! Los pájaros cantores
sobre el fresco rosal lanzan el trino,
y arrulla en los eglógicos verdores
    el buche colombino.
¡Alegría, alegría! Un soplo yerra
que las almas levanta con su ardor,
y se enciende la vida de la tierra
con la llama invisible del amor.

8

CLARO DE LUNA

    Góndola de alabastro,
bogando en el azul, la luna avanza;
y hay en la dulce palidez del astro
como mezcla de sueño y esperanza.
    En el fondo sombrío,
con la adorable luz de su aureola,
halaga al triste pensamiento mío,
como una virgen pensativa y sola.
    Divina y desolada,
envuelta en vago y luminoso velo,
al contemplar su púdica mirada,
creo ver una lágrima en el cielo.

Alma que sueña, aduna
a veces lo que canta y lo que llora:
la lágrima argentina de la luna
con lágrimas de oro de la aurora.
    ¡Oh pálida princesa!
Yo envidio la delicia
de la nube dorada que te besa
y del rayo de sol que te acaricia.
    En las brumas de plata
que en tu beldad admira el Universo,
tiende su ala de amor la serenata,
sus cadencias y músicas el verso.
    La armonía en tu alcázar tiembla y vuela;
y a tus luces divinas
esparce, melodiosa, Filomela
sus cascadas de perlas cristalinas.

9

LA VICTORIA DE SAMOTRACIA*

    La cabeza abolida aún dice el día sacro
en que, al viento del triunfo, las multitudes plenas
desfilaron ardientes delante el simulacro,
que hizo hervir a los griegos en las calles de Atenas.
    Esta egregia figura no tiene ojos y mira;
no tiene boca y lanza el más supremo grito;
no tiene brazos y hace vibrar toda la lira
¡y las alas pentélicas abarcan lo infinito!

10

EN EL LUXEMBURGO

    Luxemburgo otoñal de un día melancólico;
los árboles dorados envuelven la hoja gris;
a Galatea blanca y al cíclope bucólico
duplica en sus cristales la fuente Medicís.
    Este rincón de ensueños en el jardín divino,
propicio a las caricias como a las gracias es,
uniendo a los encantos del gusto florentino,
como un ambiente griego un decoro francés.
    Se escuchan risas cerca de los peces purpúreos,
hay parterres con un diamante en cada flor;

* Improvisado en 1912, en el Consulado Argentino de Barcelona.

hay cortesanas fáciles para los epicúreos
y celdas verdes para religiosos de amor.

Ante los simulacros de la reina de Francia
la *fillete* de lis y rosa muestra sus
piernas; y los bebés su dulzura de infancia,
ya de niño Cupido, ya de niño Jesús.

Meditabundos viejos descansan en los bancos:
de migas y sonrisas una bella hace don;
generosa de rubios rizos y brazos blancos:
la sonrisa al poeta y la miga al gorrión.

Aquí su amable gozo vierte el "país latino";
se oye un eco de Italia o una frase en inglés;
al amor ruso mezcla su ácido el amor chino,
y el beso parisiense se junta al japonés.

Suena un *che* o un *all right*, un *ja* o un *kalimera*,
un cumplimiento turco o un piropo español.
Es otoño y los niños están en primavera
al son del arpa que melodiza el Guignol.

Más allá el organillo diluye su armonía,
mientras los caballeros liliputienses van
domando, en torbellino de veloz alegría,
los caballos de palo que amó el *Pauvre Lelián*.

Los poetas de mármol entre efluvios y aromas
perpetúan el sueño de un Olimpo inmortal,
no lejos pasa el vuelo de un coro de palomas
y el surtidor erige su pluma de cristal.

Adorable jardín que una reina italiana
adorada por Francia con sus flores de lis,
llenó de hechizo eglógico y de virtud pagana,
para adornar el dulce regazo de París.

11

ARMONÍA

A Rafael Lasso de la Vega

La tortuga de oro marcha sobre la alfombra.
Va trazando en la sombra
un incógnito estigma
los signos del enigma
de lo que no se nombra.
Cuando a veces lo pienso.
el misterio no abarco
de lo que está suspenso
entre el violín y el arco.

12

"CHAPELGORRI"

Maravilloso champiñón decorativo,
que floreciste tantas funciones sanguinarias
en las luchas carlistas, y que por ser tan varias
tus formas, te conviertes en tiara del esquivo;
    hacia adelante, o hacia atrás, casco, aureola,
ya redondez de hongo, o arista de peñasco,
al ponerte en mi testa, me siento un poco vasco,
ya Iparraguirre, o bien Unamuno, o Loyola.

SONETOS

1

ESPAÑOL*

Yo siempre fui, por alma y por cabeza,
español de conciencia, obra y deseo,
y yo nada concibo y nada veo
sino español por mi naturaleza.

Con la España que acaba y la que empieza,
canto y auguro, profetizo y creo,
pues Hércules allí fue como Orfeo.
Ser español es timbre de nobleza.

Y español soy por la lengua divina,
por voluntad de mi sentir vibrante,
alma de rosa en corazón de encina;
quiero ser quien anuncia y adivina,

    que viene de la pampa y la montaña:
eco de raza, aliento que culmina,
con dos pueblos que dicen: ¡Viva España!
y ¡Viva la República Argentina!

---

*Curiosamente agrupado con otros sonetos, éste se compone de dieciséis versos en lugar de catorce.

2

COLOMBIA

Colombia es una tierra de leones;
el esplendor del cielo es su oriflama;
tiene un trueno perenne, el Tequendama,
y un Olimpo divino: sus canciones.

Siempre serán soberbios sus pendones;
bajo la aureola que a la gloria inflama,
siempre será la tierra que derrama
la savia de los grandes corazones.

En sus historias nobles y triunfales
resplandecen egregios paladines,
coronados de lauros fraternales.

Y se oyen en sus campos y confines,
Boyacá y sus tambores inmortales,
y el Santuario, y sus épicos clarines.

3

MONTEVIDEO

Montevideo, copa de plata,
llena de encantos y de primores.
Flor de ciudades, ciudad de flores,
de cielos mágicos y tierra grata.

Tus bravos héroes la Historia acata.
Fervientes lirios dieron loores
a los centauros y a los pastores
cuyas proezas recuerda el Plata.

Y ese tesoro de ritmo y gracia,
rosas del pueblo, o aristocracia
que en tus mujeres divinas veo,

¡son, con sus almas de poesía,
de tu corona la pedrería,
maravillosa Montevideo!

4

EN LAS CONSTELACIONES

En las constelaciones Pitágoras leía,
yo en las constelaciones pitagóricas leo:
pero se han confundido dentro del alma mía
el alma de Pitágoras con el alma de Orfeo.

Sé que soy, desde el tiempo del Paraíso, reo;
sé que he robado el fuego y robé la armonía;
que es abismo mi alma y huracán mi deseo;
que sorbo el infinito y quiero todavía...
    Pero ¿qué voy a hacer, si estoy atado al potro
en que, ganado el premio, siempre quiero ser otro,
y en que, dos en mí mismo, triunfa uno de los dos?
    En la arena me enseña la tortuga de oro
hacia dónde conduce de las musas el coro
y en dónde triunfa 'augusta' la voluntad de Dios.

5

SONETO PASCUAL

María estaba pálida y José el carpintero;
miraban en los ojos de la faz pura y bella
el celeste milagro que anunciaba la estrella
do ya estaba el martirio que aguardaba el Cordero.
    Los pastores cantaban muy despacio, y postrero
iba un carro de arcángeles que dejaba su huella;
apenas se miraba lo que Aldebarán sella,
y el lucero del alba no era aún tempranero.
    Esa visión en mí se alza y se multiplica
en detalles preciosos y en mil prodigios rica,
por la cierta esperanza del más divino bien,
    de la Virgen, el Niño y el San José proscripto;
y yo, en mi pobre burro, caminando hacia Egipto,
y sin la estrella ahora, muy lejos de Belén.

6

"TOAST"

Que el champaña de oro hoy refleje en su onda
la blanca maravilla que en el gran Louvre impera,
la emperatriz de mármol cuya mirada ahonda
el armonioso enigma que es ritmo de la esfera;
    el bello hermafrodita de cadera redonda,
y del sublime Sandro la núbil Primavera;
y sonriente, en el triunfo de su gracia hechicera,
la perla de Leonardo, la mágica Gioconda.
    Y el pórtico del templo que habita el Numen sacro,
el altar donde se alce su augusto simulacro,
y en teoría suave, canéforas hermosas.
    La victoria llevando su palma de oro fino,
y rompiendo la sombra sobre el carro divino,
Apolo coronado de nubes y de rosas.

7

AMADO NERVO

Amado es la palabra en que amar se concreta;
Nervo es la vibración de los nervios del mal.
¡Bendita sea y pura la canción del poeta
que lanzó sin pensar su frase de cristal!...

Fraile de mis suspiros, celeste anacoreta,
que tienes en blancura l'azúcar y la sal,
¡muéstrame el lirio puro que sigues en la veta,
y hazme escuchar el eco de tu alma sideral!

Generoso y sutil como una mariposa,
encuentra en mí la miel de lo que soy capaz,
y goza en mí la dulce fragancia de la rosa.

No busques en mis gestos el alma de mi faz;
quiere lo que se aquieta, busca lo que reposa
¡y ten, como una joya, la perla de la Paz!

8

FLORA

Para la esposa de Luis Berisso

A tus pies, Triptolemo, Dea su cornucopia
vierte, mientras tus manos alzan, sobre la testa
encrespada de oro, la simbólica cesta
en donde el Iris mágico sus riquezas acopia.

El perfume que nace de tu sustancia propia
unge los palpitantes senos de la floresta,
y la estación que ríe bajo su luz de fiesta,
hace tus gracias suyas y tus sonrisas copia.

Pues al paso de Flora la tierra se conmueve,
y con formas de oro, de púrpura, de nieve,
de azul, la maravilla de su misterio expresa.

Así llena de música la selva melancólica,
traduce por el son de la flauta bucólica
lo que arde, lo que aspira, lo que ama, lo que besa.

9

TOISÓN

Yo soy un semicentauro,
de semblante avieso y duro,
que remedo a Minotauro
y me copio de Epicuro.
A mi frente agobia un lauro
que predice mi futuro,
y en la vida soy un Tauro
que derriba fuerte muro.
Yo le canto a Proserpina,
la que quema corazones
en su cálida piscina.
Soy Satán y soy un Cristo
que agonizo entre ladrones...
¡No comprendo dónde existo!

10

"LO QUE HABLA EN EL SILENCIO..."

A Fabio Fiallo

Lo que habla en el silencio de mi vida
de voz, canción, llamada, trino o queja,
no lo oirá ya Desdémona dormida,
porque ya el ruiseñor no está en la reja;
la esencia de la sangre de mi herida,
el misterio profundo de mi queja,
y lo que puso en mi panal la abeja,
mientras parió la leona en su guarida;
todo lo que hay en mí de complicado,
de pecador sutil o de perverso,
vino de amor o extracto de pecado,
abarcando en mi afán el universo,
todo eso lo he exprimido, y lo he brindado
en sacrificio, inspiración y verso.

11

A JUAN RAMÓN JIMÉNEZ

¿Tienes, joven amigo, ceñida la coraza
para empezar, valiente, la divina pelea?
¿Has visto si resiste el metal de tu idea
la furia del mandoble y el peso de la maza?

¿Te sientes con la sangre de la celeste raza
que vida con los números pitagóricos crea?
¿Y, como el fuerte Herakles al león de Nemea,
a los sangrientos tigres del mal darías caza?

¿Te enternece el azul de una noche tranquila?
¿Escuchas pensativo el sonar de la esquila
cuando el Angelus dice el alma de la tarde?...

¿Tu corazón las voces ocultas interpreta?
Sigue, entonces, tu rumbo de amor. Eres poeta.
La belleza te cubra de luz y Dios te guarde.

TRÍPTICO DE NICARAGUA

1

LOS BUFONES

Recuerdo, allá en la casa familiar, dos enanos
como los de Velázquez. El uno, varón, era
llamado "el Capitán". Su vieja compañera
era su madre. Y ambos parecían hermanos.

Tenían de peleles, de espectros, de gusanos;
él cojeaba, era bizco, ponía cara fiera;
fabricaba muñecos y figuras de cera
con sus chicas, horribles y regordetas manos.

También fingía ser obispo y bendecía;
predicaba sermones de endemoniado enredo
y rezaba contrito *pater* y avemaría.

Luego, enano y enana se retiraban quedo;
y en tanto que la gente hacendada reía,
yo, silencioso, en un rincón, tenía miedo.

2

EROS

Es en mi juventud, mi juventud que juega
con versos e ilusiones, espada de oro al cinto;
hay en mi mente un sueño siempre vario y distinto,
y mi espíritu ágil al acaso se entrega...
En cada mujer miro como una ninfa griega;
en poemas sonoros sus frescas gracias pinto;
y esto pasa al amor del puerto de Corinto,
o en la rica en naranjas de almíbar, Chinandega.
¡Tiempo lejano ya! Más aún veo azahares
en los naranjos verdes impregnadOs de aromas,
o las viejas fragatas que llegan de los mares
lejanos; o el hicaco, o tupidos manglares;
o tú, rostro adorado en ese tiempo, asomas
con primeros amores o primeros pesares.

3

TERREMOTO

Madrugada. En silencio reposa la gran villa
donde de niño supe de cuentos y consejas,
o asistí a serenatas de amor junto a las rejas
de alguna novia bella, timorata y sencilla.
El cielo lleno de constelaciones brilla,
y su oriente disputan suaves luces bermejas;
de pronto, un terremoto mueve las casas viejas
y la gente en los patios y calles se arrodilla,
medio desnuda, y clama: "¡Santo Dios! ¡Santo fuerte!
¡Santo Inmortal!" La tierra tiembla a cada momento.
¡Algo de apocalíptico mano invisible vierte...!
La atmósfera es pesada como plomo. No hay viento.
Y se diría que ha pasado la muerte
ante la impasibilidad del firmamento.

LOS TRES ASTROS

El primero me dijo:
"Soy el astro que brilla sobre el cielo rosado.
Soy de los venturosos; brillo en el alba, y riega
una lluvia de dichas el oro de mis rayos.
Soy la alegría y hace una fiesta de rosas
y de perlas la aurora, por mi luz. Soy el sacro
diamante que Dios lanza — *dux* eterno y Supremo —
de su altura invisible, a su infinito Adriático".
Silencio. Vi el desmayo del temblor luminoso;
se ocultó en el abismo y quedé solitario.
El segundo me dijo: "Yo me llamo Esperanza,
yo ilumino el ensueño; brillo en el cielo azul.
Yo doy ansia y aliento;
se salva el alma que ase un hilo de mi luz.
Yo abrillanto el rocío que luce en gotas frescas
en el lírico cáliz de la flor juventud.
Yo te daré la amada de tu alma, la princesa.
Ella tendrá diadema y tendrás laurel tú."
Medité.
Y el tercero exclamó: "¡Soy el astro
que brilla sobre el cielo negro: guardo el tesoro
divino del consuelo; soy el amor, el lirio
del ideal, Poeta! Yo soy tu ensueño hermoso,
una ilusión eterna
y un bello nimbo de oro.
Vengo triunfal en medio de tus visiones vagas;
resucite tu espíritu al contemplar mi orto;
levanta, soy tu reina.
Ven a mí, besa mis labios luminosos;
ven a mí."
Yo sentía como que a mí bajaba
fuerza de un dios... Y dije: "¡Oh astro, yo te adoro!"

LA QUEJA DEL ESTABLO

Partieron los pastores y los Reyes... Y el Rey
Niño y sus pobres padres partieran por la ley
bárbara del bandido Herodes, ser del Diablo.
Entonces, en la triste soledad del establo,
hablaron, amasando la paja entre los dientes,
los dos dulces jumentos, más dulces que las gentes,
que habían ofrecido sus alientos y vahos
a Aquel que el Universo hizo brotar del caos.

El diálogo era triste, a pesar del aroma
que les dejara el nido de la sacra Paloma.
  Y el buey decía: "Sé que Él es el Dios de Todo."
Y la mula: "Es Aquel que nos saca del lodo..."
"¿A quién?" "A todos". "No". "Pues, entonces, a quién?..."
"Al malévolo humano, que no nos quiere bien."
"Tú ves el porvenir". "Es nuestro don, hermano;
eso tenemos más que el enemigo humano.
Nuestros ojos tranquilos, que traspasan la aurora,
saben bien lo que vierte el cáliz de la hora.
Somos mudos para el mundano entendimiento;
mas nos entiende el sol, la luna, el campo, el viento,
y alguna vez (ten por seguro) Jesucristo
se acordará que, siendo niño, nos ha visto.

Pero entretanto estamos tristes..." "¡No! Contentos
—dice un ángel que llega de los vientos
y que llena al instante de un resplandor divino
la cabeza del buey, la testa del pollino—.
Llegará un día en que la redención que os toca
brotará hecha relámpagos de la Suprema Boca,
y en que el alma del buey y la mula, en un cielo
proporcionado a su dulce y humilde anhelo,
hallen la recompensa del bíblico servicio
en un sagrado, puro y eternal ejercicio."
"Pero, entre tanto —dice la mula—, aquí ¿qué haremos?
"Y aquí —prosiguió el buey—, ¿qué premio lograremos?"
Y el Ángel: "¡Oh suaves almas! — ¡Oh amables bestias!
¡Aquí no encontraréis sino amargas molestias!
Mas os voy a decir un secreto de Dios,
que hondamente interesa sólo a vosotros dos:
¡Vosotros, que en Belén fuisteis por Nuestra Luz,
os juntaréis con quien compartiera su Cruz,
y allá, en el Sacro Empíreo, donde os lleve el deseo,
os llevará a pastar San Simón Cirineo!..."

PALAS ATHENEA

I

Un día, inmemorial en olímpicos días,
cuando Zeus regía el Universo,
y hacía reventar en truenos o armonías
el visible horizonte
y retemblar el sacro monte
—cual canta Melesígenes en su glorioso verso—,
al mover las arrugas de su ceño profundo,

la persona de Efestos claudicante
surgió, armada de un hacha como hecha de diamante,
e hizo vibrar los cimientos del mundo
cuando con un hachazo subitáneo
hendió el superdivino cráneo,
del cual brotó la luminosa Dea,
toda Fuerza. Cordura y Esperanza
con su égida y su lanza,
la virgen áurea Palas Athenea.

II

Atentos a la maravilla
fueron todos los inmortales...
Helios regocijado brilla
con nuevos fulgores vitales:
Ares admira su armadura.
Anadiomena su sonrisa:
y el decoro de su figura
la semidesnuda Artemisa.
Pan siente que tiembla la tierra;
Poseidón que la mar se agita
como cuando nació Afrodita.
Dulce en la paz, fuerte en la guerra,
aparece al ideal griego,
ante el que su virtud derrama
y sobre el cual sus gracias llueve
blanca y casta como la nieve
y abrasante como la llama.
¡Es que ella encarna el pensamiento!...
Es ella la perseguidora
del orgullo del mal sombrío;
su centella en el firmamento
forma la cerebral aurora;
muestra su prepotencia y brío.
Ella es de la mente la vida,
la defensora contra el mal;
y siendo la Idea inmortal,
es la eterna Gorgonicida.
Ella es la cósmica Doncella,
la que en el porvenir fulgura;
es grave, es terrible y es bella:
no toquéis a la Reina Pura.
Su búho torna la cabeza;
mira hacia atrás, o hacia adelante,
lo que se acerca, lo distante,

y lo que acaba, y lo que empieza.
Y así como al Titán aplasta
si su mano el volcán empuja,
así a la adolescente casta
enseña a enhebrar una aguja,
y a bordar flores en el lino,
y a tejer como aire la seda;
y si su trabajo divino
emular quiere mano extraña,
en sus propios hilos se enreda,
Aracne cambiada en araña.
    Dulce y reflexiva Sofía,
dinámica y omnipresente,
su luz a todo artista envía,
al laborioso, al elocuente;
y anima con su íntimo soplo
a los artífices del fuego,
al que mueve regla o escoplo,
a la que borda, a la que hila:
se diría que ella aniquila
toda sombra en el genio griego.
    Tal de Fidias el simulacro
deja de ardor las almas plenas
cuando brilla el Partenón sacro
con Nuestra Señora de Atenas.
Ella el poder tiene en sus manos:
poder sereno y protector
de los enjambres ciudadanos;
ella es "la que odia a los tiranos",
como recuerda Saint-Victor.
Y cuando el gran Pan con su grito
anunció: "¡Los dioses han muerto!"
sobre la azul inmensidad,
en su dominar infinito,
si el Olimpo quedó desierto,
ella afirmó su eternidad.
    Parece que desaparece
cuando surgen nuevas Medusas
en las guerras y las conquistas;
mas su árbol de paz reverdece
y a su sombra llegan las musas,
sueñan sus sueños los artistas.
La creadora del olivo
ilumina el instante oBscuro
y entreabre al sabio pensativo

las vastas puertas del futuro.
Y así, en el medieval momento,
son su refugio transitorio
el oculto laboratorio,
el *Alma Mater* y el convento...
Inspira en el Renacimiento
al nauta, al artífice, al sabio,
y la palabra de su labio
flota en un astral elemento.

III

Y tal sigue su culto oculto
hasta que a través del tumulto
de los siglos, su frente abreva
almas nuevas en tierra nueva,
cuando el conjuro de un Varón,
todo energía y reflexión,
el templo minervino eleva
que simboliza y que renueva
el recuerdo del Partenón.
Aquí reapareció la austera,
la gran Minerva luminosa;
su diestra alzó la diosa aptera
y movió el gesto de la diosa
la mano de Estrada Cabrera.
Ya su voz regeneradora
se oyera cuando hacia el Atlántico
vibró como en glorioso cántico
la voz de la locomotora.
A aquella llamada sonora,
se conmovieron las montañas
y los bosques, y entre las cañas
y los troncos, los dioses viejos
de los antiguos monolitos,
los de los pretéritos ritos,
despertaron de su pasado.
Y se asomó por la espesura
para ver el monstruo de acero,
la férrea sombra de Alvarado;
y a su lado La Sin Ventura
tiembla al trajín del tren que grita;
y no lejos, está apoyado
en su invisible cayado
el angélico Bethlemita.

Luego hay otros conquistadores,
religiosos, encomenderos,
damas, alguaciles, señores,
hechiceros, saludadores,
traficantes y aventureros;
y atrás, entre mágicas brumas,
con sus pieles, oros y plumas,
las tribus hijas de Wotán,
y reyes de águilas y pumas,
los Kicab y Tecun-Umán.
Así avanza la mensajera
de la luz por la selva fiera
de nuestra América Central...:
y saluda a Estrada Cabrera
con la blanca y azul bandera
en donde brilla y reverbera
la copa de Iris del Quetzal.

IV

Quetzal vivo, tiende el ala.
Bajo el cielo azul resbala...
Simboliza en Guatemala
Paz, Idea y Libertad;
se levantan monumentos,
fructifican pensamientos,
crece el pueblo, cobra alientos
y se fundan los cimientos
de una nueva humanidad.
He aquí las generaciones
de mañana. Sus canciones
elevan los corazones
de Minerva ante el altar,
y dan gracias al que trajo
los impulsos del trabajo
con las glorias del crear.
¡Este día de la oliva
es de rosa siempreviva,
y mañana habrá por Él,
juntó al alto monumento
que aquí mismo tendrá asiento,
agitado por el viento,
un olímpico laurel!

EN EL ÁLBUM DE UNA DESPOSADA

Eres paloma y reina de tu nido,
y esclavo y rey a un tiempo tu marido.
Al veros tan dichosos, he pensado
en que es la vida hermosa
para un amante amado,
que sufre enamorado
la dulce tiranía de una esposa.
Convéncete, Mercedes:
la dicha en este mundo
la encierran para ti cuatro paredes,
donde con un amor grande y profundo,
como Dios, con querer, todo lo puedes.
Aprisiona a tu esposo en tu cariño...
Dios bendiga tu suerte:
en un cielo una casa se convierte
con la sonrisa mágica de un niño.

CLELIA SOL

En su álbum

Iba a partir la luminosa barca,
galera de oro y de marfil. Y cuando
llegué a la orilla del sonoro puerto,
        ya era tarde.
Iba a nacer la estrella matutina,
iba a ser mío su esplendor soberbio;
mas cuando fui para gozar su imperio,
        ya era tarde.
Iba a pasar la caravana mágica
con la reina de Saba. En el camino,
al llegar mi corcel y mi camello,
        ya era tarde.
Mas para ornar tu paso de armonía
y deshojar ante tus pies mis rosas,
y para dar mi canto a tu belleza,
        no será tarde.
¡Recuerda, pues, el homenaje lírico
a tanto encanto y tanto hechizo dulce,
cuando el poeta derramó su esencia
        ante Belkiss que pasa!

EN EL ÁLBUM DE RAQUEL CATALÁ

Hoy quiero contarte,
Raquel Catalá,
un cuento de cielo,
de tierra y de mar...
que pasó en Basora,
que pasó en Bagdad,
que pasó en un·reino
que yo no sé ya.
    El caballo es negro,
el puente imperial;
las rejas de mármol,
¡y cuánto azahar!...
    Tiempo de cruzada;
tiempo de soñar...,
que Hugo amaría
para fabricar,
como joya de oro,
alguna *Oriental*.
    Ruiseñor azul
se pone a cantar
cerca del orgullo
de un arco triunfal
que de filigrana
ordenó elevar
Harún-al-Raschid   ·
en gloria de Alah.
    Al próximo bosque
van a trabajar
abejas de oro
en oro y cristal.
    Aquí acaba el prólogo
de este singular
cuento que te cuento,
Raquel Catalá.
    La parte de tierra
va a simbolizar
el negro caballo
que pasa por las
violencias del viento
veloz y fatal,
con todo el impulso
que le supo dar
con su noble sangre
la yegua Al-Borak,

y que en su carrera
conduce a la más
bella niña que
puede uno soñar.

    La parte de cielo
clarificará
el vasto zafiro
de la inmensidad,
donde abre su cola
un pavo real.

    Allá arriba hay gloria,
aquí abajo hay paz,
y al dulce cariño
del sol matinal,
un alma amorosa
se pone a soñar.

    Y ahora te digo
la parte de mar,
amarga de pena,
de yodo y de sal,
unas dulce de blancas
gaviotas que van
tan locas de vida,
de sueño y de azar,
y tan visionarias,
ligeras y tan
de espuma y de nube
que serían las
lágrimas aladas
de la tempestad.
(Los barcos se fueron.
¡Qué lejos están!
El joven marino,
¿cuándo volverá?...)
    ¡Oh cuánto de pena,
de dicha o de afán,
en verso de oro,
de perla y cristal,
cabría en un cuento,
Raquel Catalá!

EN EL ABANICO DE LA SEÑORITA
LOLA SALAZAR

Con la mirada enciendes en las almas
de intenso amor la misteriosa luz,
cual Dios al ver la inmensidad profunda
pobló de estrellas el sagrado azul...
¡Oh niña blanca y.adorable y pura,
sois iguales, en esto, Dios y tú!

EN EL ÁLBUM DE VICTORIA
MAYORGA DE MARÍN

Victoria, el día está triste.
Del cielo brumoso baja
un soplo ardiente. Una rosa
mustia revive en mi alma.
Flor de recuerdos. Es tuya,
es para tus manos blancas;
quiere un trono: tu corpiño;
quiere una luz: tu mirada.
Quiere ser fresca y purpúrea
la rosa pálida, pálida...
Si ves que lleva rocío,
puede ser alguna lágrima
o alguna gota del mar
que tanto surcó mi barca,
y en donde mi corazón
echó a las ondas el ancla.

BRINDIS AL DOCTOR CORNELIO ROMERO

Mi voz es pobre y escasa
cuando alegre, franco y fuerte
Lúculo come en su casa y
Epicuro se divierte.

(Haedo, Buenos Aires, 15 de febrero de 1898)

EN EL ÁLBUM DE MARGARITA DE LACAYO

Desfile de las margaritas:
las del azul son infinitas
y brillan nocturnas y bellas.
Esas margaritas benditas
son las encantadas estrellas.

Llenas de místico blancor
y acariciadas siempre por
dulces dedos de enamorados,
revelan la magia de amor
las margaritas de los prados.

En el hechizo de su oriente,
sobre su nido opalescente,
también por la magia de amar,
sueñan como una flor viviente
las margaritas de la mar.

Y tú, llena de brillo y fragancia,
mientras néctar Juvencia te escancia,
a tus blancas tocayas imitas;
como aquella princesa de Francia,
Margarita de las margaritas.

A SALVADORITA DEBAYLE

En esta vida de ansia infinita,
todos buscamos la salvación;
¡ay, Salvadora, Salvadorita,
salva primero tu corazón!

Ten muy presente que en este mundo
sin Dios no hay vida, ni existe ser;
y que Dios vive, vivo y profundo,
entre los ojos de la mujer.

Cuando resuene la hora suprema,
cuando te llegue la hora de amor,
no pongas hieles en tu poema,
no martirices tu ruiseñor.

Ya viene el príncipe para tus sueños;
¿es rey del oro o es del amar?...
Incienso puro y olientes leños,
vienen tus sueños a perfumar.

La perla nueva, la frase escrita,
por la celeste luz infinita,
darán un día su resplandor;
ay, Salvadora, Salvadorita,
no mates nunca tu ruiseñor!

210

A LOLA SORIANO DE TURCIOS, HERMANA DEL POETA

Este viajero que ves,
es tu hermano errante. Pues
aún suspira y aún existe,
no como lo conociste,
sino como ahora es:
viejo, feo, gordo y triste.

A MARÍA LOWENTHAL

Yo vi una cándida azucena
sobre un jarrón de porcelana,
donde, magnífica y serena,
un gran pintor pintara a Diana.
Es entre flores, blancas, bellas.
novia con velo de albo tul;
la flor de lis de las estrellas
en el profundo cielo azul.
Es la divina cazadora
que abre en las sombras claras brechas
y que en el oro de la aurora
dora las puntas de sus flechas.
Es la hermosura pudorosa,
la vencedora angelical:
a ella, la rima olor de rosa,
versos de plata y de cristal.
Va por la selva visionaria,
va con la mano en el tahalí,
y en la montaña solitaria
ahuyenta al fosco jabalí.

ENVÍO

Sobre una hoja de rosa,
Diana-María,
llega la mariposa
de la armonía,
donde la hermana
del amor y del alba:
María-Diana.

(Guatemala, abril de 1891).

211

IMPROVISACIÓN

*En la comida a don Ernesto Palazio,
en* El Cardón, *Nicaragua,*

Una puerta estaba abierta
por un ángel que pasó.
Se volvió a abrir esa puerta
y fue Berta la que entró.
    Si en la vida hay una hada
que nos dice la verdad,
deja esa puerta cerrada
por toda la eternidad.
    Que vaya en el alba pura
aquella puerta a cerrar;
que olvide la cerradura
y eche la llave en el mar.

BRINDIS

*En un banquete a
Santiago Rusiñol*

Gloria al buen catalán que hizo a la luz sumisa
—jardinero de ideas, jardinero de sol—,
¡y al pincel, y a la pluma, y a la barba, y la risa
con que nos hace alegre la vida Rusiñol!

A MANUEL MALDONADO *

*Con motivo de haber escuchado un
discurso suyo, el 24 de noviembre de
1907.*

Manuel: el resplandor de tu palabra
ha iluminado la montaña oscura,
en donde, hace ya tiempo, mi figura
vaga entre el cisne, el sátiro y la cabra.
    Sea arado de oro aquel que abra
el surco en la divina agricultura,
y que pueda extraer de tierra impura
el mármol blanco que el artista labra.
    Y puesto que eres lengua de mi tierra,
la cual se agita con rumor de palma,
y es tu cráneo depósito que encierra
    ese gran fluido propulsor de tu alma,
¡sé como Castelar, cuyo rotundo
verbo aumentó la rotación del mundo!

*Orador nicaragüense.

212

AL PARTIR MAYORGA RIVAS

Román, ya te vas al pensil
de Centroamérica, al edén
que yo, desde aquí, del Brasil,
contemplo cual perdido bien.

. Te llevas de mi corazón
un gran pedazo. Es la verdad.
¿Qué haría yo sin Juan Ramón,*
parte de nuestra trinidad?

Las sirenas tras de tu nave
irán, sin canto seductor,
embelesadas por el suave
cántico tuyo, ¡oh gran cantor!

El marino viento, asaz blando,
a tu hermosa estrella muy fiel,
en torno tuyo irá soplando
ósculos sobre tu laurel.

¡El gran, ronco, océano sonoro
sonará por ti son triunfal;
por ti, poeta de arpa de oro
y de melodioso cristal!

Con cenefas blancas de espuma
ornando la onda de azul agua,
te ofrecerá la visión suma
del bicolor de Nicaragua.

Y entonces, cuando el soberano
patrio recuerdo en tu alma aliente,
también recuerda a éste tu hermano
en el corazón y en la mente.

Pensativo dígome: ¿acaso
aquestos dos hermanos fieles
dormirán en su eterno ocaso
allá, bajo patrios laureles?

¡Dios lo sabe! Él guarda la llama
del porvenir muy escondida...
Mientras tanto, amemos la fama,
porque es de los dos la querida.

---

*Juan Ramón Molina, amigo del poeta desde la infancia. Esta composición fue escrita en Río de Janeiro, en julio de 1905.

La que sobre todas las cosas
de este mundo, torpes y crueles,
bríndanos del placer las rosas
y de la victoria laureles.

Pero tú olvidas sus favores,
y quizá has hecho lo mejor,
haciendo amor de tus amores
a tu dulce esposa Leonor.

Yo debo seguir mi camino...
De mi destino voy en pos,
entre sombra y luz, peregrino
por secreto impulso de Dios.

"HEMOS DE SER JUSTOS..."

(Fragmentos)

Hemos de ser justos, hemos de ser buenos,
hemos de embriagarnos de paz y de amor,
y llevar el alma siempre a flor de labios
y desnudo y limpio nuestro corazón.
Hemos de olvidarnos de todos los odios,
de toda mentira, de toda ruindad:
hemos de abrasarnos en el santo fuego
de un amor inmenso, dulce y fraternal.
. . . .

Hemos de estar siempre gozosos —tal dijo
Pablo, el elegido, con divina voz—,
y a través de todos los claros caminos,
caminar llevando puesta el alma en Dios.

BALADA LAUDATORIA

A DON RAMÓN DEL VALLE INCLÁN

Del país del sueño, tinieblas, brillos,
donde crecen plantas, flores extrañas,
entre los escombros de los castillos,
junto a las laderas de las montañas
donde los pastores en sus cabañas
rezan, cuando al fuego dormita el can,
y donde las sombras antiguas van
por cuevas de lobos y de raposas,
ha traído cosas muy misteriosas
Don Ramón María del Valle Inclán.

214

Cosas misteriosas, trágicas, raras,
de cuentos obscuros de los antaños,
de amores terribles, crímenes, daños,
como entre vapores de solfataras,
caras sanguinarias, pálidas caras,
gritos ululantes, pena y afán,
infaustos hechizos, aves que van
bajo la amenaza del jerifalte,
dice en versos ricos de oro y esmalte
Don Ramón María del Valle Inclán.
Sus aprobaciones diera el gran Will
y sus alabanzas el gran Miguel,
a quien ya nos cuenta cuentos de Abril
o poemas llenos de sangre y hiel.
Para él la palma con el laurel
que en manos de España listos están,
pues mil nobles lenguas diciendo van
que han sido ganados en buena lid
por el otro manco que hay en Madrid:
Don Ramón María del Valle Inclán.

ENVÍO

Señor, que en Galicia tuviste cuna
mis dos manos estas flores te dan,
amadas de Apolo y de la Luna,
cuya sacra influencia siempre nos una,
Don Ramón María del Valle Inclán.

IMPROVISACIÓN

A Rodolfo Ramos

Al amigo que pide una palabra mía
yo le digo que pida, si pide bien, la luz;
y que, si es católico, que le pida a María
para el despierto hereje limosna de una Cruz.

(Buenos Aires, 1897)

CANCIÓN DE OTOÑO A LA ENTRADA
DEL INVIERNO

¡Ya tengo miedo de querer,
puesto que aquello que es querido
se está en peligro de perder
por engaño, ausencia u olvido!
    Y si es querer a una mujer,
como me enseñó a padecer
tal o cual pasado amor mío,
sería en mi alma desvarío
el repetir y recaer.
Yo vi un cisne muerto de frío...
¡Ya tengo miedo de querer!
    Como la amistad es abrigo
en la lucha de nuestro ser,
aún sé gustar pan de su trigo;
en su campo me fui a pacer.
Y a ser el "asno" del amigo...
¡Ya tengo miedo de querer!
    Quise amar a un ángel sagrado
y quise amar a Lucifer,
y por los dos fui traicionado;
ninguno en mi alma pudo ver
lo que hay de puro o condenado...
¡Ya tengo miedo de querer!
    Mi vida, como Asuero a Ester,
maceré en sagrados ungüentos.
Nadie ha visto mis pensamientos
del modo que se deben ver.
Yo siempre guardo mis alientos
confiado en que tienen poder
los misteriosos elementos...
¡Ya tengo miedo de querer!
    A ti, fuerza desconocida,
quisiera consagrar mi vida
si algo de ti dejaras ver
a mi ánima, dolorida
de tanto subir y caer,
y a mi fe en la nieve aterida...
Si gracia en mí fuera encendida,
¡no habría miedo de querer!

PASA Y OLVIDA

Ése es mi mal: soñar.

Peregrino que vas buscando en vano
un camino mejor que tu camino,
¿cómo quieres que yo te dé la mano,
si mi signo es tu signo, Peregrino?
No llegarás jamás a tu destino;
llevas la muerte en ti como el gusano
que te roe lo que tienes de humano...
¡lo que tienes de humano y de divino!
Sigue tranquilamente. ¡Oh caminante!
todavía te queda muy distante
ese país incógnito que sueñas...
... Y soñar es un mal. Pasa y olvida,
pues si te empeñas en soñar, te empeñas
en aventar la llama de tu vida.

FIDELIDAD

Muda estaba la lira, el bardo ausente
cuando pasó errabundo trovador
que la quiso pulsar irreverente...
¡Aún gime doliente
la profanada cuerda que estalló!
Del ausente poeta-caballero,
las nobles armas envidió el juglar:
llevó su espada a la cintura; pero
al tirar de ella se enrolló el acero,
¡e hirió la mano audaz!
Vino a curar al huésped una dama
a quien llorosa el paladín dejó;
y ambos, ardiendo en abrasantes llamas,
cuentan que corta fue su noche, ¡y fama
es que la dama entonces no lloró!...

A AMY V. MILES

A Amy V. Miles
dedico este tomo
de versos galantes
muy siglo dieciocho.
    Como abate arcaico,
en sus manos pongo
mi libro de versos
muy siglo dieciocho.
    Violines del Rey
dan su fino tono
en estos mis versos
muy siglo dieciocho.
    Lean estos versos
esos lindos ojos
y haya una sonrisa
muy siglo dieciocho.

PARA LA HIJA DEL PRESIDENTE DEL SALVADOR, TERESITA

    Gloria del sol, estrella bendecida,
dulce princesa, corazón triunfal,
tú estás en la alegría de la vida
como una perla en vaso de cristal.
    Perla oriental, espíritu de fuego
que vas volando de la dicha en pos,
Dios llenará con su bondad tu ruego,
porque eres digna del amor de Dios.

ROMA

*Un Soneto escrito en colaboración
con Antonino Lamberti, en 14 minutos*

R. — Antonino Lamberti, el peristilo
L. — Del sacro templo se alza en la colina,
R. — Y llega una fragancia tiburtina
L. — Que acariciara a Horacio y a Camilo.
R. — Es la reina de Pafos y de Milo
L. — Que dio la aurora de la luz latina,
R. — En donde halló por la virtud divina
L. — Gesto la estatua, la palabra estilo.
R. — Amemos, Antonino, de tu Roma
L. — La armonía sagrada, que aún subsiste,

R. – De la gloria fugaz que el tiempo, doma.
L. – Y que en el verso, o piedra, que resiste
R. – Rosa del mármol, lirio del idioma,
R. – Da la fragancia eterna de lo triste.

EL ZORZAL Y EL PAVO REAL

Fábula

Ve un zorzal a un pavo real
que se esponja y gallardea;
le mira la pata fea
y exclama: "¡Horrible animal!",
sin ver la pluma oriental
el pájaro papanatas.
Gente que llaman sensatas,
son otros tantos zorzales:
cuando encuentran pavos reales,
sólo les miran las patas.

PARA COCONÍ BONAFOUX

Coconí, nombre de flor
o de pájaro de gema
de la Biblia. Es un poema
hecho de trino y frescor.
Coconí es el cocotal
y el picaflor y la miel,
y el mirlo sobre el laurel
al lado del manantial.
Flor de sol, botón de aurora,
pequeñita soberana.
maravilloso "mañana"
que eres un divino "ahora".
Junto a la amable tormenta
que tienes por padre, sueña
tu almita; y ésta pequeña,
¡si vieras cuánto le alienta!
Quisiera ver, Coconí,
cuando tú seas mujer,
la cara que has de poner
al acordarte de mí.
Tu linda boca dirá:
"Bellos versos me escribió
aquel señor que pasó...
y que quería a papá".

A BOLIVIA

En los días de azul de mi dorada infancia
yo solía pensar en Grecia y en Bolivia;
en Grecia hallaba el néctar que la nostalgia alivia,
y en Bolivia encontraba una arcaica fragancia.
La fragancia sutil que da la coca rancia,
o el alma de la quena que solloza en la tibia,
la suave voz indígena que la fiereza entibia,
o el dios Manchaipüíto, en su sombría estancia.
El tirso griego rige la primitiva danza,
y sobre la sublime pradera de esperanza,
nuestro Pegaso joven mordiendo el freno brinca.
Y bajo de la timba del misterioso cielo,
si sol y luna han sido los divos del abuelo,
con sol y luna triunfan los vástagos del Inca.

"A LA PETITE ISABEAU"

Éste sin prólogo o preámbulo
es un regalo precioso:
un poeta doloroso
te da un pájaro noctámbulo.
Tienes tres años: la rosa
que está en el tallo tiene ésos;
tus labios florecen besos
y no comprendes la prosa.
Te doy el pájaro, niña;
mas si lo matas, ¡traviesa!,
que tu madre, que te besa,
por el pobre, que te riña.
Ámalo; es un poeta errante:
quizá injusto reproche
lo hizo errar entre la noche
y caer agonizante.
Ave de los corazones,
zenzontle del indio triste,
el duelo sus plumas viste,
la pena le da canciones.
En tu peine dejan hebras
hoy tus hermosos hechizos;
hazle un nido con tus rizos
al pájaro que celebras.

Y mañana, cuando a mí
gloria y pena dé la fama,
por la ingratitud de aquí,
por mi pájaro y mi llama
tendré un recuerdo de ti.

ESPAÑA

Dejad que siga y bogue la galera
bajo la tempestad, sobre la ola:
va con rumbo a una Atlántida española,
en donde el porvenir calla y espera.
No se apague el rencor ni el odio muera
ante el pendón que el bárbaro enarbola:
si un día la justicia estuvo sola,
lo sentirá la humanidad entera.
Y bogue entre las olas espumantes,
y bogue la galera que ya ha visto
cómo son las tormentas de inconstantes.
Que la raza esté en pie y el brazo listo,
que va en el barco el capitán Cervantes
y arriba flota el pabellón de Cristo.

CHINAMPA

Al entreabrir los ojos, flotando ve la aurora
la mágica chinampa del lago en el cristal.
Rosas, mosquetas, dalias..., ¿es el bajel de Flora?
Emerge de las ondas olor primaveral.
En la chinampa una india gallarda, encantadora,
suspira. Hay un guerrero magnífico y triunfal
que la idolatra ciego de amor. Ella le adora.
¡Un beso! La luz baña la tierra tropical.
¿Qué alumbra esa apoteosis? La amada y el amado.
Ella, ardorosa y tímida, y él, trémulo a su lado.
Brazos morenos, túnica blanca. Y el vencedor,
con un corazón de oro, su gran manto de pluma,
el casco en la cabeza —las fauces de una puma—,
y encima tiembla un grueso penacho de color.

EL SUEÑO DEL INCA

Después del holocausto, el inca va y reposa.
Sueña. Ve el dios que pasa. Camina junto a él
la luna enamorada, gentil, pálida esposa.
Él es ardiente y rubio, es ella triste y fiel.

El soberano lleva manto de fuego y rosa,
y va detrás un paje tan bello como Ariel:
es el lucero amado de la mañana hermosa
y del azul profundo magnífico joyel.

El Inca se estremece cuando el cortejo mira.
Al padre Sol bendice; su majestad admira,
y ve un fugaz relámpago del cielo en el confín.

Un eco ronco rueda por el inmenso espacio:
el padre Sol retorna soberbio a su palacio;
Illapa va adelante sonando su clarín.

UNIÓN CENTROAMERICANA

Cuando de las descargas los roncos sones
suenan estremeciendo los pabellones;
cuando con los tambores y los clarines
sienten sangre de leones los paladines;
cuando avientan las cimas de los peñascos
como águilas que vuelan sobre los cascos;
entonces, de los altos espíritus en pos,
es cuando baja y truena la voluntad de Dios.

Cuando la hormiga crece como un atlante
y los miembros adquiere de un elefante;
cuando se torna el ramo soberbio cedro,
y el pescador, Pontífice, como en San Pedro;
cuando la luz la sombra vasta subyuga,
y el alba brota, espléndida, la noche oruga;
entonces, de los altos espíritus en pos,
es cuando baja y truena la voluntad de Dios.

Cuando las plumas juntas forman un ala;
cuando la Patria, espléndida, viste de gala;
cuando el pueblo contempla nubes espesas,
rasgadas con relámpagos y *Marsellesas;*
cuando en una bandera cinco naciones
juntan sus esperanzas y pabellones,
entonces, de los altos espíritus en pos,
es cuando baja y truena la voluntad de Dios.

Cuando por los guerreros se agitan palmas,
y hay una Patria grande para las almas;

cuando los luchadores bravos y fieles
adoran la frescura de los laureles;
y cuando las espadas y bayonetas
escuchan las canciones de los poetas;
entonces, de los altos espíritus en pos,
es cuando baja y truena la voluntad de Dios.
Unión, para que cesen las tempestades;
para que venga el tiempo de las verdades;
para que en paz coloquen los vencedores
sus espadas brillantes sobre las flores;
para que todos seamos francos amigos,
y florezcan sus oros los rubios trigos;
entonces, de los altos espíritus en pos,
será como arco iris la voluntad de Dios.
Águilas bienvenidas, gloriosas y bizarras,
hosanna a vuestros picos, hosanna a vuestras garras:
vais siempre de los altos espíritus en pos;
lanzaos al abismo del porvenir sagrado
y avienten vuestras alas las sombras del pasado,
para que baje y truene la voluntad de Dios.

EL REBAÑO DE HUGO

Claudicante, viejo, solo
viene del Polo el invierno:
Eolo sopla en su cuerno
saludando al rey del Polo:
al son del cuerno de Eolo
junta el gran mar su clamor;
sobre el oceánico hervor
da el tritón su canto extraño.
y con su crespo rebaño
pasa el terrible pastor.
En la granítica punta
de un escarpe, el faro brilla
la gaviota blanca chilla
a la nube cejijunta;
la luna, virgen difunta,
lanza un espectral fulgor;
con su gongo aterrador
el trueno golpea el risco,
y camino del aprisco
pasa el terrible pastor.
Arriba, un negro cochero
que lleva un siniestro coche,

223

corre y agita en la noche
el relámpago de acero.
Al sentir el golpe fiero,
la cuadriga del terror,
relinchando de dolor,
sobre el mundo se despeña...
La onda su toisón desgreña...
Pasa el terrible pastor.

ENVÍO

¡Burgrave Hugo! ¡Emperador!
De tu clarín visionario
se oye el inmenso clamor,
cuando en el mar solitario
pasa el terrible pastor.

MENÉNDEZ

Los que vieron la patria bandera
empapada en la sangre de Junio,
los que oyeron vibrar los clarines
en la diana del lívido triunfo;
los que al vivo relámpago trágico
que recorre la historia del mundo,
vieron lleno de horror a Espartaco
y de duelo al espectro de Bruto;
los que miran tu límpido nombre
como enseña de honor y de orgullo,
hoy presentan las armas al paso
del arcángel vestido de luto
que es guardián del laurel de tu gloria
en la tierra en que está tu sepulcro.

LA COPA DE LAS HADAS

¿Fue en las islas de las rosas,
en el país de los sueños,
en donde hay niños risueños.
y enjambres de mariposas?
Quizá.
En sus grutas doradas,
con sus diademas de oro,
allí estaban, como un coro
de reinas, todas las hadas.

224

Las que tienen prisioneros
a los silfos de la luz,
las que andan con un capuz
salpicado de luceros.

Las que mantos de escarlata
lucen con regio donaire,
y las que hienden el aire
con su varita de plata.
    ¿Era día o noche?
                El astro
de la niebla sobre el tul,
florecía en campo azul
como un lirio de alabastro.

Su peplo de oro la incierta
alba ya había tendido.
Era la hora en que en su nido
toda alondra se despierta.

Temblaba el limpio cristal
del rocío de la noche,
y estaba entreabierto el broche
de la flor primaveral.

Y en aquella región que era
de la luz y la fortuna,
cantaban un himno, a una,
ave, aurora y primavera.

Las hadas —aquella tropa
brillante, Delia, que he dicho—
por un extraño capricho
fabricaron una copa.

Rara, bella, sin igual,
y tan pura como bella,
pues aún no ha bebido en ella
ninguna boca mortal.

De una azucena gentil
hicieron el cáliz leve,
que era de polvo de nieve
y palidez de marfil.

Y la base fue formada
con un trémulo suspiro,
de reflejos de zafiro
y de luz cristalizada.

La copa hecha, se pensó
en qué se pondría en ella
(que es el todo, niña bella,
de lo que te cuento yo).

225

Una dijo: "La ilusión";
otra dijo: "La belleza";
otra dijo: "La riqueza";
y otra más: "El corazón".
La Reina Mab, que es discreta,
dijo a la espléndida tropa:
"Que se ponga en esa copa
la felicidad completa".
Y cuando habló Reina tal,
produjo aplausos y asombros.
Llevaba sobre sus hombros
su soberbio manto real.
Dejó caer la divina
Reina de acento sonoro,
algo como gotas de oro
de una flauta cristalina.
Ya la Reina Mab habló;
cesó su olímpico gesto,
y las hadas tanto han puesto
que la copa se llenó.
Amor, delicia, verdad,
dicha, esplendor y riqueza,
fe, poderío, belleza...
¡Toda la felicidad!...
Y esta copa se guardó
pura, sola, inmaculada.
¿Dónde?
      En una isla ignorada.
¿De dónde?
      ¡Se me olvidó!...
¿Fue en las islas de las rosas,
en el país de los sueños,
en donde hay niños risueños
y enjambres de mariposas?
. . . .

Esto nada importa aquí,
pues por decirte escribía
que esta copa, niña mía,
la deseo para ti.

LO QUE SON LOS POETAS

Un sacerdote antiguo.
rodeado de canéforas,
explicaba con cláusulas gallardas
lo que eran los poetas.
"Los dioses aman —dijo—
a los hombres que sueñan
en cosas misteriosas y profundas
y cantan. Rubia y bella
se les ofrece Venus. Les da Apolo
su lira musical de siete cuerdas.
Lo formidable y lo pequeño admiran,
comprenden las secretas
sublimidades. Athos
y un nido de oropéndolas.
iguales son ante su vista. Adoran
la gran naturaleza;
en la selva les cantan las cigarras,
y en el azul les miran las estrellas.
  Dicen que en el Olimpo
les brindan ambrosía y les dan néctar,
y que Júpiter mismo les saluda
inclinando realmente la cabeza.
He aquí, pues, que son dioses
y humanos, y en la tierra
todas las dichas suyas son, y todos
los dolores les huyen. Y las tercas
miradas nunca ven de los infaustos
hados".
    A la asombrada concurrencia
que oía y meditaba
se acercó un viejo. Era
hermoso, y su gran barba refulgente
de plateadas hebras.
hacía recordar la del gran Néstor,
flotando al aire ante las huestes griegas.
  A los hombros caía
la espesa cabellera.
No veía y miraba el infinito
con su pupila ciega.
  "Sacerdote —exclamó—, cuando concluyas,
si quieres que de Troya la gran guerra
te cante, dame el rumbo de tu casa
y bríndame las migas de tu mesa,
pues en todo este día no he comido
y se me pega al paladar la lengua".

LA DANZA MACABRA

VERSOS NEGROS

¿La danza macabra?
¡No hay baile mejor!
La luz de la luna
bastarda de Dios.
        Los sones los tocan
orquestas de horror.
El búho es el chantre,
y el sapo el trombón.
        Se canta el ocaso,
la muerte del sol;
las tristes miserias
que da al soñador,
        la cuna, la dicha,
la amable ilusión,
laureles y mirtos,
incienso, alcohol.
        La danza macabra
la vemos en pos
del alma y del sueño,
como una visión.
        Bendita la bruja
que al sábado envió
la blanca doncella
de tímida voz.
        ¿La zambra nocturna?
¡Soberbio Behemot!
¿La danza macabra?
¡No hay baile mejor!

(Costa Rica, 1892).

LATIGAZO

        Los que escriben con decoro,
con pluma excelsa y no sierva,
¡ésos tienen de Minerva
        el casco de oro!
        ¡Los escritores cazurros
que insultan y causan ascos,
ésos tienen cuatro cascos,
        como los burros!

228

AUM

¡Aum! es el sol luminoso.
es la inmensa pirámide, el coloso,
el corazón, el mar.
Yo sé todas las Biblias, yo me llamo Takoa:
soy el padre del tigre, soy el padre del boa,
soy el todo Soar.

REENCARNACIONES

Yo fui coral primero,
después hermosa piedra,
después fui de los bosques verde y colgante hiedra;
después yo fui manzana,
lirio de la campiña,
labio de niña,
una alondra cantando en la mañana;
y ahora soy un alma
que canta como canta una palma
de luz de Dios al viento.

EN UNA VELADA A
BENEFICIO DE LOS POBRES

¡Dulce niña! , ¡dulce niña!
¡Con el pobre se encariña,
con la viuda y el anciano!
Por llevar alivio al lecho,
se quita el ramo del pecho
y el anillo de la mano.
¡Dulce niña! ¡Canta, canta!
Bendito ese tierno afán,
que nos anima y encanta.
La amable voz se levanta
porque el pobre tenga pan.
Bella, la blanca paloma
da como óbolo un arrullo.
Y da la rosa en capullo
la limosna de su aroma.
Suave flor de caridad
que con perfume divino
embalsamas el camino
de la pobre humanidad;

229

sublime urna de cariño,
celeste arcángel sagrado
que tiendes al desgraciado
tus blancas alas de armiño;
    ¡lirio de blandos consuelos
lleno de supremo hechizo!
¡Estrella del paraíso,
margarita de los cielos!
    La virtud está contigo.
Tu palabra es una rima
que canta un querube encima
de la choza del mendigo.
    ¡Oh! damas de este país,
sensibles y soñadoras,
oh gallardas triunfadoras
como las flores de lis;
    ojos negros, rizos de oro,
bocas rojas, talles breves;
luces, astros, fuegos, nieves,
voz de miel, canto sonoro;
    las que vais del bien en pos
y calmáis extrañas penas
sed siempre dulces y buenas
para que os bendiga Dios.

(San José de Costa Rica, 18 de setiembre de 1891).

FLORES LÍVIDAS

Las sonrisas sin encías
y las miradas sin ojos,
las visiones de los sueños
de los pálidos neuróticos,
invisibles enemigos,
implacables odios póstumos,
hacen que dé la flor lívida
del rosal del manicomio
—que crece y que tiene savia—
con la sangre de los locos.

230

CONSEJO

Un sabio en cosas de amor,
que a más de sabio era viejo,
me dio una vez un consejo
de inestimable valor.
No te lances con ardor
de una mujer a los pies,
si antes en su alma no ves
que puede de corazón
corresponder la pasión
y olvidar el interés.
Y decía el sabio ducho
que en este mundo tan loco
se halla de lo bueno poco,
pero de lo malo, mucho.
Doquiera que voy escucho
las quejas del que confió
en una mujer que amó,
y la cual, por su desdoro,
supo aprovechar el oro
y la pasión olvidó...

BUENOS Y MALOS

(DOLORAS)

¡Alto los viajeros!... ¡Presto
la vida o todo el dinero!
Un trabucazo al primero
que haga una amenaza; un gesto.
Inútil es todo afán...
¡Vamos! El dinero, amigos.
Pero calle, son mendigos.
Son mendigos, voto a San...
Idos con vuestros regalos
pues, señores pordioseros.
Y decían los viajeros:
— ¡Qué buenos que son los malos!
Mataron al pobre Juan...
— ¡Qué desgracia, don Simón!
— ¿Quién lo mató? —El santurrón
y místico de Beltrán.
—Lástima grande; ¡oh dolor!
Que bien Beltrán se portaba:
confesaba y comulgaba
cada domingo, señor.

231

Y de sentimiento llenos,
suspiraban y gemían
y uno al otro se decían:
— ¡Qué malos que son los buenos!
   Lectores: por Dios o a palos,
os convenceréis al menos
que son muy malos los buenos...
que son muy buenos los malos...

UN SONETO PARA BEBÉ

Un verso nuevo y gentil
y metálico y sonoro;
un precioso anillo moro
que puliera el esmeril;
   una rosa del Abril
que dentro el pecho atesoro;
una perla en concha de oro
llena de aroma sutil.
   Pues que tu lengua interpreto,
idioma de luz y miel,
te daría, niño inquieto,
   envuelto en este papel,
un diamante hecho soneto
para que juegues con él.

DEDICATORIA

A Desiderio Fajardo Ortiz,
en un ejemplar de "Azul"

1

Como el príncipe del cuento,
las piernas tienes de mármol;
como poeta y artista,
tus ojos miran los astros.
   Si eres cautivo, eres grande;
si eres poeta, eres mago;
si eres vate, tienes flores,
y si eres dios, tienes rayos.
   Tienes tus *Mil y una noches*
como el bello solitario,
las tormentas de tus himnos
y las nubes de tus cantos.

Ansía todos los cielos,
ama todos los zodíacos
¡y haz dos alas inmortales
con las ruedas de tu carro!

2

Arte y amistad nos ligan.
Mientras yo exista y tú existas,
seamos hermanos y artistas;
arte y amistad obligan.
Arte es religión. Creamos
en el arte, en él pensemos;
a sus altares llevemos
nuestras coronas y ramos.
Hagamos de la expresión
que siempre armonía sea,
y hagamos de cada idea
una cristalización.
La prosa es el material;
adorno, las frases mismas;
y las letras son los prismas
del espléndido cristal.
Y dejemos sus enfáticas
reglas y leyes teóricas
a las que escriben retóricas
y se absorben las gramáticas.
Pensar firme, hablar sonoro;
ser artista, lo primero;
que el pensamiento de acero
tenga ropaje de oro.

EN UN COLEGIO DE NIÑAS

Rico vergel es mi suelo;
y copio en dulces halagos,
en el azul de mis lagos,
el esplendor de mi cielo.
La Unión de todas anhelo
y humilde con altivez,
pequeña y grande a la vez
contra toda adversidad
me escuda mi libertad
y la sombra de Jerez.

REGALO DE BODAS

A Alejandro Jiménez

Corona de olor balsámico
tu novia lleva al altar,
corona de epitalámico
    azahar.
Bendigo a la buena estrella
que te convierte en casado,
¡Y qué bien que has cazado!
¡Y qué bien te cazó ella!
Al darte su linda mano
te estrecha un nudo hechicero,
que es, amigo, un verdadero
    nudo gordiano.
Yo, que soy del gremio, te hablo
    con verdad plena.
¡Suele ser cosa muy buena
la Epístola de San Pablo!
Tus bodas ejemplo son
que han de tornar en marido
a más de un empedernido
    solterón.
Dios bendiga el santo lazo
que hoy te da delicias nuevas.
¡Qué joya la que te llevas,
    picaronazo!
Al amigo abrazo ahora
que feliz merece ser;
y saludo a la señora
que era señorita ayer.

A UN POETA

¡Poeta! Nunca improvises.
Improvisando, los vates
cometen muchos deslices.
¡Por un buen verso que dices
hablas diez mil disparates!

234

PÁJAROS DE LAS ISLAS

Pájaros de las islas, en vuestra concurrencia
hay una voluntad,
hay un arte secreto y una divina ciencia,
gracia de eternidad.
Vuestras evoluciones, academia expresiva,
signos sobre el azur,
riegan a Oriente ensueño, a Occidente ansia viva,
paz a Norte y a Sur.
La gloria de las rosas y el candor de los lirios
a vuestros ojos son,
y a vuestras alas líricas son las brisas de Ulises,
los vientos de Jasón.
Almas dulces y herméticas que al eterno problema
sois en cifra veloz
lo mismo que la roca, el huracán, la gema,
el iris y la voz.
Pájaros de las islas, ¡oh pájaros marinos!
Vuestros revuelos, con
ser dicha de mis ojos, son problemas divinos
de mi meditación.
Y con las alas puras de mi deseo abiertas
hacia la inmensidad,
imito vuestros giros en busca de las puertas
de la única Verdad.

A UNA COLOMBIANA

Sabe: más de una amorosa
rosa,
ante tu frente risueña
sueña.
Dando su amable doctrina
trina
el ruiseñor ante ti,
y
el que se acerca a tu llama
ama.

235

LA VIDA Y LA MUERTE

¿Quién nos brinda la urna henchida?
¿quién nos da la estrella encendida?
¿quién le da susangre al Panida?
La Vida.
¿Quién la copa fragante vierte?
¿Quién detiene el paso a la suerte?
¿Quién a la Esperanza pervierte?
La Muerte.

AL PASAR

Ayer el pavimento sonoro de Florida
sintió trotar el tronco de potros de Inglaterra,
que arrastran la victoria donde al amor convida
la faz de la morocha más linda de esta tierra.
El coche se perdía camino de Palermo,
cuando pasó a mi vista, sentada en su cupé,
una divina rubia que, como un niño enfermo,
tenía triste y pálida su faz de rosa té.
De esta visión porteña quedó en mi mente escrita
la página vibrante que es hoy una canción
a tus azules ojos, ¡celeste *Margarita*!
a tus miradas negras, ¡hermana de *Mignon*!

TRISTE, MUY TRISTEMENTE...

Un día estaba yo triste, muy tristemente
viendo cómo caía el agua de una fuente.
Era la noche dulce y argentina. Lloraba
la noche. Suspiraba la noche. Sollozaba
la noche. Y el crepúsculo de su suave amatista,
diluía la lágrima de un misterioso artista.
Y ese artista era yo, misterioso y gimiente,
que mezclaba mi alma al chorro de la fuente.

ENVÍO DE ATALANTA

A Regina Alcaide de Zafra

Corre, Atalanta, corre, y tus rosas al viento
dejen de su perfume la embriagadora estela;
corre, Atalanta, corre, vuela, Atalanta, vuela
veloz como el relámpago o como el pensamiento.
Deja atrás las montañas pintorescas,
en donde Diana
y sus ninfas hermosas,
al triunfo de la lírica mañana,
se coronan de rosas
frescas.
Y cuando hayas dejado el terrestre elemento,
vuela sobre la mar como las golondrinas,
y bajo las estrellas que en su azul firmamento
se coronan de rosas diamantinas.
Y en lo azul infinito, detén tu raudo empeño
cuando llegues a la isla en donde mora
la princesa que un día vio un Simbad del Ensueño
que se guió por la huella del carro de la Aurora.
¡Atalanta, alma mía!
¡Alma mía, Atalanta!
Es allí donde eternamente canta
su noche un ruiseñor, una alondra su día.
Hay un jardín, y en el jardín hay una
fuente donde se abrevan
pavorreales del Sol y cisnes de la Luna.
Limoneros fragantes sus azahares nievan
y regula las horas una invisible lira.
Y en un palacio de oro maravilloso mira
a la bella señora
que nostálgica mora;
y dile de mi parte si ha llegado la hora
que mi espíritu anhela...
Y si dice que sí, ven al momento.
Corre, Atalanta, corre, vuela, alma mía, vuela
veloz como el relámpago y como el pensamiento...

MARÍA

Sol y solera sabía
que tenía
esta María,
foco de mil ilusiones;
pero
lo que a otro poeta espero
es el fiero
querer de los corazones.
Todo está lleno del día,
María.
La voz de un clarín va
allá.
para decirte de amor,
y de dolor,
y para seguir tu suerte
¡hasta la muerte!
¡María!
Aun encuentro todavía
una expresión
que te da mi corazón:
que saca de su pensar
pesar,
que saca del sentimiento
viento.
No, ya no siento ni llamo;
mas acepta lo que ofrezco
fresco,
atado en mi fresco ramo:
¡amo!

A LA REPÚBLICA DOMINICANA

1

Olor a nardos y olor a rosa,
lo que adivino, lo que distingo;
el sol, los pájaros, la mariposa.
Santo Domingo, Santo Domingo.
Yo te adivino, yo te distingo
lo que algún día me puedas ser;
Santo Domingo, Santo Domingo,
¡que ya algún día te pueda ver!
Dios permitiera que yo algún día
llegara a costas que bellas son,

por sus historias, su melodía,
sus entusiasmos y su Colón.
¡República Dominicana,
Tú que debieras estar
como una Virgen en su altar,
en toda patria americana!
Tú, que eres la sublime hermana
que nos dio nuestro despertar,
mereces la voz soberana
¡Toda la tierra y todo el mar!

2

¡Brillantes, oro y rubíes,
República Dominicana!
Sé cómo orgullosa y ufana
te muestras por bella y sonríes.
Tienes para tus hombres fieros,
para tus mujeres huríes,
las palmas de los cocoteros,
las alas de los colibríes.
Santo Domingo, vio una vela
allí, en la Academia, Platón,
y eso anunció la carabela
que llevó a tu tierra Colón.

LA GRAN COSMÓPOLIS

(Meditaciones de la madrugada)

Casas de cincuenta pisos,
servidumbre de color,
millones de circuncisos,
máquinas, diarios, avisos
y ¡dolor, dolor, dolor...!
¡Éstos son los hombres fuentes
que vierten áureas corrientes
y multiplican simientes
por su ciclópeo fragor,
y tras la Quinta Avenida
la Miseria está vestida...
con ¡dolor, dolor, dolor...!
¡Sé que hay placer y que hay gloria
allí, en el Waldorff Astoria,
en donde dan su victoria
la riqueza y el amor;

239

pero en la orilla del río,
sé quiénes mueren de frío,
y lo que es triste, Dios mío,
de dolor, dolor, dolor...!
    Pues aunque dan millonarios
sus talentos y denarios,
son muchos más los Calvarios
donde hay que llevar la flor
de la Caridad divina
que hacia el pobre a Dios inclina
y da amor, amor y amor.
    Irá la suprema villa
como ingente maravilla
donde todo suena y brilla
en un ambiente opresor,
con sus conquistas de acero,
con sus luchas de dinero,
sin saber que allí está entero
todo el germen del dolor.
    Todos esos millonarios
viven en mármoles parios
con residuos de Calvarios,
y es roja, roja su flor.
No es la rosa que el Sol lleva
ni la azucena que nieva,
sino el clavel que se abreva
en la sangre del dolor.
    Allí pasa el chino, el ruso,
el kalmuko y el boruso;
y toda obra y todo uso
a la tierra nueva es fiel,
pues se ajusta y se acomoda
toda fe y manera toda,
a lo que ase, lima y poda
el sin par Tío Samuel.
    Alto es él, mirada fiera,
su chaleco es su bandera,
como lo es sombrero y frac;
si no es hombre de conquistas,
todo el mundo tiene vistas
las estrellas y las listas
que bien sábese están listas
en reposo o en vivac.
    Aquí el amontonamiento
mató amor y sentimiento;

mas en todo existe Dios,
y yo he visto mil cariños
acercarse hacia los niños
del trineo y los armiños
del anciano Santa Claus.
      Porque el yanqui ama sus hierros,
sus caballos y sus perros,
y su yacht, y su foot-ball;
pero adora la alegría,
con la fuerza, la armonía:
un muchacho que se ría
y una niña como un sol.

A UNA MUJER

      Jamás he visto quien se entrega
maravillosamente y sobrehumana,
siendo la maravilla griega
y siendo la virgen cristiana.
      Lleno de penas y de engaños,
y de amarguras y dolores,
quisiera mandarte unas flores
que contuvieran mis veinte años.
      Veinte años magníficos, puros,
quizás vagos, quizás perversos,
pero que irían con mis versos
llenos de mis ojos obscuros.
      La vida pasa, pisa y vuela,
haciendo la vida en concreto,
dando los ojos de la abuela
para la sonrisa del nieto.
      Sonora, pura, bella, inmensa,
permite al que siente y piensa
magnificarte y ofrendarte,
en nombre del verso y del Arte,
      Puesto que eres una mujer
que hay que admirar y que querer,
que hay que buscar y que escoger,
que hay que sentir y que estimar,
que hay que vivir y que adorar,
que hay que dormir y que besar,
que hay que sufrir y contemplar.

A LUCÍA

Norte puro y belleza nórdicamente pura,
sabiendo la beldad de tu egregia escultura
y de la maravilla que en tus ojos se fragua,
déjame saludarte, hija de Nicaragua.
Yo querría que fuera en francés mi saludo;
pero ya ante tus vates me reconcentro mudo.
Yo sé hablar en la lengua de mi voz familiar,
la que es pan, agua, sal y llama del hogar.
¿Sabes tú el corazón que te busca y prefiere?
En nuestra tierra, el beso, cuando se inicia, hiere.
No sería pedirte una cosa quimérica
juntar tu amor de Francia a nuestro amor de América.
Tenemos frases, besos, misteriosos halagos,
que dicen nuestras dudas y palabras y afanes;
mas que tienen el alma de nuestros dulces lagos
y el verso hecho de llamas que dan nuestros volcanes.
Sé, gentil digna niña de Francia,
para el hombre que viene de más allá del mar...
cualquiera rosa lleva su fragancia
en donde tenga que aromar y amar.

EPITALAMIO

A una nicaragüense.

Brilla en tu alma una estrella nórdicamente pura,
y en la blanca beldad de su egregia escultura,
una maravillosa virtud de amor se fragua
que ha encendido una chispa del sol de Nicaragua.
Que bendecida sea la parisiense hermosa
que hechizara allí lejos, como una rubia hada
al picaflor de fuego y a la garza de rosa,
con el místico azul de su tierna mirada.
Entre vivas fragancias tendrás a Pan sumiso;
por ti será más bello el lago de cristal,
la aurora de mi tierra, ave del Paraíso,
y el poniente del trópico, un gran pavo real.

BELLA CUBANA

Cuando contemplas, cuando sonríes,
tú no haces nunca que obras preciosas;
cuando sonríes, los colibríes
cuando contemplas, las mariposas.
  ¿Por qué fecundas y por qué brillas,
siendo la pálida, la misteriosa,
y siendo el lirio, siendo la rosa,
y siendo reina de las Antillas?

PARA MARIANO DE CAVIA

Maestro: te mando mi alma,
te mando mi rosa, te mando mi amor.
Con un cóndor vivo te mando mi palma,
con una paloma te mando mi flor.
  Por tu nacimiento me floreció un verso
lleno de dulzura, y era tan profundo,
que ya contenía todo el universo
con que dominaras la lira del mundo.
  Comprende que nunca cambiara mi alma
por lo que en ti hubiera de ritmo y razón;
laurel que me cubra, no vale tu palma,
y es poco tu afecto por mi corazón.

DESPEDIDA

*Para María Guerrero, que los declamó
en el Teatro Odeón de Buenos
Aires, la noche del 5 de julio de 1897.*

Al partir, justo es que os diga
cómo a mí no ha sido extraña
tierra en que renace España,
por hidalga y por amiga.
  Desde la región distante
de nuestra patria española,
atrájonos la aureola
de esta comarca brillante
  Llegamos así a ofreceros
tesoros del arte hispano:
el antiguo, el soberano,
y el que hoy busca otros senderos;

243

el que con manos geniales
esculpió a la grande España,
y el que en las ondas se baña
de los nuevos ideales.

Mas recibisteis el don
con tan cordial simpatía,
aplausos dando a porfía
a intérpretes y creación,

que, ufanos de tanto bien
la causa luego entendimos:
¡Lo que a traeros vinimos,
pues era vuestro también!

De la escena castellana
vuestras, sí, las glorias son:
su vibrante inspiración,
su fase ingenua o galana.

Vuestro el ingenio, reacio
a todo estéril sosiego,
de *Entre bobos anda el juego*
y *El vergonzoso en Palacio;*

la gracia de *Marta*, en quien
sabrosa es la hipocresía;
la fina psicología
de *El desdén con el desdén;*

la alteza, en fin, con que brilla,
ceñido el manto imperial,
la hermosura sin igual
de *La Estrella de Sevilla.*

Frescos, fragantes y finos,
nutridos de savia ardiente,
hoy acarician mi frente
los laureles argentinos.

Vuestros corazones son
armoniosos y vibrantes
por la sangre de Cervantes,
de Moreto y Calderón.

Y fuera en vosotros mengua
que desdeñarais un día
con vuestra propia hidalguía,
vuestra raza y vuestra lengua.

Mas no; lleno de frescor
libre, bajo el cielo brilla
el árbol cuya semilla
plantara el Conquistador.

Vine, vi; si vencí yo,
la victoria conseguís:
¡estaré en otro país,
pero en otra patria, no!
Aquí la musa divina
de Calderón halló rosas,
y tuvo palmas fastuosas
la de Tirso de Molina.
La *Niña Boba* en Castilla
más afamada no fue,
ni la desventura de
doña *Estrella de Sevilla*.
Vuestro afecto se aquilata,
y vuestro mental tesoro
se ufana en bajel de oro
sobre el Río de la Plata.
Sabéis honrar las brillantes
máscaras, que mi alma adora,
y a Talía vencedora,
coronada de diamantes.
Que sois gentiles, es fama;
mas vuestro afecto conquista
a la dama y a la artista
como artista y como dama.
La noble sangre latina
y la lengua castellana
juntan con el alma hispana
la joven alma argentina.
Y, dichosa mensajera,
yo voy a decir a España
que en vuestra cordial campaña
flota una misma bandera.
Mantengamos ese fuego
que caliente ambas naciones...
¡Y hasta luego, corazones
argentinos, hasta luego!

A FRANCISCA

1

Francisca, tú has venido
en la hora segura
la mañana es obscura
y está caliente el nido.
Tú tienes el sentido
de la palabra pura,
y tu alma te asegura
el amante marido.
Un marido y amante
que, terrible y constante,
será contigo dos.
Y que fuera contigo,
como amante y amigo,
al infierno o a Dios.

2

Francisca, es la alborada,
y la aurora es azul;
el amor es inmenso
y eres pequeña tú.
Mas en tu pobre urna
cabe la eterna luz,
que es de tu alma y la mía
un diamante común.

3

¡Franca, cristalina,
alma sororal,
entre la neblina
de mi dolor y de mi mal!
Alma pura,
alma franca,
alma oscura
y tan blanca....
Sé conmigo
un amigo,
sé lo que debes ser,
lo que Dios te propuso,
a ternura y el huso,
con el grano de trigo
y la copa de vino,
y el arrullo sincero
y el trino,

a la hora y a tiempo.
¡A la hora del alba y de la tarde,
del despertar y del soñar y el beso!
    Alma sororal y obscura,
con tus cantos de España,
que te juntas a mi vida
            rara,
y a mi soñar difuso,
y a mi soberbia lira,
con tu rueca y tu huso,
ante mi bella mentira,
ante Verlaine y Hugo,
        ¡tú que vienes
de campos remotos y ocultos!

4

    La fuente dice: "Yo te he visto soñar."
El árbol dice: "Yo te he visto pensar."
Y aquel ruiseñor de los mil años
repite lo del cuervo: "¡Jamás!"

5

    Francisca, sé süave,
es tu dulce deber;
sé para mí un ave
que fuera una mujer.
Francisca, sé una flor
y mi vida perfuma,
hecha toda de amor
y de dolor y espuma.
    Francisca, sé un ungüento
como mi pensamiento;
Francisca, sé una flor
cual mi sutil amor;
Francisca, sé mujer,
como se debe ser...
    Saber amar y sentir
y admirar como rezar...
Y la ciencia del vivir
y la virtud de esperar.

6

Ajena al dolo y al sentir artero,
llena de la ilusión que da la fe,
lazarillo de Dios en mi sendero,
Francisca Sánchez, acompañamé...
En mi pensar de duelo y de martirio,
casi inconsciente me pusiste miel,
multiplicaste pétalos de lirio
y refrescaste la hoja de laurel.
Ser cuidadosa del dolor supiste
y elevarte al amor sin comprender;
enciendes luz en las horas del triste,
pones pasión donde no puede haber.
Seguramente Dios te ha conducido
para regar el árbol de mi fe.
Hacia la fuente de noche y de olvido,
Francisca Sánchez, acompañamé...

A UN POETA

Te recomiendo a ti, mi poeta y amigo,
que comprendas mañana mi profundo cariño,
y que escuches mi voz en la voz de mi niño,
y que aceptes la hostia en la virtud del trigo.
Sabe que cuando muera yo te escucho y te sigo;
que si haces bien, te aplaudo; que si haces mal, te riño;
si soy lira, te canto; si cíngulo, te ciño;
si en tu cerebro, seso, y si en tu vientre, ombligo.
Y comprende que en el don de la pura vida,
que no se puede dar manca ni dividida,
para los que creemos que hay algo supremo,
yo me pongo a esperar a la esperanza ida,
y conduzco entretanto la barca de mi vida;
Caronte es el piloto, mas yo dirijo el remo.

"BABYHOOD"

A Julia Beatriz Berisso

Concreción de un jardín de amores,
con tu faz de querubín serio,
cual si supieras el misterio
de la humana flor de las flores;
    pronto estarás en la estación
en que tu intuición adivine
a Dios, cuando el pájaro trine
o palpite tu corazón.

Adivinando a Dios, o al dios
que en tu mente y en tus sentidos,
por el dulce enigma de dos,
te dé el secreto de los nidos.

Seas emperatriz futura
y un corazón sea tu imperio,
por la beldad de tu ternura
y el cetro de tu cautiverio.

Y versos dulces sean dichos
en donde trisquen halagüeños
los cervatillos de tus sueños
con las corzas de tus caprichos.

Y huelle tu talón de rosa
la arena de oro perfumado
por los ungüentos de la Esposa
en los jardines del Amado.

CAMINOS

¿Qué vereda se indica,
cuál es la vía santa,
cuando Jesús predica
cuando Nietzsche canta?
    ¿La vía de querer,
la vía de obrar?
¿La vía de poder,
la vía de amar?
    Embriagarse en el opio
que las tristezas calma.
Ser el mártir de su alma
o ser el héroe propio.
    Martirizar la vida
con perjuicio del juicio,
y hacerla decidida
para ir al sacrificio.

249

Tener la voluntad
hecha de acero y oro;
tener la honestidad
como íntimo tesoro.
O bien ser el tirano
que surge de repente,
con la idea en la mente
la espada en la mano.
En la tierra o el mar,
ser el conquistador
que lleva su esplendor
a matar y a aplastar.
Pues nuestro hombre de barro
es en todo país
o Francisco Pizarro
o Francisco de Asís.
Juntas almas fervientes,
han tenido igual vuelo:
conquistar continentes
o conquistar el cielo.
Santidad y heroísmo
tienen el propio vuelo
con el genio que vuela entre los dos:
los Santos y los Héroes
tienen el propio cielo,
y todos ellos buscan la dirección de Dios.

EL PADRE NUESTRO DE PAN

Padre nuestro, padre ambiguo
de los milagros eternos
que admiramos los modernos
por tu gran prestigio antiguo.
Si junto a la fuente pasa
la ninfa, hay en su blancura
lo que aroma, lo que dura,
lo que inspira y lo que abrasa.
Pues al ver la vida flor
la estatua que se mueve,
hecha de rosa y de nieve,
nos toma el alma el amor.
Pan nuestro que estás en la tierra,
porque el universo se asombre,
glorificado sea tu nombre
por todo lo que en él se encierra.

Vuélvanos tu reino de fiesta
en que tú aparezcas y cantes
con los tropeles de bacantes
mancillando la floresta.
Hunde siempre violento y vivo
y por tus ímpetus agrestes,
en el cielo cuernos celestes
y en la tierra patas de chivo.
Danos ritmo, medida y pauta
al amor de tu melodía,
y que haya al amor de tu flauta
amor nuestro de cada día.
Deudas que el alma amando trunca
están en tu disposición,
y no le concedas perdón
a aquel que no haya amado nunca.

MATER PULCHRA

Al general J. Santos Zelaya en la muerte de su madre.

Es Grecia, es Roma, Clámides
y togas. Es el tiempo maravilloso. Es
el Partenón, el templo de Apolo, las Pirámides,
las glorias hechas ruinas que volverán después.
Es el águila enorme que levanta su vuelo
bañada en la luz sacra de vasta poesía.
Y con todo, la herida de su materno duelo
hace exclamar a César, inundado de cielo:
"¡Oh madre! ¡Oh madre! ¡Oh madre! ¡Oh dulce madre mía!"

VARGAS VILA EN SU LIBRERÍA

En su maravillosa vida trabaja quieto.
El reloj da su hora en su tranquilidad.
Pasa un soplo de biblioteca. Ya es Bagdad
o Inspruck, o bien algo que habla de Paracleto.
No sé si a veces su verbo ágil al conceto
en su enérgica forma pasa la Humanidad
en un exceso de pasión o de verdad.
Yo sé que le conozco, le mido y le interpreto.
Desconfía de los que se apropincuan al daño
de ese querer usual que cariños nos finge,
pues siendo bachiller le doctoró el engaño.
Así su amor no corta ni su afecto restringe
sino cuando tritura muy cuerdamente, al paño
la ración de miserias con que ayuda a la Esfinge.

(Madrid, 1909).

251

EVA

Si eres tan bella y pura y misteriosa, pasa;
no seas ni el rubí, ni la rosa o la brasa,
porque en tus tentaciones maravillosas, puedes
contarme en tus miradas o meterme en tus redes.
Yo no sé qué hay en ti de la noche estrellada,
y si sé qué hay en ti de la mujer amada.

CANTARES DE "EL CARDÓN" *

Mi nombre miré en la arena
y no lo quise borrar,
para dejarles mis penas
a las espumas del mar.
No me repitas que existe
el remedio de la mar;
la princesa estaba triste,
no se puede consolar.
Está ardiendo mi incensario
en una copa de Ofir.
"Navegar es necesario",
y es necesario partir.
¿De dónde vienes, mi vida?
Vida mía, ¿a dónde vas?
Ven a curarme esta herida,
que no se cierra jamás.
¿Para qué tanto pensar,
si en esta cosa tan pura
saboreamos la amargura;
la amargura de la mar?
Filomela está dormida,
¿qué te dijo su canción?
Canta sólo en esta vida
una vez el corazón.
Vida mía, vida mía,
¡qué divina está la mar!
¿Cómo no supe aquel día
que me habías de olvidar?
Me dijo la onda del río:
—Es meterse a santo o fraile
llamarse Rubén Darío
o llamarse Luis Debayle.

*Publicado también con el título de "Cantares Andaluces".

Muy linda contestación
una mañana de mayo:
— ¿Cómo te llamas, canción?
— ¿Yo? Margarita Lacayo.
Me dan los vientos su aliento
y sopla mi voluntad.
Séle tú propicio, ¡oh viento!,
a la barca de Simbad.

(Isla de El Cardón, Nicaragua, 1908).

SUEÑOS

A Miguel Moya

El pinar está a mi lado.
¡Oh dulzura del pinar!
El pinar está a mi lado.
¡Cuántas cosas me ha contado
que no puedo revelar!

¡Oh pinar suave y sombrío
que produces dulce son!
Son de espuma, son de río;
son amable al sueño mío;
son de sueño y corazón.

He soñado historia y brillo,
armas, glorias y poder;
fui señor de horca y cuchillo
al amparo del castillo,
del castillo de Bellver.

Y las hojas de los pinos
daban sombra a mi soñar;
pinos llenos de los trinos
de los pájaros divinos
que encantaban el pinar.

Luz antigua. Velas rojas.
Velas blancas. Bruma. Sol.
¿Qué murmuran estas hojas
del pinar en español?

Van marcados los destinos,
siempre siglo, norma o fin.
Tú recibe de los pinos
Do de pur pi, en mallorquín.

253

NEMROD ESTÁ CONTENTO

Y el Sacro Santo Espíritu
paloma se tornó
Nemrod está contento...
¡Qué diablo de Nemrod!
    El tigre ruge: "¡Vivo!"
"¡Siento!", ¡brama el león,
y la paloma arrulla:
"¡Arrullo, siento y soy!"
    La flecha en el bosque;
se hace el bosque feroz,
Nemrod está contento...
¡Qué diablo de Nemrod!
    Apolo es el arquero;
Hércules, vencedor;
Ichora, sacrifica;
Vitrifuli y Moloch.
    Redimidos carnívoros
con civilización,
imitamos alegres
el ejemplo del sol.
Nemrod está contento...
¡Qué diablo de Nemrod!
    El buey y el asno saben
un secreto los dos:
¡El Cristo de las bestias
ha sido el Mal Ladrón!
    La sangre de las bestias
es roja bajo el sol;
la esencia de sus vidas
cual las del hombre son;
el ojo del buey tiene
inaudito esplendor.
Nemrod está contento...
¡Qué diablo de Nemrod!
    La lengua de las aves
sabía Salomón;
Mahoma de su yegua
hizo consagración.
Nemrod está contento...
¡Qué diablo de Nemrod!

PEREGRINACIONES

1

En un momento crepuscular
pensé cantar una canción
en que toda la esencia mía
se exprimiría por mi voz
predicaciones de San Pablo
o lamentaciones de Job,
de versículos evangélicos
o preceptos de Salomón.
¡Oh Dios!
    ¿Hacia qué vaga Compostela
iba yo en peregrinación?
Con Valle Inclán o con San Roque
¿a dónde íbamos, Señor?
El perrillo que nos seguía,
¿no sería, acaso, un león?
Íbamos siguiendo una vasta
muchedumbre de todos los
puntos del mundo, que llegaba
a la gran peregrinación.
Era una noche negra, negra,
porque se había muerto el Sol:
nos entendíamos con gestos,
porque había muerto la voz.
Reinaba en todo una espantosa
y profunda desolación.
¡Oh Dios!
    ¿Y a dónde íbamos aquellos
de aquella larga procesión;
donde no se hablaba ni oía,
ni se sentía la impresión
de estar en la vida carnal
y sí en el reinado del ¡ay!
y en la perpetuidad del ¡oh!...?
¡Oh Dios!

2

Las torres de la catedral
aparecieron. Las divinas
horas, de la mañana pura,
las sedas de la madrugada
saludaron nuestra llegada
con campanas y golondrinas.
¡Oh Dios!

255

Y jamás habíamos visto
envuelto en más oro y albor
emperador de aire y de mar,
como aquel Señor Jesucristo
sobre la custodia del Sol.
¡Oh Dios!
Para tu querer y tu amar,
visión fue de los peregrinos;
mas brotaron todas las flores
en roca dura y campo magro;
y por los prodigios divinos,
tuvimos pájaros cantores
cantando el verso del milagro.
Por la calle de los difuntos
vi a Nietzsche y Heine en sangre tintos;
parecía que estaban juntos
e iban por caminos distintos.
La ruta tenía su fin,
y dividimos un pan duro
en el rincón de un quicio oscuro
con el marqués de Bradomín.

SONETO *

¡Oh Dios! Jamás yo pienso
en este vivir asesino,
hecho con la mujer y el vino
y con este Dios tan inmenso?
Este camino tan extenso,
que ni siquiera lo adivino
esta viña aquí, y este pino
en la montaña en que yo pienso:
y esta montaña de cristal,
y esa reina del corazón,
y esa princesa del coral,
y esa novia de la ilusión,
si son del bien o son del mal...
Y, después de todo..., ¡si son!...

---

* La primera línea reconstruida por Méndez Plancarte sería: "¡Oh, Dios! ¿Cómo no andar suspenso?...", para terminar el primer cuarteto con un signo de interrogación. Éste "jamás yo pienso" carece de sentido en el contexto.

AL RECIBIR UNA CARTA
DE BUENOS AIRES *

Has apurado Rubén,
la célica medicina;
esperanza, amor y bien
son una poción divina,
peregrina.
   Superior a toda ciencia
que te puedan dar los sabios:
ella ha vertido en tus labios
el elixir de Juvencia...
   Lo que fue ya esté borrado,
y el porvenir que oscuro era
es presente iluminado
por el alba de primavera
verdadera.
   Brille tu genio fecundo,
órnete sus ricas galas;
Alondra, tiende tus alas
sobre la aurora del mundo.

              L. H. D.

  Nunca ha existido Doctor
crisostómico-parlante
que aplicara semejante
medicina del amor.
Y por
virtud tan linda y leal
de tal ciencia peregrina,
diamantina
la alondra alzará su vuelo,
pues le señalas abiertas
tú las puertas
de la esperanza y del cielo.
  ¡Ay, hermano,
soberano
que te vas por todas partes
de las ciencias y las artes,
el corazón en la mano.!
  Que en los dos
se cristalice un poema
hecho de aurora suprema
y de voluntad de Dios!

---

* Publicado también con el título de "Respuesta al Doctor Debayle".

AMOR

El amor está en las rosas,
las rosas son el amor,
Cupido anda entre las cosas
y hace de ellas una flor.
  A veces despierta un nido,
y a veces se va a vagar,
y anda en el viento, en el ruido,
en el bosque y en el mar.
  Hace despertar los truenos
y hace rugir los leones,
y forma jardines buenos
dentro de los corazones.
  Es la voz, la voz errante
que no encuentra su vocablo
y expresa al ángel flotante,
o expresa al prófugo diablo.
  Se extenúa, se propaga,
se multiplica, se vierte,
y es profunda, triste, vaga,
toda vida o toda muerte.
  Anda errante un silfo extraño
que llena mi alma invasora
con las perlas de la hora
y los diamantes del año.
  Yo al silfo le he visto. Y es
todo perlas y brillantes.
Las perlas se llaman: antes;
y los brillantes: después.

DAMA

A una chilena.

  ¡Cómo son cosas de cariño
y de visión y de ilusión
recordar el parque Cousiño
como una divina visión;
  recordar las frondas espesas,
la opulencia de los carruajes,
y aquellas damas con sus trajes,
que eran a mí todas marquesas.
  ¡Y no haberte visto, señora,
encarnación de poesía!
¡Saludarte en nombre del día
y besarte en nombre de aurora!

¡Brindarte por el sol y el agua
y por el granizo y el trueno,
una chispa de sol chileno
en un verso de Nicaragua!
Tú eres la luz y eres el templo
cuando con tu manto chileno
sabes hacer al hijo bueno
y brindas belleza y ejemplo.
Perla pura entre perlas buenas,
dulce belleza hecha de bien,
tu beldad nos viene de Atenas,
tu bondad de Jerusalén.
En ti veo paloma y honda,
todo misterio y poesía,
la sonrisa de la Yoconda
hecha por la Virgen María.
Si hay alguien que te llama bella
buscando el adularte, dile:
"¡Yo soy la más hermosa estrella
sobre la bandera de Chile!"

LA CARIDAD

¡Dad al pobre, dad al pobre
paz, consuelo, alivio, pan!
¡Que recobre
la esperanza y la alegría
con la ayuda que le dan!
A las manos bondadosas
desde el cielo Dios envía
el perfume de las rosas
de la eterna Alejandría.
Dad limosna al que se agita
por crüel miseria opreso;
¡a la triste cieguecita,
dadle un beso!
Damas bellas y adorables
que vivís entre esplendores:
a las niñas miserables
dadles pan y dadles flores.
Bondadosas y discretas
dad un beso al pobre niño.
¡Dios bendiga,
Dios bendiga las violetas
que se arrancan del corpiño
para darse a la mendiga!

259

Si a los tristes dais consuelo,
sensitivos corazones,
¡tendréis alas en el cielo
y en la tierra bendiciones!

A RUBENCITO *

1

Puesto que crees en Dios, hijo mío, retiene
lo que hay en la profunda voluntad de infinito,
que el dolor o el amor nos explica en el grito,
que en el suspiro espera o que en el llanto viene.

No aguardes que el inmenso clarín de oro truene;
a las nupcias del ciego con mis versos te invito,
no oigas a la faunesa que te lanza su grito
ni al fauno extraordinario que su siringa suene.

Pero marcha, hijo mío, con tu flauta y tu lira
adonde Dios te llame y tu flauta te lleve,
lo que el Amor te dé y la Vida te inspira.

Haz tus versos de noche, haz tus versos de nieve:
tú tienes el poder de la lengua y la lira
con el dáctilo dúctil y con la danza leve...

2

Vive, vibra, fuerte y suave,
todo conciencia y corazón;
te aconsejo ser león,
pero con tus alas de ave.

De tal modo, que sin reproche
y lleno de tu poesía,
tengas tu estrella blanca al día
y constelaciones de noche.

Y que por mente y corazón
encuentres al amanecer
la estrella de Lucifer,
otra estrella del corazón.

Y que pues la suerte convida
a vivir, tengas por vivir
la voluntad de existir
con la belleza de la vida.

Y pues que tienes una estrella
que te ha encontrado la virtud
de perpetuar tu juventud,
toda grande y toda bella,

* Con algunas variantes, este soneto aparece dedicado, inexplicablemente, a Ricardo Pérez Alfonseca. (Véase la página 301 de esta edición).

y sabes quererte y conservarte,
ten fragancia y ten conciencia,
y oye el secreto de la ciencia
que tiene la virtud del Arte...

3

Puesto que tú me dices que eres mi hijo, ¡hijo mío!,
y tienes fe en mis lirios y confianza en mis rosas,
voy a confiarte ideas, voy a decirte cosas,
y amarás grandemente a tu Rubén Darío.
Tú comprendes mis versos e interpretas mis prosas,
y las aguas que corren en mi profundo río,
y, así, cuando te hable de las Musas hermosas,
séme profundamente y eternamente mío.
Algo de la ilusión, algo del pensamiento,
algo del corazón, algo del sentimiento,
de las cosas que son, de las cosas que siento,
lo que he visto en la tierra, lo que oí en el mar,
lo que puedo ofrecer, lo que brinde mi aliento
y lo que en mi palabra te pueda yo ofrendar.

LOS OLIVOS

A Juan Sureda

Los olivos que tu Pilar pintó, son ciertos.
Son paganos, cristianos y modernos olivos,
que guardan los secretos deseos de los muertos
con gestos, voluntades y ademanes de vivos.
Se han juntado a la tierra, porque es carne de tierra
su carne; y tienen brazos y tienen vientre y boca
que lucha por decir el enigma que encierra
su ademán vegetal o su querer de roca.
En los Getsemaníes que en la Isla de Oro
fingen, en torturada pasividad eterna,
se ve una muchedumbre que haya escuchado un coro
o que acaba de hallar l'agua de una cisterna.
Ni Gustavo Doré miró estas maravillas,
ni se puede pintar como Aurora Dupin
con incomodidad, con prosa y con rencillas
lo que bien comprendía el divino Chopin...
Los olivos que están aquí son los olivos
que desde las prístinas estaciones están
y que vieron danzar los Faunos y los chivos
que seguían el movimiento que dio Pan.

Los olivos que están aquí, los ejercicios
vieron de los que daban la muerte con las piedras
y miraron pasar los cortejos fenicios
como nupcias romanas coronadas de hiedras.
Mas sobre toda aquesa usual arqueología,
vosotros, cuyo tronco y cuyas ramas son
hechos de la sonora y divina armonía
que puso en vuestro torno Publio Ovidio Nasón.
No hay religión o las hay todas por vosotros.
Las Américas rojas y las Asias distantes
llevan sus dioses en los tropeles de potros
o las rituales caminatas de elefantes.
Que buscando lo angosto de la eterna Esperanza,
nos ofrece el naciente de una inmediata aurora,
con lo que todo quiere y lo que nada alcanza,
que es la fe y la esperanza y lo que nada implora.

"SPES"

En memoria de Mlle. Anne-Marie Heber García

La niña de los ojos azules ha partido
    al alba del amor;
como la rosa de Malherbe, ella ha vivido
    la vida de una flor.
Dejó el fuego fugaz la dulce adolescencia
    al influjo mortal,
¡y se fue hacia el azul, como se va la esencia
    del pomo de cristal!
Tal las almas se van sin oír nuestro grito
    ni escuchar nuestro adiós,
y se echan a volar, buscando el infinito,
    esas aves de Dios.
Mas la esperanza muestra el sol de un nuevo día
    de divina verdad;
¡y así, al morir aquí, la tierna Ana María
    nace en la eternidad!

LAS TORRES

No ha habido más bella torre
que la que era de oro, que la que era de plata,
que la que era de bronce,
cuando España tenía
todas las torres.

¡Levantaos, antiguas armaduras!
¡Moveos, bronces!
¡Sed algo, rocinantes!
¡Morded, gozques!
   Sobre la parrilla del gran Escorial
asad al toro del Zodiaco,
y dad al mundo un bello
simulacro.
   Sed crueles, osados y grandes,
sed los de Cortés y de Pizarro
¡y aprovechad las ubres de las vacas
que dejasteis más allá del Oceano,
y que os pueden dar leche
por la sangre de antaño!
. . . .

"CHI-CHA"

   De tus labios, vivas rosas
en que Amor su sed no sacia,
vi volar las mariposas
     de la gracia.
   ¡Ve qué tema!
¡Tu picante gracia criolla!
¿Qué poeta desarrolla,
sin temblar, ese poema?
   "Chi-Chá" suena como un beso,
mejor dicho, como dos.
     Di: ¿no es eso
toda la gracia de Dios?
   Venus te enseñó el reclamo
de tu risa cristalina;
y a tus pies deshoja un ramo
     Colombina.
   Florido en la tierra indiana
ves el árbol del limón,
primorosa prima hermana
     de Mignon.
     Una gota
de tu miel y tu canela,
inspiró a España su jota
y a Italia su tarantela;
   que en la linda aristocracia
de las damas y las rosas,
tuyas son las mariposas
     de la gracia.
     Eres, niña,

ramillete de uvas fresco
que ve en la fragante viña
más de un gorrión picaresco.
  Pero, ¡ah!, justo es que recuerdes
que, aunque ellos arman camorra,
yo digo, como la zorra,
  ¡que están verdes!

EN EL ÁLBUM DE LA SEÑORITA
CRISTINA DÍAZ GRANADOS

  ¡Cristina! Las pálidas mujeres antiguas
que oían de Cristo la mística voz,
morían sonriendo, regaban su sangre
cual rosas llevadas de un viento de horror,
que vieran la eterna feliz Primavera
de un mundo en que ardiese la llama de Dios.
  ¡Cristina! Contigo yo fuera a la arena,
vería sin miedo venir al león,
pues fueras el ángel que diera a mis ansias
la gloria del alba de un cielo de amor.

(La Habana, diciembre de 1892)

DÉCIMA DE PIE FORZADO
ACABANDO EN "PATIO"

*En un juego de rimas con
Manuel Maldonado y Desiderio Fajardo Ortiz*

  No entiende de acentos Pablo
pues cuando dice una frase
forma un *requiescat in pace*
que es capaz de darse al diablo.
Si con él converso o hablo,
por batió me dice *batio*
y por combatió, *combatio*.
Un día me sublevé
y por poco no arranqué
un rosal que está en su patio.

(Managua, 1893)

264

PARA EL ÁLBUM DE PEPITA RIVAS

Bajo el triste ciprés de mi duelo
pasa un ángel, un ave, una flor,
un botón de las rosas del cielo,
una estrella en una urna de amor.
Y hay que dar a la niña amorosa,
princesita gallarda y gentil,
un cantar, una perla, una rosa,
un bouquet de mi pálido abril.
Fresco lirio de luz y de infancia,
que no salgas del cielo en que estás;
que conserves tu dulce fragancia,
que el otoño no llegue jamás.
En tu jaula perfumas y alegras,
pajarito travieso y fugaz;
tus pupilas, tan lindas, tan negras,
son consuelo, son dicha, son paz.
Cuando, libre de penas y enojos,
tus quince años te den su arrebol,
con mis líricas flores tus ojos
harán veces de rayos de sol.

(Managua, 3 de marzo de 1893)

EPÍSTOLA

A Ricardo Jaimes Freyre

Señor Ntro. Xaimes Freyre,
fijo de Julio L. Xaimes,
fijodalgo bien tenudo,
bien tenudo en Buenos Ayres:
gracia de Nuestro Señor
buena salud tengades.
Los que en el Valle de Aosta
juntos sus coitas trayen
e de vos fablan continuo,
deseándovos dichas grandes:
lo que forzados romeros
en esta ínsula distraen
feridas de perras suertes
que non curan las cibdades;
lo que, magüer el destino
dexaron las sus beldades,
y aventuras a estos reinos
vinieron presto a buscare,

265

los que furiosos leones
y non mastines cobardes,
bregan con torpes endriagos
y con forzudos gigantes
Don Prudencio y Don Rubene
(ambos de muy noble sangre),
toda el ánima os envían
en esta epístola. ¡Salve!
    ¿Qué fechos tenéis cumplidos?
¿Qué empresa tenedes grandes?
¿Cuáles tiernas, blancas manos,
vos tienen, cautivo, cuáles?
¿Doña Sancha vos adora?
¿Vos ama Doña Violante?
¿O acaso vos ha olvidado
por villanos barraganes?
    Coibdarades, Xaimes Freyre,
coibdarades, Freyre Xaimes,
que en la ínsula don Rubene
tiene sufridos pesares,
pues aquella bella ingrata,
que tanto fizo soñare,
tiene trocado en malhora
la lumbre del su semblante,
por fieras, duras miradas
que tornan yelo la sangre,
obscurecen el sentido
con temible obscuridade.
    (Vos manda decir Rubene,
que el justillo de contraye
vos lo mandará muy presto,
porque en esos malos ayres
teme vos fieran los yelos
con pícara enfermedade.
Bien coibdado está el justillo,
como muy bien lo verades).
    La peste merma, y romeros
de Tierra Santa non caen;
bellas princesas de Galia
y de Aquitania vendraen:
non los truxo la su suerte,
la Junta de Sanidade;
mañana estarán aquí,
mañana, que no esta tarde.

Don Prudencio, hase vestido
la capa dictatoriale,
y tiene a dos mil pecheros
en muy grande agilidade:
las dueñas despluman pollos,
tortolicas e faisanes;
los escuderos alistan
los lechos e los divanes:
el maestresala se apresta
a disponer los yantares:
y los juglares afinan
las dulzainas y timbales.
¡Pluguiera a Dios que vinieres,
si cesara el temporale!
Si tenedes pergaminos,
córnicas o mensajes,
vos rogamos los envíes
con la galera que sale
coibdat que perdéis galera
si non vais a aprovechare
los jueves et los domingos,
que non los lunes o martes.
Encomendándovos siempre
a nuestros votos leales
por muchos santos patrones
santos, ángeles e argángeles,
damós fin a aquesta carta
que vos llevará saudades
hoy, a dos días de Mayo
(después de *día sociale*)
del año noventa y cinco
y bajo un gran temporale
firman: el doctor
Don Prudencio de Plaza y Cuestas
y el bachiller don Ruben Daryo y Daryo
Post data
vos rogamos contestéis
sino os será mal contado;
contestad, Ricardo Xaimes
sino, tened grand coibdado.
Vale.

(Isla de Martín García. Argentina, 2-III-1895).

267

EN EL ÁLBUM
DE LA SRTA. JULIA GARI

*Estrofas 6 y 8-10 no recogidas
en* Alaba los ojos negros de Julia.

...Luz negra que los ojos ilumina
de las bellas huríes mahometanas
y que aquí, en las regiones argentinas,
mahometiza la faz de las cristianas...
    ¡Ojos grandes y negros! ¡Cómo iría,
más seca el alma que mi boca seca,
a beber en el ánfora judía
el amor, con el agua de Rebeca!
    ¡Ojos grandes y negros! ¡Ojos grandes
y negros! ¿Cómo, por virtud potente,
traéis vuestros Orientes a los Andes
y convertís la América en Oriente?
    Rawíes, caballeros,
¡perlas dejad aquí, ramos triunfales!
Yo enciendo en orientales pebeteros
mis mejores inciensos orientales...

(Buenos Aires, mayo de 1895)

"HIMNO" A CHARLES DE SOUSSENS

Soussens *sans sous,* poeta: tú
que aborreces siempre el *bon sens,*
andarás siempre *sans le sous,*
        ¡Soussens!
    ¡Soussens, hombre triste y profundo,
verá en Sión al Nazareno:
Soussens es el hombre más bueno
        del mundo!...

(Buenos Aires, 1895)

A MITRE

Vencedor Paladín de la idea,
que has clavado tu enseña en la altura;
combatiente ceñido de lauros:
¡los que van a luchar, te saludan!

(26 de junio de 1895)

ORQUÍDEA

A Manuel Argerich

Una flor es fuerza igual
a un pensamiento: el aliento
de una flor se va en el viento,
pero queda en el ojal.
Mas el elegante don
de la elegancia fragante,
le deja a todo elegante
perfume en el corazón.

(Buenos Aires, XI-1896)

ANTONINO LAMBERTI

Como las más altas cimas
tiene nieve en la cabeza,
y le adorna la belleza
de las prosas y las rimas.
¡Tiempo! Es en vano que esgrimas
tu hoz sobre este rosal,
porque un aliento inmortal
le imprime su numen fiel;
Baco le brindó su miel
y Venus le dio su sal.

A LA NENA DE LAMBERTI

Lamberti tiene una nena
a quien yo con placer llevo
con las flores de Año Nuevo
bombones de Nochebuena.
Ella es lirio de la pena
del poeta solitario:
que en su tranquilo Calvario
y en medio de sus dolores,
la nena le riega flores
con su pico de canario.

269

DÉCIMA IMPROVISADA
CON LAMBERTI

(De R. D. son !os cuatro
primeros versos)

Yo quisiera una mansión
de licencia y de placer
donde fuesen a aprender
Sardanápalo y Nerón.
Que tuviese un gran balcón
siempre abierto al mar turquí;
y largarme desde allí
de cabeza a cada rato,
y al caer, volverme pato
con los ojos de rubí.

A SUZETTE

L'automne avait jauni les rustiques allées,
las vieux ormes chenus perdaient lers ors éteints:
la cloche des treupeaux, dans les gazons déteints,
avait des tons plaintifs d'âmes inconsolées.
 Un départ fremissant d'oiselles envolées
s'épanouit dans le ciel et les roses lointains
pábirent comme toi de reflets incertains
sous le magique vent des bruits d'ailes frôlés.
 Tu te mis à trembler en un étrange émoi,
et la bouche, adorée en se tendant vers moi
fit passer dans mon sang une si chaude fièvre,
 que je ne sus jamais qui venait m'embrasser,
de l'adieu du soleil mourant dans se baiser,
ou du frisson du feu qui courut sur ta lèvre.

(Buenos Aires, abril de 1896)

FRANK BROWN

Frank Brown, como los Hanlon Lee,
sabe lo trágico de un paso
de payaso, y es, para mí,
un buen jinete de Pegaso.
 Salta del circo hasta el Parnaso.
Banville le hubiera amado así.
Sabe lo trágico de un paso
Frank Brown, como los Hanlon Lee.

270

El niño mira a su payaso
de la gran risa carmesí,
saltar del circo al cielo raso.
Frank Brown, como los Hanlon Lee,
sabe lo trágico de un paso.

(Buenos Aires, mayo de 1896).

EN EL ÁLBUM DE LA SRA. JOSEFA AGUIRRE
DE VASSILICÓS

Señora: hace tiempo que el perfume de su alma
llegaba a mí a través de muy dulces paisajes,
y estaba su figura junto a una hermosa palma
que circundaba un triunfo de espíritus y trajes.
Vida moral, vida social, toda la lira
concentrada por la que de su vida forma
un inmenso querer que para el bien suspira
y hace, de amor, su concreción y norma.
Todo mi anhelo y todos mis amores
son el brindar, a quien merece, un lauro.
Por eso vuelco el cesto de mis flores
entre un vibrar de pasos de centauro.
Quede el aroma de mi voto, el día
en que, al pasar, quise brindar mi ofrenda
a quien pudo ofrendar al alma mía
del entusiasmo la divina prenda.

(Buenos Aires, 1897)

LA CARIDAD

Cuando hay llantos que enjugar,
pesares que contener,
entusiasmos que encender
y hermanos pobres que amar,
siéntese aquí el despertar
de la Caridad divina:
cada pecho es una mina,
cada idea es un tesoro,
¡tiene el coranzón de oro
la República Argentina!

271

Ricas manos bondadosas,
manos blancas como rosas,
pobres manos del obrero,
todas tienen, todas dan;
todo brazo es el primero
que conduce alivio y pan.
Manos nobles, buenas manos
que ayudáis a los hermanos,
¡dad alivios, bienes dad!
Con sus rayos ilumina
la República Argentina
la divina Caridad.
Manos frescas como flores,
dad consuelo a los dolores;
ojos bellos como el cielo,
dad miradas de consuelo.
Las kermeses encantadas,
y las ninfas sonrosadas
y las rimas y el cantar,
y las musas musicales
y los ojos ideales
reconstruyan el hogar:
¡den al triste el bien perdido,
denle el nido
donde pueda descansar!

Si al sonar de las bocinas
pavorosas, en rüinas
cayó un día Jericó,
puede Orfeo con su lira,
por el "deus" que le inspira,
levantar lo que cayó.
Sople el fuerte
mensajero de la Muerte;
sopla el viento que destruye,
cruel heraldo del Dolor:
¡siempre Orfeo reconstruye
con la lira del Amor!

(Buenos Aires, 1897)

CANTO DE VARO A ROMA

En El Hombre de Oro.

¡Roma, grandiosa Roma, alta Imperia, señora del Mundo!
A tu mirada se levanta la gloria
toda vestida de fuerza, con la palma sonora en la diestra
y la sandalia mágica sobre el cuello del trueno.
Tú, este vino de fuego que nos pone en las venas el ritmo,
esta violencia de la latina sangre
transmutaste de la ubre que a los labios sedientos de Rómulo
llevó, en el primitivo día, la áspera Lupa.
Siete Reyes, primero, contemplaron las Siete Colinas,
y del prístino tronco brotó la rica prole;
coronó la República el laurel de los Montes Sabinos,
el de la bella Etruria y la palma del Lacio.

¡Magno desfile de altos esplendores! Las arduas conquistas
el patricio y la plebe, literas consulares
hachas, lictores, haces...
                              ¿En qué gruta aún resuena
la olímpica palabra, misteriosa y divina armonía,
que en la lírica linfa escuchó de su náyade, Numa?
¡Y he ahí el coro de águilas! ¿De dónde vienen victoriosas?
De los cuatro puntos del cielo: de la ruda Cartago,
de las Islas Felices, de la blanca y sagrada Atenas;
y las tuyas, ¡oh César!, de los bosques augustos de Galia.
Y llevadas por todos los vientos
que bajo el solar fuego soplan sus odres,
del soberbio Imperátor resplandece la altiva diadema,
y su mano, al alzarse, cual la de Jove rige,
Capitolina...

(Buenos Aires, 1897)

DE UNA CARTA A SALVADOR RUEDA

Ministro de Bolivia en España.
presentándole a D. Moisés Ascarrunz

De las cosas que pinta García Ramos
y de las cosas bellas que tú dibujas,
dámele a este Ministro, que mucho amamos:
cuadros, cual de Fortuny, llenos de ramos;
cuadros, cual los de Goya, llenos de brujas.
. . . .

(Buenos Aires, ¿junio o julio?, 1898)

273

AL CANTOR ARTURO DE NAVA

Del Asia traje un diamante
para ponerlo en el cuello
del ser que he visto más bello
en mi vida claudicante.
Me brindó el Sol deslumbrante
sus más brillante color,
y el Iris me dio el mejor
ramillete de sus haces;
y el Sol me dijo: — ¿Qué haces?
— ¡Se lo doy al payador!

(1898)

LA COPA DE AGUA

En los sepulcros musulmanes, una
copa remata la obra; el agua fina
de la urna matinal, y la argentina
perla que da a su ánfora la luna,
en licor de cristal, calman la ardiente
sed de las aves del azul... ¡Cincela,
porta-lira, una copa transparente
en tu armoniosa fábrica doliente,
para el alma con sed que al azul vuela!

(Buenos Aires, 1898)

ANTE EL "DAVID" DE MIGUEL ÁNGEL

A José León Pagano

¿Viste el David, cómo era bello y franco?
En él está la soberana esencia
de la tierra, y la pura transparencia
de lo alto, de noble y de lo blanco.
El Byron cojo y el Cervantes manco
cantaran esta gloria de Florencia,
y lo que existe de divina ciencia
en ese pectoral y en ese flanco.
En cuanto al ojo dominante, el bello
imponer del aspecto, y la redonda
caricia de escultor que da al cabello
lo crespo de la brisa y de la onda,
triunfa una Torre soberana: ¡el cuello!
y una fuente soberbia: ¡la Rotonda!

(Florencia, 1900)

274

A VARGAS VILA

En Roma, donde dice la Vida
lo que la inmensa Sibila vierte,
junto a tus armas pongo mi égida,
¡hermano grande, hermano fuerte!

(Roma, XII-1900)

"TOAST" A DON JUSTO SIERRA

Ser feliz campeón de los ilustres juegos
en que son, semidioses y poetas, hermanos
ver en sueños temblar la gran lira, en las manos
del viejo rey de musas, príncipe de los ciegos:
    prender su antorcha humana con los divinos fuegos,
y mantener, en nuestros bosques americanos,
al par que la frescura de los mirtos romanos,
el verdor armonioso de los laureles griegos;
    y —alma tan transparente y sonora que admira
por el puro cristal en que su esencia encierra
y en que como el oriente de una perla se mira—,
    honrar al continente y enaltecer su tierra,
y todo ante la gracia celeste de la lira...
son los más grandes cargos contra Don Justo Sierra.

(París, abril de 1901)

A ESPERANZA VILLAGRÁN

Esperanza, la hermana de las perlas más finas,
la de armonioso nombre de virtud teologal,
mimada de las Gracias y las Musas divinas,
vuelve a buscar los rayos del vivo sol natal.
    ¡Esperanza! Que vuelvas como las golondrinas,
siempre llena del fuego de aquel sol inmortal.
¡Sed propicios, oh vientos y deidades marinas!
¡Devuélvenosla pronto, República Oriental!

        ¡Que vuelva, soberana,
        la flor americana
        junto a la flor de lis,
        para dar todavía
        más luz a esta alegría,
        más encanto a París!

(1902)

275

AUTÓGRAFO EN UN ÁLBUM

Para escribir en la vida
sobre un papel semejante,
preciso será, señora,
hacer tinta de mi sangre.

(París, 1903)

GANIVET

Para Navarro Ledesma

¡Ganivet! ¡Ganivet! ¡Hamlet tan Cervantino!
Hijodalgo divino
que haces, melificando al Cid, un Don Quijote
que traspasa los siglos y resulta hoy un brote
secular en un árbol de futuros mayores...
(Calavera ceñida de corona de flores,
¡alás!, que no me atrevo a tomar en mi mano,
pues es su peso enorme, soberano).
Risueño, enamorado de cosas imposibles,
y mistificador de las cosas sensibles
hasta el punto de ser verdugo de ti mismo...
Nada como mirarte
a la luz de la luna del arte,
deshojando tu alma al borde del abismo.
    ¡Oh Ganivet,
falto de fe,
lleno de amor
y de dolor!
Buzo, buscas, por fin, la misteriosa perla.
¿La has encontrado? Acaso...
En el mar de la aurora puedes ir a cogerla
o en el mar del ocaso;
y no será la misma que en tus ensueños vías,
pues tras tu muerte dura
transmutaste en gloriosas armonías
las pobres ansias de la tierra obscura.
    ¡Ay! Psiquis herida se queja.
Ganivet, recibe la vieja
salutación: *Ave!* ¡Vuela!
¡Gira, español maravilloso!
Mientras otros llevan el oso
de su pasado pensamiento,
tu palabra alígera gira

276

como al compás de flauta y lira
Y el órgano del sentimiento,
o, mejor dicho, el organillo,
nos brindará su son, tan sabroso y sencillo...
    Hidalgo, esta oración viene del alma mía.
Por razón, por verdad, y porque de tu fría
memoria se ha acercado a mí más de un suspiro,
mi corazón exprimo así; porque te admiro,
y te amo, y te digo que Shakespeare te saluda,
y ante el río siniestro está mi alma desnuda.
Veo el río
negro y frío;
y ante tu cuerpo que se hunde
y mi razón que se confunde,
hay un estremecimiento
en el cielo, en la tierra y en el viento.
Y mi alma que tiembla, dice a todas las cosas:
—Ése era un grande caballero entre las rosas
de fragantes alientos;
despertaba libélulas, cazaba mariposas,
y tornaba a ser fuerte torre de pensamientos.
    ¡Oh Dios, en Quien él no creía!
He comprendido, ¡oh Dios!, que cuando sueño
me das el agua de la sed,
el pan del hambre en el mundo pequeño
y en el dolor tu divina merced:
que juntas grandeza y cariño.
Aquella inmensa alma de niño
mordida por los dientes de la adversa fortuna,
que se lanzó en la sombra, enferma de la nada,
encontró en tu Justicia una celeste cuna
y tu Misericordia le dio dulce almohada.
    ¿Fue la trágica y vasta comprensión de Lucrecio?
¿Fue el augusto desprecio
de nuestra miserable carne perecedera
que él amó en Venus y besó en la primavera?
¡Pío Cid, Pío Cid! El cisne wagneriano
te ha mirado caer como a Luis de Baviera
(alma ofelial también, corazón hamletiano).
¡Y tu espíritu puro, desde el cristal del río
lleno de brumas y visiones,
ascendió a la Verdad, póstumo amigo mío,
con el ascendimiento de las constelaciones!

(Budapest, 1904)

A RUFINO BLANCO-FOMBONA

La palabra de Darío
la volverás a encontrar
cuando las ondas del río
sean las ondas del mar.

(París, 1904)

VARGAS VILA

Vargas Vila, señor de reyes y leones,
callado y solitario recorre las ciudades;
y ninguno alimenta rebaños de ilusiones
como este luminoso Pastor de Tempestades.

(Madrid, 1905)

JOSEPH GUSTAVE MOREAU

Visionario divino,
Joseph Gustave Moreau,
pintor de ensueños de oro y de diamante fino,
de perfección enfermo, de perfección murió:
Tengo este haz de sus luces para Eduardo Schiaffino
con corazón y mente se los ofrezco yo.

(París, 1905)

ANTE UN RETRATO DE
LEONCITA MAYORGA RIVAS

Sultancita: mientras vivas,
sea tu dicha profusa;
y que te ampare la musa
de Román Mayorga Rivas.
Es de tu madre la gracia
y la hermosura que tienes;
y entre frescas palmas vienes,
rosa de la aristocracia.
Sé Sultana siempre. Osa
a ser siempre la más bella,
pues eres Sultana-estrella
cuando eres botón de rosa.

(Río de Janeiro, 1906)

A MACHADO D'ASSIS

Dulce anciano que vi, en su Brasil de fuego
y de vida y de amor, todo modestia y gracia.
Moreno que de la India tuvo su aristocracia;
aspecto mandarino, lengua de sabio griego.
Acepta este recuerdo de quien oyó una tarde
en tu divino Río tu palabra salubre,
dando al orgullo todos los harapos en que arde,
y a la envidia rüin lo que apenas la cubre.

(Río de Janeiro, 1906)

A RICARDO ROJAS

En un ejemplar de
Cantos de Vida y Esperanza

Al excelso poeta que dedicó el Destino
a decir la palabra postrera de mi sino,
y si no la postrera, la que vibre en seguida
del instante más alto y enorme de mi vida.
Y a quien, sabiendo ser intérprete supremo
de los rayos del Sol en que mi mirra quemo,
me ha ofrecido, en su verbo vibrante y misterioso,
sus revuelos de cóndor, su aliento de coloso.

(Buenos Aires, 1906)

PLEGARIA

Dame que sea como los árboles del monte,
como las rocas de la playa y como el duro
diamante. O que una estrella surja en el horizonte,
que traiga la luz clara para el problema obscuro.
¡Y que no me dé cuenta del instante supremo!...

279

EN UN DÍA PATRIO

Hoy por mi país natal
rimo estos versos, señores,
a aquel diamante entre flores
de la América Central;
por la bandera triunfal
que ya las sombras destierra;
por el que en paz como en guerra
es fuerza, guía, atalaya:
¡por José Santos Zelaya,
reformador de mi tierra!

(A bordo del Magdalena, *21-IX-1906)*

DEDICANDO UN RETRATO

Por la dama que da las flores de la vida
al compañero que es por ella consagrado,
estos versos de paz y esta estrofa florida
deja Rubén Darío a Manuel Maldonado.

(Managua, 1907)

GRATITUD A MASAYA

En un paseo a tal pueblo
de Nicaragua

Por doquiera donde vaya,
el recuerdo irá conmigo
del corazón de Masaya,
tan hidalgo y tan amigo.
Son retorno y despedida
juntos en este momento,
mas de Masaya florida
el nombre en mi pensamiento
irá por toda la vida.
A esta región hechicera
no quiero decir adiós.
¡Que la vea antes que muera,
que esté siempre en Primavera
y que la bendiga Dios!

(Diciembre 7 de 1907)

UNA FLOR A ARGÜELLO

"El Señor de la Victoria
por fin a su Patria llega;
más tarde dirá la Historia
que él dejó a su Patria ciega
con el fulgor de su gloria."

S. ARGÜELLO

Ninguna frase mejor
que la que ahora interpreta
el que es su mejor poeta,
lleno de gloria y de honor.

(León, 17 de diciembre de 1907)

EPÍSTOLA

A mi amigo Luis H. Debayle

En el Renacimiento italiano yo vi
alguien que me quería y que era igual a ti;
tenía tu mirada, tu palabra, tu gesto
y tu don de encantar... Aplico, por supuesto,
este decir galante a la galantería
que adornaste en tu casa para la gloria mía.
    Sabía yo quién eras desde lejos, ¡oh Luis!
Ya había conversado con tus flores de lis,
de asuntos de pureza, de bondad, de fragancia;
en fin, eran tus cosas como cosas de Francia.
Te vi soberbio, fuerte, conquistador, profundo,
y como si tú fueras Emperador del mundo.
Pero también te vi víctima de tu tierra,
lleno el triunfo de envidia, y la vida de guerra.
Me parece imposible el haberte previsto
en una forma distinta de Jesu-Cristo,
por la bondad eterna de aquel buen Nazareno
que murió de ser Dios, de ser dulce y ser bueno.
    Yo, que soy el enfermo de amor y de armonías,
quisiera ser acaso lo que Dios mismo es,
para, en omnipotentes y eternas melodías,
al coronar tu frente, acariciar tus días.

281

EN LA CORONA FÚNEBRE
DE DOÑA SALVADORA PALLAIS DE DEBAYLE

Al Dr. Debayle

Columna trunca, antiguo frontispicio,
donde labrar una bella inscripción
que diga al par el beso gentilicio
y lo que perlas de nuestra alma son.

Toda palabra y toda melodía
sería ahora poca para dar
la suma enorme de la ofrenda mía,
de quien es viejo y triste de pensar.

Yo recuerdo a tu madre cuando un día
vio en mi mirada algo de inmensidad,
y fue gentil para la vida mía
ungiendo mi alma en óleo de bondad.

Siento que son, estos ritmos escritos,
acaso escasos para mi canción.
¡Alguien dirá que son *bouquets* marchitos,
más los revivo con mi corazón!

A MARIÍTA DEBAYLE

Mariíta, ¿hay quien te cante,
Diamante?
¿Y quien sueñe con tu falda,
Esmeralda?
¿Y quien te juzgue preciosa,
Rosa?
Tú, siendo tan primorosa,
deberías de poner
en pulsera de mujer
Diamante, Esmeralda, Rosa.

(Marzo 21 de 1908).

282

MADRIGAL EN EL ABANICO DE
DOÑA FIDELINA DE CASTRO

Fidelina
diamantina,
dulce y fina,
mira la
hoja inquieta
que interpreta
al poeta
que se va...

(León, 1908)

A MARÍA CASTRO

Eco, por segunda vez,
es
mensajera que adivina,
divina,
los que mi voz extasiada,
hada,
dejaría a tus encantos
cantos.
Pediría al picaflor
flor,
lo que por flor de mujeres
eres,
a la inglesa Rosalinda
linda,
su encanto en la selva rara,
para
que tu casi infancia encante,
cante,
y borde de primorosas
rosas
lo que la vida te amaga,
maga.
Jasónidas de Jasón
son
los que somos sus marinos
y nos
vamos siempre al ideal,
al
ideal de la Harmonía,
y a

283

dar a ojos de universos
    versos,
y a encantos alabastrinos
    trinos.
  Por ti, ideal Odisea
    sea,
si ya el amor te convida,
    vida.
  Por ti, brillan las estrellas.
    Ellas
de tu corazón sabrán, y
    han
de darte, en luces, regalos;
    y a los
esplendores de su llama,
    ama.
  Con tu cabeza risueña
    sueña,
y ten por divisa un astro
    Castro.

(León, 1908)

TRÉBOL LÍRICO

*En honor de la Sra. del Presidente
de Costa Rica, don Cleto González
Víquez,*

  Trébol lírico decora
esta página, Señora,
    que le explica
cómo vemos astro y rosa
en la Dama de la hermosa
    Costa Rica.

(Nicaragua, ¿1907-8?)

A JOSÉ SANTOS CHOCANO

  Por olas intranquilas y por soplos amargos
iba el bajel de Grecia con rumbo a la ilusión;
Febo daba su oro para la nave Argos,
y Júpiter sabía del sueño de Jasón.
  Espera infamias duras y aguarda vientos largos,
tú, que tienes por nave tu propio corazón;
que si tienes cuidados y multiplicas cargos,
a la cuenta de tu alma, lírica y dulce, son.

284

Y a la cuenta de tu alma te pondrán tus locuras,
tus conquistas fugaces y tus cosas impuras...
El ángel de la guarda, exacto y puro es.
Así que peques mucho o así que peques poco,
te salvarás por santo, por poeta o por loco,
y las cuentas finales te arreglarán después.

(Corinto, Nic., 1908)

PARA ALICE DE BOLAÑOS

I.— *EN SU ABANICO*

Al dar aire a tu frente
esta ala de armonía
en que la poesía
por ti vibrar se siente,
    sentirás de repente
soplos de simpatía:
será el aura que envía
Centro-América ardiente.
    Serás como el perfume
cálido que resume
algo que en ti se fragua
    y que tu ser duplica:
¡lirio de Nicaragua,
rosa de Costa Rica!

(Nueva York, abril de 1908).

II.— *EN SU ÁLBUM*

Dulce flor,
flor de amor
cuyo olor
melifica
a New York,
tienes por
Costa Rica
tu primor.
    Y un cantor
hoy publica,
con orgullo vencedor
¡que es un *nica*
quien se aplica
esa *tica*
superior!

(Hotel Astor, N. Y., abril 27 de 1908).

285

A MI JOVEN AMIGO
CARRASQUILLA-MALLARINO

¡Ora, amigo! Al dolor acerbo
    pon tu puntal;
y, como dice Amado Nervo,
    ten tu puñal.
Pon siempre a refrescar tu mente
    con lirio y rosa.
¡Cómo vuela divinamente
    la mariposa!
Ten l'alma lista a lo improviso,
    y rosa y lis;
y ten tu Nueva York preciso,
    o tu París.
Viaja con tu alma en tu maleta
    y un cheque, con
tus facultades de poeta
    y tu ilusión.
El que te dice estas palabras
    hace obra propia,
puesto que sabe que tú labras
    tu cornucopia;
una cornucopia que tiene
    profunda ciencia,
cuya [prez antigua] le viene
    de noble herencia.

            (Océano Atlántico, 1908).

COPLA

Corona de Zaragoza
es la Virgen del Pilar;
y Zaragoza de España
es la corona mural.

            (1908)

A LA SRTA. PIEDAD GONZÁLEZ

            En una postal

Cuando nace el dulce
lucero de amor
amanece el alba,
amanece Dios.

            (¿1909?)

286

VERSOS DE AÑO NUEVO

I

En estos versos de año nuevo
a mis gentiles argentinos
mis viejos cariños renuevo.
¡Que Dios les dore sus destinos!

II

Me pongo a pensar... ¡Era ayer!
Atravesaba el oceano
Cónsul general colombiano,
¡Con un soñar!... ¡Y un suponer!
    Mi fámulo era un holandés
de una vida algo más que brava.
Por pirata fue preso en Java
y tenía el alma al revés.
    Se entendía en inglés conmigo;
y para irse de bar en bar,
era un formidable enemigo
de mi equipaje consular.
    Un día, ese escudero ofidio
huyó con mil pesos papel.
No he vuelto a saber más de él.
Debe estar en algún presidio.
    ¡Ah! Yo tenía oro que insufla
fuerza. Mi bolsa no era exigua.
(En asunto de historia antigua,
Soiza Reilly es una pantufla).
    Fuera del correr lisonjero
del Pactolo de mi misión,
ya hacia tiempo era minero
en la mina de *La Nación*.
    Y por una corta faena
crecía la moneda vil.
En *Tribuna* era yo Anchorena
gracias a un Juan Cancio —al Rothschild —.
    Después, cierto, vino la anemia.
¿Culpa de quién? De mi descuido.
Y obligado fui a hacer un nido
en la floresta de Bohemia.

III

Recordemos. Primero el hado
propicio. Gravedad, cautela.
Mi amigo Rafael Obligado,
Soto y Calvo, Martinto, Oyuela
    La ingenuidad de mi laurel
y la alegría de mi rito.
Mi confianza con Bartolito,
mis sueños con Julián Martel...
    Mi culto culinario que
hacía la vida más bella.
(¡Oh, tortilla de ostras, aquella
que me revelara Piquet!)
    Luego, un cambio. Duro. entrecejo
la suerte me empieza a mostrar.
Y perdí el cargo consular
como cualquier romano viejo.
    Luego hay una tragicomedia,
un idilio. Y el vil metal
amenguaba. ¡Oh, el espectral
y temible señor de Vedia!
    Vivía en mundos irreales,
y para guerra a mis reposos
se imponían los peligrosos
paraísos artificiales.
    Dejé a mis austeros hermanos
en Apolo. Otros horizontes
busqué... ¡Y allí no había Montes,
ni "Parónimos Castellanos"!

IV

    ¡Qué cambio, Dios de Dios! Payró
era mi guía, era mi heraldo.
El terrible efebo Ghiraldo
hecho un Luzbel apareció.
    Kants y Nietzsches y Schopenhauers
ebrios de cerveza y de azur,
iban, gracias al "calembour",
a tomarse su *chop* en *Auer's*.
    Yo era fiel al grupo nocturno,
y en honor a cada "amigaso",
allí llevaba mi Pegaso,
y mi siringa, y mi coturno.
    Paréntesis. El Ateneo.
Vega Belgrano piensa. Ezcurra

discurre. Pedro despanzurra
a Juan. Surge el vocablo feo:
    "Decadente". ¡Qué horror! ¡Qué escándalo!
La peste se ha metido en casa.
¡Y yo soy el culpable, el vándalo!
Quesada ríe. Solar, pasa.
    ¡Yo soy el introductor
de esa literatura aftosa!
Mi verso exige un disector,
y un desinfectante mi prosa.
    Los artistas me gritan: ¡Bravo!,
cuando Groussac se muestra fino.
Y me ayuda a clavar el clavo
el *pince-sans-rire* Schiaffino.
    Monti, Luzio y Auer's, son templos.
Allí se excluyen las políticas,
se muestran líricos ejemplos,
vuelan las odas y las críticas.
    Nuestro sabio barón tudesco
nos decía cosas profundas,
y en un lenguaje pintoresco
daba lauros y daba tundas.
    Aparecían por allí
Ambrosetti, y Correa Luna,
ambos poseídos por una
palingenesia calchaquí.
    Berisso, rosado y modesto,
mecenizaba en tal antaño,
sin humillarnos ese gesto,
ni su intimidad con Tamagno.
    Lugones llegó en ese instante,
y empezó a rugir. Escalada
era un gorrión muy elegante
junto a la calandria de Estrada.
    Ojeda era nuestro Beethoven
y su piano daba su cántico.
Y Jaimes Freyre era romántico,
y Leopoldo Díaz, ¡ay!, joven.
    Y en medio de aquella conquista
de un arte flamante y notorio,
Ingenieros era anarquista
y José Pardo era tenorio.
    Y hubo un esotérico Américo,
    y hubo un hidalgo rococó,
con un buen *copain* casi esférico:
¡flaco Leoncio, gordo Rouquaud!

Y era bien nuestro Buenos Aires.
Lo teníamos todo, en fin.
—Médico? —Pues Reibel, Martín.
—Filósofo? Pues Carlos Baires.

El grupo noctámbulo y fiero
leía, en la cueva alemana,
versos góticos de Lutero
hasta el albor de la mañana.

Se pensó en conquistar el mundo.
Tell nos dio un cisne en vez de un oso.
Se levantó el himno famoso
"Soussens, hombre triste y profundo... "

Y escribimos canciones bellas
de libertad y de lirismo,
y nos coronamos de estrellas
y nos salvamos del abismo.

Y pasaron años. Y tales
se fueron a la muerte. Y otros
pensaron en ser inmortales.
¡Y siempre quedamos Nosotros!

Y unos quedan extraordinarios,
y otros buenos burgueses son:
papás, doctores, funcionarios;
y otros prosiguen su canción.

Nierenstein me enseñó el Talmud,
y es hoy un grave catedrático;
Díaz Romero sigue extático
templando su dulce laúd.

V

Y yo ausente, estoy aquí solo
y apenas miro mi jardín,
siendo esclavo del protocolo,
del galón y del espadín.

Y bien recuerdo, melancólico,
mis primaveras argentinas,
y aquel existir hiperbólico,
y aquellas mujeres divinas.

¡Mi segunda patria de encanto,
en donde soñó el soñador,
en donde he sido triunfador
y en donde se me quiere tanto!

"¡Juventud! ¡Divino tesoro!...",
canta a veces mi lengua grata,
cuando en ciertas tardes de oro
pienso en el Río de la Plata.

(Para el 1°-1-1910).

"LA TORTUGA DE ORO..."

A Amado Nervo

La tortuga de oro camina por la alfombra
y traza por la alfombra un misterioso sigma;
sobre su caparacho hay grabado un enigma,
y un círculo enigmático se dibuja en su sombra.
Esos signos nos dicen al Dios que no se nombra
y ponen en nosotros su autoritario estigma:
ese círculo encierra la clave del enigma
que a Minoturo mata y a la Medusa asombra...
Ramo de sueños, mazo de ideas florecidas
en explosión de cantos y en floración de vidas:
sois mi pecho süave, mi pensamiento parco.
Y cuando hayan pasado las sedas de la fiesta,
decidme los sutiles efluvios de la orquesta
y lo que está suspenso entre el violín y el arco...

(París, julio 1900)

DE SIMPATÍA

Princesa, bella Princesa,
¿quién tan linda te crió?
¿Quién ese rostro, que expresa
la candidez, buriló,
Princesa, bella Princesa?
Tienen tus ojos, Divina,
la negrura del *lomboy*;
la blancura marfilina
del exquisito *tampoy*
tiene tu carne divina.
Tu hermosura tropical
simula, bella *Dalaga,*
la de una flor sin igual;
es cual la tierna *sampaga*
tu hermosura tropical.
Tus miradas de pasión
de fulgores encantados,
me hieren el corazón
como el *kris* de tus soldados:
tus miradas de pasión.
El eco de tus suspiros
las libélulas dirán
en sus voluptuosos giros,
y mis selvas guardarán
el eco de tus suspiros.

291

Copia tu rostro de diosa
la piedad de la oración;
de una dama pudorosa
la dulzura y distinción
copia tu rostro de diosa.

Con tus gracias seductoras
pasas por sobre la vida,
y seduces y enamoras
y abres suávisima herida
con tus gracias seductoras.

Cuando cruces tu camino
que yo regaré de flores,
la lámpara de Aladino
ciñéndote de fulgores
alumbrará tu camino.

Yo quiero beber tu aliento
y escuchar tu voz sonora,
porque el ritmo de tu acento
me conmueve y me enamora,
y me seduce tu aliento.

Las delicias del presente
yo cambiara por tu abrazo;
yo cambiara, diligente
por dormir en tu regazo
las delicias del presente.

Y después, adormecido,
despertarme tus caricias,
sentir lo que no he sentido,
y gozar de horas propicias
después de haber padecido.

Cuando te apartes de mí
para tornar a tus lares,
al son de mi *kudyapí*,
te evocaré en mis cantares,
cuando te apartes de mí.

En tus labios, que son buenos,
frescos y tiernos y sabios,
como los *chicos* morenos,
quisiera posar mis labios
en tus labios, que son buenos.

(¿1910?)

292

EPIGRAMA A ARGÜELLO

Argüéllo: tu lira "cruje",
¡y en público, por desgracia!
Santiago: a lo que te truje;
¡menos versos; diplomacia!

(Veracruz, septiembre de 1910)

A RAMOS MARTÍNEZ

La hora en que se arde París
y en que hay tan divinas vistas
de rosas, de flores de lis
y de cosas de los artistas;
    ese momento singular
para hacer azules empresas,
nos pusimos a contemplar
las estatuas de las princesas.
    El chorro de agua desleía
toda la dulzura del sol,
y en la voz de mi alma venía
lo que me queda de español.
    Era la luz tan blanca y pura
y era el sol tan franco y tan fiel,
que me dio el alma del pincel
y el secreto de la pintura.
    Y como tu alma vaga y anda
donde el arte sublime asoma,
ya por los museos de Roma
o pinacotecas de Holanda,
    yo quisiera tener la fe
de ser el vibrante cronista
que dijera esta alma de artista
como Saint-Victor o Gautier.
    Teníamos un sol sonoro,
el mar de un azul imperial:
la onda no tenía sal,
la Catedral era de oro.
    Y cuando la tarde moría,
en los ojos de este pintor
veía yo un nido de amor,
de sueños y melancolía;
    y tenía tanto que ver
y tenía tanto que amar,
fuera ya de ojos de mujer
o fuera de azules de mar,

293

que yo no sabría decir,
siendo poeta o siendo amante,
si eran palabras de diamante
o eran palabras de zafir
    las que tenía que poner
en momentos de corazón:
si eran palabras de varón
o eran sollozos de mujer.
    Por vastas comprensiones viertes
lo que hondamente convidas
a los ponientes de las muertes
como a las albas de las vidas.
    Y diluyendo tu crayón
o tu lápiz o tu acuarela
todo lo que ama, lo que vuela,
¡pájaro, lira o corazón!,
    casi se podría decir
si interpretara tu pincel:
cítara, rosa, azul, laurel,
o bien veneno o elixir.
    Porque todos los que cantamos
o interpretamos y queremos
llevar siempre de amor los remos,
queremos entenderte, ¡oh Ramos!

(La Habana, 1910)

A MERCEDES BORRERO

    Jamás mi alma se encariña
como con lo dulce y süave
que hay en el corazón del ave
y en la sonrisa de la niña.
    Amo en ti lo que ríe y finge
y que, aun siendo tan tierna y buena,
tiene atractivos de sirena,
tentaciones y faz de esfinge.
    Pues en tu sonrisa tan pura
y en las miradas de tus ojos
hay todo un misterio de abrojos
y una eternidad de amargura.
    Cuando te quieres sonreír,
tú das la muerte, amiga mía:
encarnas la Eva sombría
que compendia nuestro existir;

porque en ti vibra lo que siente,
y los encantos de la hora
que nos da visiones de aurora
y besos de tierra caliente.
No comprendes de amor las llamas,
pues no comprendes lo que sientes,
mezclandosiempre lo que mientes
con lo que aspiras y lo que amas.
Pero escúchame estos consejos
que escribo para tu alma terca,
porque yo te amo desde cerca
como te amaré desde lejos.
Guarda como en un relicario
tus ilusiones del amor...
—Toda mujer nos da un Tabor
como también nos da un Calvario.

(La Habana, 1910)

A LA HIJA DEL CONDE KOSTIA

Cual poniendo un áureo broche
levanto la copa mía
por el sol de mediodía
que va al sol de medianoche.

(La Habana, ¿sep. u oct.?, 1910).

BALADA EN LOOR DEL "GILLES" DE WATTEAU

A la señora doña Juana de Lugones

Señora, en ese Louvre en donde
al Arte celebra su fiesta
al son de una invisible orquesta
más de un misterio azul se esconde.
¿El supremo es el que responde
al nombre de la que pintó
en Florencia floral, quien dio
a Lisa fugada su encanto?
Pudiera ser; mas, entre tanto,
saludo al *Gilles* de Watteau.
¿En dónde le he visto? ¿Al confín
de un vergel de Francia? Lo creo.
Mas, todo blanco, errar le veo
al crepúsculo del jardín...

295

Un supraterrestre violín
en sueño terrestre encantó.
Y un ensueño he tenido yo,
pasado, bello, extraordinario
en la grupa de un Sagitario,
raptado, el *Gilles* de Watteau.

Lejos, en un país que adoro,
vi a Gil, a eco de serenata,
cortar margaritas de plata
en unas montañas de oro...
Tenía un divino tesoro
que en feliz instante encontró,
buscador de lo que buscó
en alguna mina muy honda...
Mas ¿fue Rosalinda, o Gioconda?
No, que era el *Gilles* de Watteau.

Más espíritu que materia,
en su siglo azul, sangre y rosa,
albo en la *corbeille* primorosa
surgió este lirio de la feria.
Después, la testa de una Imperia
junto con su imperio cayó...
¿Lloraron sones de Rameau?
¿Quién del duelo vertió la urna?
En melancolía nocturna
pasaba el *Gilles* de Watteau.

ENVÍO

Reina de un rey por quien se inclina
el Olimpo en que oficio yo:
hay algo que el gran Louvre mina:
¡es la República Argentina
que tiene el *Gilles* de Watteau!

(París, 1911)

A "GÜICHO" *

A mi hijo muy querido,
Rubén Darío Sánchez:
que guarde mi recuerdo
y agregue algo a mi nombre.

(París, 30 de abril 1911)

---

* Estas cuatro líneas se han incluido por error entre los versos de Darío, pues no es un poemita sino una mera dedicatoria de un libro o un retrato.

EN EL ABANICO DE ATALA FIALLO

¡Atala en flor! Ama a Fabio.
Ámale profundamente
con el lirio de tu frente,
con la rosa de tu labio.

Ten para él, dulces e intactas,
fe y esperanza. Él te adora,
Tú eres lucero de aurora
y aún no ha aparecido Chactas...

SOUVENIR

A Atala Fiallo,
en un pañuelito de seda

Atala, douce fleur des bles, o douce fleur
d'adolescence, toute amour, toute douceur,
souviens-toi de ce vers que de mes lévres tombe.
— Fais dans le bois de Dieu ton devoir de colombe!

(Hamburgo, 1911).

"FIORETTI"

Una dama sale de misa.
¿Es una devota?... Quizá...
Aunque se muestra, en su sonrisa,
con un poco de Monna Lisa
un mucho de Monná Delzá.
Es una dama algo morena.
(¡Cuán lejos Manzana de Anís!).
Una parisiense agarena,
una mágica hurí del Sena,
Scheherezada de París.
La voy siguiendo, paso a paso,
desde la iglesia en que la vi,
repitiendo mi Garcilaso,
y con Musset soñando, acaso;
une Andalouse au sein bruni.
O con Théo, el sibarita,
à Mademoiselle Maupin...
La fina mano al beso invita.
En la pila de agua bendita
quedó un relente de Lubin.

297

Esa picante feligresa
¿que le diría al confesor?
¡Cuál penitencia a la diablesa
en cuya alma de silfo pesa
pecadora carga de amor!
El arrepentimiento vuela
con el deseo; y al volar,
no van a encender una vela
a Santiago de Compostela,
sino a Pau, Biarritz, o Dinard.
Y la coqueta no se aflige;
por homilía ni sermón;
y no piensa si se corrige,
mas si de Fouquières dirige
el esperado cotillón.
Rezó su oración en voz queda
cuando la absolvió el confesor;
pero después, poco se veda...
Pecaditos de rosa y seda,
¿qué mal te van a hacer, Señor?
A bailar, feligresa buena,
en el próximo cotillón;
y si el temor de errar te apena,
puedes rezar una novena
al gentil San Pascual Bailón.

(París. 1912)

A UN POETA

Te recomiendo a ti, mi poeta amigo,
que comprendas mañana mi profundo cariño,
y que escuches mi voz en la voz de mi niño,
y que aceptes la hostia en la virtud del trigo.
Sabe que, cuando muera, yo te escucho y te sigo:
que si haces bien, te aplaudo; que si haces mal, te riño;
si soy lira, te canto; si cíngulo, te ciño;
y en tu cerebro, seso, y si en tu vientre, ombligo.
Y comprende que en el don de la pura vida,
que no se puede dar manca ni dividida
para que los que creemos que hay algo supremo
yo me pongo a esperar a la esperanza ida,
y conduzco entre tanto la barca de mi vida;
Caronte es el piloto, mas yo dirijo el remo.

(Alrededor de 1912)

BALADA EN HONOR
DE EUGENIO GARZÓN

Estos versos amables van
por quien América se tasa
noblemente en la noble casa
de Calmette y Villemessant.
Bella tarea y bello afán
por quien ha sido un gran señor
conservando nuestro esplendor
y haciéndonos la vida grata;
¡para el Mosquetero del Plata,
bien viene la Legión de Honor!
    ¿Quién ha podido así juntar
— ya acuarela, o línea, o estampa —
cosas de su divina Pampa
con cosas del río y del mar?
¿Juntar, obrar y divagar
dando alegría, y esplendor,
junto al amistoso calor
que nos hace la vida grata…?
¡Para el Mosquetero del Plata,
bien viene la Legión de Honor!
    Venga el día en que se presente
para mostrar su digno rango
algún minué que sea tango
que imponga nuestro Continente.
No habrá necesidad ingente
que nos escatime un favor.
Lutecia nos amará por
lo que nuestra alma se desata:
¡Para el Mosquetero del Plata,
bien viene la Legión de Honor!
    Hijo de aquel prócer de gesta
que le dejó, con su apellido,
mayor título que ha tenido
rey de fuerza o persona honesta,
merece que esté ahora, en esta
hora de claridad y amor,
quien le repita al triunfador
con rima que le sea grata:
¡Para el Mosquetero del Plata,
bien viene la Legión de Honor!

ENVÍO

Príncipe: ahora nos delata
un antiguo y sincero amor.
¡Para el Mosquetero del Plata,
bien viene la Legión de Honor!

EL ESCUDO

Todo lo que enigmático destino
ponga de duro, o ponga de contrario
al paso del poeta peregrino:
flecha de tenebroso sagitario,
insulto de sayón, o golpe rudo,
caída en el camino del Calvario,
lo resiste quien lleva por escudo,
tranquilo y fuerte en la gloria del día
y con el sueño azul en la cabeza,
la devoción de la Alta Poesía
y de Nuestra Señora la Belleza.

(Madrid, 1912).

GALANTERÍA

¿Las mujeres argentinas?
Son divinas.
Pero las del Uruguay
...¡ay!

(Salto, Uruguay 31-VII-1912)

BALADA EN ELOGIO DEL POETA
EUGENIO DÍAZ ROMERO

Blasón de azul, rosas de plata,
rimas ricas, locuras bellas,
flauta que hace aires y querellas
como fuente que se desata.
Cosas de París y del Plata,
de trovador y caballero;
pensar sutil, decir sincero,
noble talante y alma pura:
expresaría esta figura
el poeta Díaz Romero.
Cuando, la mejilla en la mano,
como un Alfredo de Musset,

300

se asemeja a aquel hombre que
"se parece como un hermano",
se creería ligero y vano
Tenorio de talante fiero.
Él es suave Tenorio; pero
divagando en sus universos,
se pierde en musicales versos
el poeta Díaz Romero.
    Amigo de mil gratas horas,
sin falsías y sin reproches,
hemos soñado muchas noches
y vivido muchas auroras.
Díaz Romero, que atesoras
alma clara, espíritu entero,
tan delicado como austero,
y, en el fondo, un alma de niño,
siempre serás en mi cariño
el poeta Díaz Romero.

ENVÍO

    Amigo, ni esquivo ni austero
recibas esto que a tu fuero
dedico, pura y simplemente:
A mi antiguo amigo incipiente,
el poeta Díaz Romero.

(Buenos Aires, 1912)

A D'HALMAR

    Como Píndaro tiende, hacia el viento que sopla,
la vela de su nave, que es una carabela
de Cortés, por audaz, y de Constantinopla,
de París y de la India. Su palabra que vuela
    sutilmente, recuerda la más cálida copla
de España. Su ascendencia un gran misterio vela.
¡Quién sabe cuál caballo dominó su manopla!
¡Quién sabe los encantos que su sonrisa anhela!
    Encaneció muy joven; vivió su hora intensa;
ebrio de hallar su vida, por tan humana, inmensa;
y, adolescente, supo de las iras del Mar.
    Por eso, cuando muera, dirá la Fama: "¡Nunca
fue una vida tan bella, a pesar de ser trunca,
como esta del gran nómada, Don Augusto d'Halmar!"

(Madrid, 1912)

301

LA ANTORCHA QUE ESPERA

A Fernán Félix de Amador

Por ti te brindo mi calor
y por ti te brindo mi amor
cual el de Francisco de Asís;
    mi flor de lis.

Aquí se fabricó el primor
que era casi un grano de anís
cuando te confesaba el prior...
Estima esta flor de lis.

¡Maravilla de rubia esfera
en exaltación semejante!
Apreciaste lo del gigante,
y —aurora de tu cabellera—
apenas la antorcha que espera...

                 (París, ¿1913?)

LIRIOS

    Lirio cárdeno,
lirio blanco,
lirio azul...
Llaga vívida,
llorar casto,
santa luz...

                 (París, ¿1913?)

DE MALLORCA

I. – *A MICAELA MONER*

Ama lo que en la vida
es la vida de dos:
una luz encendida
por la mano de Dios.

II. – *A TONA MOYA*

Donde naciera Raimundo
Lulio, apareció una flor
que dio perfume y color
a los jardines del mundo.

III. — *A ANTONIA QUINTANA*

No valen los antojos
y toda frase es vana
delante de tus ojos.
Antoñita Quintana.

(Valldemosa, 1913)

ANTONIO DE HOYOS Y VINENT

Pueril y ampuloso, como un César romano,
la esmeralda manchando el marfil de su mano,
—tal [como] un exvoto sobre un campo de armiño—,
de Nerón tiene el vicio con el gesto de un niño.

A RICARDO PÉREZ ALFONSECA

La Gloria será tuya si tu alma retiene
lo que está en la profunda voluntad de infinito
que el Amor o el Dolor nos explica en el grito
que en el suspiro espera o que en el llanto viene.
No aguardes que el inmenso clarín de oro truene:
a las nupcias del Cielo con mis versos te invito...
¡Que en tus jardines nunca perfume lo maldito,
ni oigas al Fauno-Diablo que su siringa suene!
Pero marcha, Poeta, con tu flauta y tu lira
a donde Dios te llame y tu instinto te lleve;
y meditando en lo que la Vida te inspira,
haz tus versos de noche, haz tus versos de nieve;
dilucida en la aurora y en la tarde suspira,
con el dáctilo dúctil y con la danza leve.

(París, 1914)

ODA A LA FRANCIA *

Un viento lleno de sollozos sobre el mar impasible
llega hasta aquí. La Francia escucha grave. Pues
son las voces desoladas, el dolor terrible,
de las Hécubas que lloran, de las Américas de oro.
    Allá, en el horror y la injuria y el odio
los cazadores de la muerte han tocado el "halalí"
y soplando otra vez su venenoso aliento
se creería ver la boca de Huitzilopoxtlí.

*Se supone que el propio R. D. efectuó esta traducción literal de su poema *France-Améri-que,* escrito originariamente en francés, y que se incluye en *El Canto Errante,* después de la "Oda a Mitre" (pág. 83).

¡Pareciera que todos los demonios del pasado
acabasen de despertar, envenenando la tierra!
Si contra nosotros estandarte sangriento se ha levantado,
es el horrible estandarte de este tirano: ¡la guerra!
　Gritemos: ¡Paz!, bajo los fuegos de los combatientes en marcha.
¡La paz que anunció el alba y canta el Angelus!
¡La paz que promulgó la paloma del arca
y fue la voz del Ángel y la Cruz de Jesús!
　¡Gritemos fraternidad! Que el pájaro simbólico
sea nuncio de fraternidad en el cielo puro.
¡Que el águila se cierna sobre nuestra inmensa América,
y que el cóndor sea su hermano en el Azul...!
　Marsellesas de bronce y oro que van por el aire,
son para nuestros corazones ardientes el canto de la esperanza.
Oyendo del gallo el claro clarín,
se clama: ¡Libertad! Y nosotros traducimos: ¡Francia!
　Pues Francia será siempre nuestra esperanza,
la Francia a la América dará su mano,
Francia es la patria de nuestros ensueños. Francia
es el hogar bendito de todo el género humano.
　¡Y tú, París, maga de la Raza,
reina latina, alumbra nuestro día obscuro!
Danos el secreto que tu paso nos marca
y la fuerza del *Fluctuat nec mergitur!*
　Y cuando nos envuelve esta negra llama
que hace de nuestros espíritus los iguales de Caín,
levantamos nuestras miradas y calentamos nuestras almas
al sol de Voltaire y de Víctor Hugo.

RONDÓ VAGO

Empezando a obscurecer
me introduje en tu jardín...
Soledad, silencio, calma.
¿Dónde estará Noemí?

Tal pensé. Por la calleja
enarenada interné
mi paso. En la escalinata
de piedra rugió un lebrel.

Hubiera avanzado más,
mas temeroso volví,
calló de nuevo el lebrel,
quedó en silencio el jardín.

¿Dónde estará la princesa
de mis sueños?, cavilé,
fui a mirarla y recibióme
el rugido del lebrel.

304

PARA LOLA

Lola, la buena jardinera y hortelana,
para el Amado encuentra en su huerto la miel;
y le ofrece la rosa, el lirio y la manzana,
y le riega con agua de su amor el laurel.
    Y así, él anda loco del amor de la lira
y del amor de amar a la más adorada.
Por ella canta, sueña, y se encanta, y delira
con un bajel de luz, a la vela en la rada.
    Como ella está en su corazón, va su presencia
animado el brotar de lises interiores,
y de rosas, que están suprimiendo la ausencia
por milagro sutil de las mágicas flores.
    Y eco y perfume son una sola armonía
para el alma del Príncipe, que jamás está sola:
que el ruiseñor de noche y la alondra en el día,
le juntan cielo y tierra con este nombre: ¡Lola!

ROSITA SOTOMAYOR

Rosita Sotomayor,
que tienes nombre de flor
y que flor de amores eres
entre todas las mujeres
del ardoroso Ecuador.
    —"En esos floridos lares,
(le pregunté a un trovador),
entre rosas y azahares,
dice, ¿cuál es la mejor?"
Y me contestó Pallares:
"Rosita Sotomayor".
¿Cómo será tu fragancia,
que la siento a la distancia?
Por tu encanto encantador
yo me quisiera ir de Francia
por el próximo vapor.
    Si "De las cosas que has visto",
me autorizara el Señor,
"pide una a tu Creador",
le respondería, listo
    —"Señor mío Jesucristo,
¡Rosita Sotomayor!"

305

SEFARDÍ

I

¡Benditos seáis los odiados,
los tremebundos maldecidos,
los eternos vencidos y eternos desterrados,
en pasajeras cuevas y trashumantes nidos!
¡Benditos, oh judíos, desterrados de España!

II

Dueños del oro y del trabajo,
fuisteis los proveedores de ruecas e incensarios;
os pidieron favores los hidalgos precarios,
dominasteis arriba y ayudasteis abajo.

III

En el nombre del Desollado
y atrozmente Crucificado
por quien fue judío malvado,
consagro estos versos de bien
a quien es ignorado, y quien
con Dios será un día también.

IV

Divinos ojos, divinas bocas,
de las Rebecas y de las Saras,
cándidos velos y negras tocas,
perfumes, cuentas, sonrisas raras;
gestos esquivos y caprichosas
cosas de esas mujeres avaras
de las rosas
de sus caras,
y dueñas, en sus ojos, de una luz infinita,
que hace mirar profundos horizontes,
y con fuga de barcos y visiones de montes
la gente misteriosa de la raza semita.

"HÉLAS!"

Éste era un pobre pequeño poeta,
amamantado en París,
   hélas!,
amamantado en París,
con oro, azul y violeta
   hélas!,
y leche de flor de lis.
   Iba ahíto de blasfemia,
relleno de Lucifer,
   hélas!,
relleno de Lucifer;
hijo del Rey de Bohemia,
   hélas!
y de Niní *Patte-en-l'air...*

EXTRAVAGANCIAS

I

Hermano: estoy enfermo de un mal solemne y grave
que me es desconocido. Alguien dice que sabe
a ciertas convulsiones de la vida moderna.
Es como sed de luz; y quiero una linterna
que me guíe al ignoto remedio de mis males,
y así sanaré solo, ya que no hay hospitales
ni médicos que sepan algo de mi pereza,
de mi *spleen*, de mis ansias.
           En fin, no sé qué es esa
locura que me envuelve;
mi mente piensa mucho, pero nada resuelve
acerca del remedio que necesito, hermano,
para tomar el tren hacia lo arcano,
sano...

II

Mi amada era muy bella. Mi amada dulcemente
dormía entre los cirios, y su pálida frente
me hizo soñar el sueño de la transformación
que haría en su carne túrgida la flor en el panteón.
Las flores tienen ese vago perfume incierto
como si ellas guardaran la vida del que ha muerto;
y en la hora del Angelus con cierta vaga unción,
en medio del jardín yo me arrodillo y rezo
por mi novia muy bella que es flor desde aquel día
por la amada muy bella de la filosofía.

Mi amada era muy bella. Tenía los efluvios
de los rayos del sol en sus cabellos rubios,
y eran sus ojos como dos jirones perdidos
del cielo azul, y eran profundos y adormidos.

Mi amada dulcemente dormía entre los cirios
con sus dos manecitas como dos blancos lirios,
y había en el misterio de la cámara fría
un pensamiento errante de mi filosofía.

Yo recordé las noches misteriosas en que una
lánguida y apacible claridad de la luna
penetraba a mi alcoba, rompiendo los cristales,
que escribía el Poeta.
                      Cuando ella, dulce y queda,
le brindaba sus mieles con sus labios de seda.

Y recordé las tardes de crepúsculos rojos
que variaron el vino de mi amor en sus ojos,
en donde yo soñaba, borracho hasta la muerte,
mis locas ilusiones que ha tornado la suerte.

La selva obscura y pálida de la cita postrera,
tenía formas vagas de una horrible quimera;
también la vio en mis brazos y oyó, porque sabía
los secretos guardados de aquella novia mía
que transformó en eterna su tornátil belleza,
durmiendo el sueño largo de la Naturaleza.

III

Éste es mi mal, hermano. Una pasión terrible
por todo lo que piso y lo que es perceptible,
por todo lo que tiene de mi muerta querida
la tierra que la guarda y que vive de vida.

¡Dicen que soy un loco, nostálgico de amores,
que en copas de alegría se bebe sus dolores
tras la forma confusa de un deseo imposible,
que va cantando notas de ritmos indecibles!...

Éste es mi mal, hermano. Y busco la armonía
para aquellos que sufren de la melancolía,
porque mi amada era romántica, argentina,
y eran sus ojos claros mi fuente cristalina.

IV

Oye tú, caminante:
sube la cuesta,
y un cántico triunfante,
sabor a fiesta,
quiero oír de tu boca.

308

¡Rompe la roca
y prepara caminos,
para que siembren flores
los peregrinos
que vienen tras de ti
cantando amores!...
¡Por allá y por aquí
sube la cuesta,
cantando tus canciones
sabor a fiesta!

V

La vida será bella cuando el Mundo
sea un canto de rítmica armonía
que se cante triunfante en el profundo
abismo que separa todavía!...

AGUAS CLARAS

Tengo una sed inagotable. Siento
arder las alas de mi pensamiento
en un foco de luz incomprensible,
vagamente visible...
Tengo una sed inagotable. Ansío
incondicionalmente mi albedrío
para volar a otras regiones raras
en busca de aguas claras...
Tengo una sed inagotable. Quiero
las aguas milagrosas de un estero,
para bañarme en alma y fantasía
de dulce poesía.

"¿Sientes? ¿Ansías? ¿Quieres de unas tierras ignotas
beber las aguas claras de las vertientes rotas?",
— dijo la Vida —. Tienes amor y sentimiento;
llevas un corazón que tiene movimiento...
Bebe las aguas claras que buscas en ti mismo
y en tus tierras las bebe... Y canta tu idealismo
al ritmo de las notas, heroicas y triunfales,
del escuadrón que forman las Amazonas Reales...
"Diz que son tuyas todas las gentilezas de una
muñequitaa que tiene como ojos dos lagunas
profundas de aguas claras... Que tiene labios rojos
que a tu glotonería acusan de despojos... "

"Las gentilezas de una muñequita pagana
diz que te pertenecen, con sus formas profanas
coronadas por hebras de un dorado arrebol,
como si allí guardara una lluvia de sol... "

Dijo el Poeta: "Tengo mucho más todavía:
mis tierras, mi casita... Una casita mía
que da sombra a la amada, que guarda a mis hermanos,
y un jardín con las flores que cultivan mis manos...
Pero eso no me basta... Me siento comprimido
en un Reino Exterior tan corto y reducido... "

A TRAVÉS DEL ERIAL *

Fue en un día de flores. El sol de Primavera
sobre la madre Tierra, suelta la cabellera.
Cabe la blanca cuna en que el niño lloraba,
la madre cariñosa sus rosas enjugaba
y con mirada intensa, los ojos en los ojos,
leía el porvenir... "¡Oro, copa y abrojos!..."
    ¡Fue dulce aquella historia!...
Sus alas parpadean en mí bellas memorias...
Era yo el señorito del caserón vetusto
que hoy ha dejado en ruinas el largo tiempo adusto...

    ¡Es otra Primavera!...
Me llenó de ilusiones la bordada pradera
donde bebí la copa dorada del ensueño;
y mientras me embriagaba, cien gotas de beleño
con carcajada irónica le derramó Satán...
¡Parecían de oro los becerros de Pan!...
    La Ambición ocupaba un altar en el centro,
la Envidia prosternada le ofrecía el incienso,
y oraban en el templo, pleno de bote en bote,
los hombres..., las mujeres...
                    Afuera, Don Quijote
deshacía su queja, lánguida y funeraria,
porque Sancho quería volver a Barataria.
    "Oremos —me dijo Ella —: es el altar del Mundo;
oremos —me dijeron— sin perder un segundo
es el altar del hombre... " ¡Y yo no quise orar
y me fui por la vía de sangre y batallar!

---

* Este poema es, con seguridad, apócrifo. Quizás, alguna traducción efectuada por R. D., y que se agregó a la edición póstuma de *El Canto Errante* (1922). Lo mismo se dice de los dos poemas anteriores, que nada tienen de estilo dariano.

Y Ella... La pobre niña... La de los labios rojos,
tomó la alegre ruta con su copa de abrojos,
de dulzura infinita. Amaba al Egoísmo;
amaba los placeres de luz en el abismo.
    Llegó la negra noche. ¿Dónde estaba el camino?
Un viejo me guiaba. —"¿Quién eres?" —"¡El Destino!"
—¡Huye, viejo tremendo, de gesto fatalista!
¿Por qué tiendes un velo tan negro ante mi vista?"
    Hoy estaba la vía desierta y polvorienta,
resguardada de espectros y de esperanzas muertas.
    Triste la agreste selva. Y me hallaba perdido.
Ni una ave solitaria colgaba allí su nido...
¡Virgilio!... ¡Gran Virgilio que guiabas al Dante!
¿Dónde estará el camino del pobre caminante?
¡Beatriz! La dulce amada de un grave Pensamiento,
¿consumirá mi vida el cruel presentimiento?...
    ¿Por qué mojan mis labios sólo Melancolías
que corren hasta mi alma como corrientes frías?...

    Perdió la agreste selva su aspecto solitario
y yo me vi rodeado de un grupo estrafalario
que entonaba canciones profanas al Dios Mal,
desgranando los ritmos de un concierto infernal.
Iban Ninfas desnudas, palpitantes los senos,
con Sátiros sedientos de embriagueces con cienos,
que llevaban las copas llenas de tentaciones,
de carne y de ironía... Lloraban los Perdones
porque sólo les daban hipócrita falsía...
¡Porque sus blancas togas estaban carcomidas!
    En el calor profundo de una hoguera esplendente,
el hielo de la Vida entraba su corriente
y el Amor perecía... Cantaba triste el coro...
¡El amor se secaba!... ¡Era corriente de oro!...
    Parecía un teatro... ¡y yo vi muchas cosas!...
Un cementerio grande con millares de losas;
en el frontis escrito: "Ideal y Esperanza,
caminante, murieron... ¡En mis tumbas descansan!"

    —"Alma joven, no llores.... Sigue el camino, espera;
tus muertos resucitan... Sigue la carretera;
por aquí va tu senda —dijo la Virgen bella—.
Yo soy Pasión y vengo a mostrarte la estrella.
La Vida es el Mesías... Ofrécele, Rey Mago,
el tesoro del arpa... Quema, sobre el estrago,
la mirra de las cuerdas que tus dedos vibraron...
¡Sólo el esclavo llora las penas que pasaron!...

EPÍLOGO

Canta la Fe... La Vida... Ideal y Esperanza...
La Juventud ensueño de Dolor y Bonanza...
¡Y el castillo que tiene cimientos de Quimera,
lo hace eterno la eterna canción de Primavera!

"PARA IR AL AZUL..."

Para ir al azul do van las bandolinas,
hay que pensar y hacer y bregar y soñar,
salpicándose con las espumas del mar
de tempestades infernales y divinas.
De mi triste corona, ¿cuántas son las espinas?
Pues, una a una, apenas me las puedo arrancar.
Recuerdas mis confianzas, pues las ruges, ¡oh mar!
¡Y recuerdas mis penas, ruiseñor, pues las trinas!
Voz de fuerza o dulzura en la gloria del día,
bajo los vastos cielos, sobre los oceanos,
inclinemos la frente ante la Poesía.
Dejémonos de palabras y gestos vanos;
y puesto que el instante es bueno todavía,
¡levantemos los ojos y juntemos las manos!

FLOR DE LUZ

Apareció mi alma como de la corola
de un lirio. Ella sabía estar desnuda y sola.
Sola, como el agua, o en el viento. Ligera,
transparente, sutil, maravillosa. Era
como una divina flor de luz, o un divino
pájaro que en el aire acaba de nacer.
No sabía ni oír, ni ver, ni comprender;
y aún no sabía adónde iba,
ni lo que era materia aquí abajo, ni arriba...

"CUANDO LLEGUE LA HORA... "

Cuando llegue la hora
divina y protectora
de la suprema aurora
y del naranjo en flor,
[a tus nobles empeños]*
Dios dé instantes risueños:
Dios consagre tus sueños,
Dios bendiga tu amor.

"HE CONOCIDO REINAS..."

He conocido reinas magníficas y ufanas;
mas nada iguala en garbo, finura y gentileza
a las maravillosas reinas americanas
que tienen la más bella corona en su cabeza.
Así, la egregia dama rodeada de aureolas
que quiso Dios brindarle, dorando su destino,
acepte este perfume de flores españolas
que le ofrece un errante poeta peregrino.

"APROVECHAD LA HORA..."

Aprovechad la hora, el minuto, el segundo.
Infundid vuestra vida en la vida del mundo.
No le déis una cita al triunfo o al renombre:
¡id como el gato al rato, o como el león al hombre!

"DON ESTATUA, DON TÍTULO..."

Don Estatua, Don Título, Monseñor Gacetilla,
— proyectos de una cosa que no será jamás — ,
¡cesad de ser! Sois fuego fatuo que aún no brilla
O más bien: ¡no seáis!

---

*Este verso ha sido agregado por A. Méndez Plancarte, pues faltaba en *El Gráfico* (Managua), donde se publicó el 10 de febrero de 1929, como poesía inédita, junto con la siguiente.

CANTARES

I

Te quiero como eres, taciturno,
con tu huraña altivez de incomprendido,
y oigo tu voz como un cantar nocturno
en el silencio del jardín florido.

II

Siempre el mismo cielo
azul o nublado,
los mismos caminos
ásperos o llanos;
    las mismas ciudades
con los mismos amos,
con sus mismos necios
y sus mismos sabios.

III

Vendrán otros ruiseñores
mi primavera a alegrar;
pero aquél, muerto entre flores,
jamás volverá a cantar.

IV

El león conoce su presa;
más la leona que el león.
Hembra y leona iguales son:
la que desgarra y la que besa.

V

¡Miseria de no ser más
que continuación errante
de los que van adelante
y los que vienen atrás!

LA LORA

Un indio que pasaba, débil, triste y enclenque,
cerca de donde existen las ruinas de Palenque,
se detuvo un instante a beber agua, cuando
apareció en un árbol una lora parlando.
    Y le dijo:
        "Indio triste: soy el águila amable;
yo sé cuál es tu condición de miserable,
desde el instante en que puso Dios en mis ojos
rayos que son obscuros, amarillos y rojos.
    Pudiera ser violenta y producir acíbar
o iniciar como símbolo mis aceros de buitre,
si no hubiera, en lo ignoto el alma de Bolívar,
de San Martín la hazaña y la obra de Mitre.
    Soy todo lo que canta, soy todo lo que gime;
como el quetzal, mi hermano, pájaro eterno soy:
soy el águila verde, pacífica y sublime,
que trae de lo antiguo las verdades de hoy.
    Mas lo que hace mi angustia entre los animales
es la virtud suprema que Deméter me ha dado,
la ritual vestidura de mis alas reales
y lo que Pan pronuncia por mi pico encorvado.
    Ridícula y extraña, tengo ansias del momento
en que Flaubert miraba mi victoria inmortal,
pero con más alcurnia, para mi pensamiento
de mensajera sacra y ave providencial..."

DEL AMOR

La mujer es a la vez
principio, savia y perfume.

El hombre que no ama, es incompleto.

CANTO TRUNCO A BOLÍVAR

¡Oh, tú, a quien Dios dio todas las alas
con tu condición de cortarlas...!,
¡Oh, tú, proto-Cóndor de nuestras montañas!
Yo te saludo con el alma en alegría,
en alegría, en fuego y esperanza;
pues tu palabra alcanza
a un próximo futuro.
    ¡Tu voz de Dios, hirió la pared de lo obscuro!...

315

PAX*

Io vo gridando pace, pace, pace!
Así clamaba el italiano,**
así voy gritando yo ahora:
"Alma en el alma, mano en la mano",
a los países de la Aurora...
En sangre y en llanto está la tierra antigua.
La Muerte, cautelosa, o abrasante, o ambigua,
pasa sobre las huellas
del Cristo de pies sonrosados
que regó lágrimas y estrellas.
La humanidad, inquieta,
ve la muerte de un Papa y el nacer de un cometa
como en el año mil.
Y ve una nueva Torre de Babel
desmoronarse en hoguera crüel,
al estampido del cañón y del fusil.
Matribus detestata! Madre alegra
a quien el ronco ruido legara
de los leones; Palas,
odiosa a las dulces mejillas,
puesto que das las flechas y las balas,
¡abominada seas
por los corrientes siglos y fugaces edades,
porque, a pesar de todo, tus fuertes potestades
sucumbirán al trueno de oro de las ideas!
Amontonad las bibliotecas,
poblad las pinacotecas
con los prodigios del pincel
y del buril y del cincel.

* Esta composición fue leída por el poeta en febrero de 1915, en la Universidad de Colum-bia, Nueva York. Antes de darle lectura, dijo: "Señoras, señores: Voy a dar lectura a un poema de Paz, en medio de tantos ecos de guerra. Encontraréis en él un marcado carácter religioso, lo cual queda bien en este inmenso país, que a pesar de sus vastas conquistas prácticas y de su constante lucha material, es el único en el mundo que tiene un "Thanksgiving Day". Sé que para algunas gentes, como decía el famoso M. de Buloz, director de la *Revue des Deux Mondes*, Dios no es de actualidad. Yo creo, sin embargo, en el dios que anima a las naciones trabajadoras, y no en el que invocan los conquistadores de pueblos y destructores de vidas, Atila, Dios and Company Limited. A medida que la ciencia avanza, el gran misterio aparece más impenetrable, pero más innegable. Un Poincaré, un William James y un Bergson, son los "pioners" del infinito. En cuanto a un ambiente de eternidad, Edgard Poe, que solamente ha escrito una o dos veces en toda su vida el nombre de Cristo, adopta una definición de Dios tomada de Granwill, quien seguramente recordó a Santo Tomás: Dios no es sino una gran Voluntad que penetra todas las cosas por la naturaleza de su intensidad... Yo creo en ese Dios. He aquí el poema que voy a tener la honra de leeros".

** Alude a Petrarca.

Haced la evocación de Homero, Vinci, Dante,
para que vean el
espectáculo cruel
desde el principio hasta el fin:
la quijada del rumiante
en la mano de Caín
sobre la frente de Abel.
Pero el misterio vendrá,
vencedor y envuelto en fuego,
más formidable que lo que dirá
la épica india y el drama griego.
Y nuestro siglo eléctrico y ensimismado,
entre fulgurantes destellos,
verá surgir a Aquel que fue anunciado
por Juan el de suaves cabellos.
Todo lo que está anunciado
en el Gran Libro han de ver las naciones,
ciegas a Dios, que a Dios invocan en preñado
tiempo de odios y angustias y de ambiciones.
Y lo que Malaquías el vidente
vio en la Edad Media, "enorme y delicada"
—según dice Verlaine— verá la gente,
hoy en sangre deshecha y desastrada.
Se grita: ¡Guerra santa!
acercando el puñal a la garganta
o sacando la espada de la vaina;
y en el nombre de Dios,
casas de Dios de Reims y de Lovaina
las derrumba el obús cuarenta y dos...
¡No, reyes!... Que la guerra es infernal, es cierto;
cierto que duerme un lobo
en el alma fatal del adanida;
mas también Jesucristo no está muerto,
y contra el homicidio, el odio, el robo,
¡Él es la Luz, el Camino y la Vida!
Hohenzollern: está sobre tu frente
un águila de oro.
Yo recuerdo el poema del Vidente
de Francia, el vivo cántico sonoro
en donde la justicia al bronce intima...
Dios, está sobre todo; y en la cima
de las montañas de la gloria humana,
de pronto un ángel formidable anima
la testa loca del divino trueno,
y de las urnas de las sombras mana

317

lluvia de llama y lluvia de veneno;
y Abbadón, Appollión, Exterminanos —que es el mismo—
surge de entre las páginas del Libro del Abismo.
Emperadores, Reyes, Presidentes: La hora
llegará de la Aurora.
Pasarán las visiones de Durero,
pasarán de Callot los lansquenetes,
los horrores de Goya el visionario;
en la memoria amarga de la tierra.
Pasará de la guerra el tigre fiero.
se olvidarán obuses y mosquetes,
y ante la sacra sangre del Calvario
se acabarán las sangres de la guerra.
   Púrguese por el fuego
y por el terremoto
y por la tempestad
ese planeta ciego,
por los astros ignoto
como su pasajera Humanidad.
Y puesto que es preciso,
vengan a purgar este
planeta de maldad
con la guerra, la peste
y el hambre, mensajeras de Verdad.
De la Verdad que hace secar las fuentes.
y en la gehenna rechinar los dientes.
   Si la Paz no es posible, que como en Isaías
las ciudades revienten;
que sean de tinieblas las noches y los días;
que las almas que sienten
soplos de Dios, duerman sueño profundo
mientras que se desangra y se deshace el mundo...
Y que cuando del apocalíptico enigma
surja el caballo blanco, con resplandor y estigma,
los únicos que se hundan en la santa Verdad
sean los puros hombres de buena voluntad,
que entre las zarzas ásperas de este vivir han visto
las huellas de los pasos de Nuestro Padre Cristo.
   ¡Ah, cuán feliz el demonio perverso!
Odio imperante en todo el universo,
odio en el mar y debajo del mar;
odio en la tierra firme y en el viento,
y sangre y sangre que pueda llegar
a salpicar el mismo firmamento.

Se animaron de fuego y de electricidad
los Behemotes y Leviatanes.
En la bíblica inmensidad
no vieron más los Isaías y los Juanes.

Cual Baltasar o Darío, Guillermo
mira con ojo enfermo
de visiones de siglos
un gran tropel de espantables vestiglos.
Y el casco que lo cubre,
la capa que le viste,
bajo el blancor de la nieve insalubre,
y el bigote erizado,
y el aspecto cesáreo y el aire de soldado,
y toda esa potencia, tiene algo de triste.

Y al llegar las ternuras de Noël,
Santa Claus, el que viene a la cuna del niño,
tuvo que recoger su túnica de armiño
por no mancharse de tanta sangre y tanta hiel.

Era en mil ochocientos setenta,
Francia ardía en su guerra crüenta.
Hugo en versos soberbios lo cuenta.

Y París, la divina, en su pena,
a las fiestas usuales ajena,
sólo sombra ve en su Nochebuena.

Y era el sitio, y el hambre, y la furia,
y el espanto, y el odio, y la injuria.
Todo muerte, o incendio, o lujuria.

En un lado del Sena, está lista
la tremenda alemana conquista;
y en el otro, la Francia imprevista.

Dan las doce —la mágica hora
que presagia una mística aurora—
las campanas de Nuestra Señora.

Y en la orilla izquierda del Sena,
en la sombra nocturna resuena
un *noël* de ritual Nochebuena.

Un silencio. Y después, noble, austero,
contestó aquel ejército fiero
con un grave coral de Lutero.

Y en la noche profunda de guerra,
Jesucristo, que el odio destierra,
por el canto echó el mal de la tierra.

¿No habrá alguno de raza más joven
que, rompiendo a la guerra su yugo,

319

pueda unir el poder de Beethoven
con el canto que dio Víctor Hugo?
Vivat Gallia Regina! Vivat Germania Mater!
Esta salutación, que al gran lírico plugo,
¿hace arder esa selva, y rugir ese cráter,
y al ángel de la paz lo convierte en verdugo?

Si la princesa austríaca destroza su abanico,
Guillermo en sus palacios entroniza a Watteau,
y sabe que la flauta del Grande Federico
aún ignoraba el triste *requiem* de Waterloo.

Mas hay que juzgar siempre, que si es dura la lucha
del tigre, del león, del águila en su vuelo;
si los hombres guerrean, es porque nadie escucha
los clarines de paz que suenan en el cielo.

Krupp hace el crudo espanto que a Thánatos alegra:
pero el de Asís fue pasmo que al Bajísimo enoja
Húsares de la Muerte deben llevar cruz negra,
mientras las dulces gentes de amor llevan cruz roja.

¡Oh pueblos nuestros! ¡Oh pueblos nuestros! Juntaos
en la esperanza y en el trabajo y la paz.
No busquéis las tinieblas, no persigáis el caos,
y no reguéis con sangre nuestra tierra feraz.

Ya lucharon bastante los antiguos abuelos
por Patria y Libertad, y un glorioso clarín
clama a través del tiempo, debajo de los cielos,
Washington y Bolívar, Hidalgo y San Martín.

Ved el ejemplo amargo de la Europa deshecha
ved las trincheras fúnebres, las tierras sanguinosas;
y la Piedad y el Duelo sollozando los dos.
No; no dejéis al odio que dispare su flecha,
llevad a los altares de la paz miel y rosas.
Paz a la inmensa América. Paz en nombre de Dios.

Y pues aquí está el foco de una cultura nueva,
que sus principios lleve desde el Norte hasta el Sur,
hagamos la Unión viva que el nuevo triunfo lleva;
The Star Spangled Banner, con el blanco y azul...

SECUENCIA A NUESTRA SEÑORA

(FRAGMENTO)

A tu planta soberana
calló la luna pagana
de la frente de Dïana.

. . . .

¡Rosas para tu rosario!
¡Luces para tu santuario!
¡Llamas para tu incensario!

EN EL ÁLBUM DE MRS. HUNTINGTON

(FRAGMENTO)

Señora: las flores consuelan
cuando sus encantos ofrecen
a las almas que se entristecen
y a las mariposas que vuelan.
En el jardín, en un delirio,
al erguirse Eva esplendorosa,
"Mi emperatriz!", exclamó el lirio,
y "¡Mi reina!", dijo la rosa.

. . . .

(Nueva York, 1915)

AXIOMA

En el álbum de una señorita
nicaragüense

Este axioma a toda hora habrás de meditar
— La ciencia de vivir es el arte de amar.

(1915)

321

"MATER ADMIRABILIS"

A Manuel Estrada Cabrera

La que llegó, te dijo: "Hijo mío, esto es Bien
y esto es Mal", señalándote la tiniebla y la luz.
Te señaló la gloria del establo: Belén,
y te enseñó el objeto de los puros: la Cruz.

Mas también te mostró a Palas con su lanza,
cuando ya llevaba ella con sus siete puñales
el fiel que te indicaba la celeste balanza,
y es dar al Bien sus bienes, y es dar al Mal sus males.

Que desde la región donde está, la Señora
mantenga por tu suerte una estrella encendida,
y porque en el paisaje pinte una nueva aurora
la cola del Quetzal que impone nueva vida.

(Guatemala, 21 de agosto de 1915).

MARIPOSA

Niña de mi risueña tierra cálida
ya no eres la crisálida:
eres la mariposa
que pasea sus galas
        con dos alas
que parecen dos pétalos de rosa.

A UNA MEJICANA

En su álbum

Mejicanita preciosa:
que te den luz y armonía
el Cisne —la Poesía,
y Psiquis—, la Mariposa...
Que te den su aroma las
rosas del sueño, querida...
No te despierte jamás
la realidad de la vida.
Si algún instante crüel
amenaza tu ilusión,
busca un poquito de miel
dentro de tu corazón.

(Nueva York, 1915)

322

DIVAGACIONES

Mis ojos espantos han visto,
tal ha sido mi triste suerte;
cual la de mi Señor Jesucristo,
mi alma está triste hasta la muerte.
Hombre malvado y hombre listo
en mi enemigo se convierte;
cual la de mi Señor Jesucristo,
mi alma está triste hasta la muerte.
Desde que soy, desde que existo,
mi pobre alma armonías vierte.
Cual la de mi Señor Jesucristo,
mi alma está triste hasta la muerte.

(1916)

12

TRADUCCIONES

La historia de su corazón es plural en dos sentidos: por el número de mujeres amadas y por la fascinación que experimenta ante la pluralidad cósmica. Para el poeta platónico la aprobación de la realidad es un paulatino tránsito de lo vario a lo uno; el amor consiste en la progresiva desaparición de la aparente heterogeneidad del universo. Darío siente esa heterogeneidad como la prueba o manifestación de la unidad: cada forma es un mundo complejo y simultáneamente es parte de la totalidad. La unidad no es una; es un universo de universos, movido por la gravitación erótica: el instinto, la pasión. El erotismo de Darío es una visión mágica del mundo.

OCTAVIO PAZ

Cuadrivio (México, 1965)

A pesar del tiempo transcurrido desde que la muerte impuso silencio a su voz, la música de Rubén Darío sigue vibrando en los aires del mundo hispano con plenitud de tono, como música cósmica que anula a todas las demás. Su verso recoge entre nosotros —españoles y americanos— todo el sentido de la armonía. Cuanto nos suena musical en otros poetas procede de su lira, es un dejo suyo que nos lleva a él. Sólo las disonancias eluden su feudo y logran originalidad en una inarmonía que responde al moderno ritmo roto de las bocinas y los *claxons*. Pero la lira, lo que se llama lira, ese instrumento clásico, que ya va siendo trofeo arqueológico, como la máscara de la tragedia que aún rutinariamente decora nuestra escena, la lira de Horacio y de Hugo es su exclusivo atributo y parece haber sido enterrada con él. Rubén Darío es el último poeta rico y pleno que hemos tenido, el último artista del verso en el sentido lujoso de la palabra, el último lírico que nos hace pensar en un reino poético, más bien en un imperio magnífico y fuerte, en el que Víctor Hugo, con sus barbas floridas, parece un Carlomagno.

RAFAEL CANSINOS ASSENS

El Poseído del "Deus"

326

LA ENTRADA EN JERUSALÉN*

(De El Fin de Satán, *de Victor Hugo.)*

Así es como cantaba, ante el cielo que brilla,
el joven alternando con la joven sencilla,
un gran coro de niños del pueblo Bethphagé.
A otro lado de un valle en bruma sumergido,
vense elevadas torres; un muro emblanquecido,
una puerta se alza: y allí Jerusalén.
El incienso que el alba trae, los soplos puros,
las flores que despiertan en los bosques obscuros,
rayos de sol, se juntan de voces al clamor.
Un aldo es del tranquilo sendero de la aldea,
fuera, cerca del límite do la señal blanquea
que indica al caminante la vereda mejor.
Todos buscan los campos y se encuentran en ellos.
La yerba reverdece; del alba los destellos
iluminan el prado; y el amor dice así:
—"Tregua al trabajo austero". Las hembras a seguida,
en tierra depusieron el ánfora pulida
y entreabrieron, cantando, sus labios de rubí.
Entre tanto, los pájaros modulaban los trinos
del Edén, armoniosos, apacibles, divinos;
una abuela reía de una choza al umbral;
tres rudos labradores de faz al sol curtida,
con cabos de guadañas, la tierra ennegrecida
batían en pausado y rítmico compás.
Las vírgenes garridas de frente pudorosa
como una lis perfecta, su vista vagarosa,
su boca que medio abre sutil respiración,
un brillo misterioso sobre sus lindos ojos,
y jadeantes suspiros entre sus labios rojos,
el horizonte vían en vaga expectación.
De repente, en el punto que el femenino coro
entona en la floresta su cántico sonoro,
el himno que le inspira su ardiente corazón,
las notas moduladas por sus divinas voces
que marcan las cadencias agrestes de las hoces,
alguien habló de súbito: Dijo: "¡oíd! ¡Atención!"

* Publicado en *La Época*, de Santiago, Chile, el 15 de septiembre de 1886.

Las jóvenes, tocando
con el dedo la boca, de repente
se detuvieron todas, escuchando
tras la colina que se abrasa cuando
relumbra el día ardiente.
Y así, en quietud y calma,
oyeron otras voces que cantaban,
dulces como de alma.
Y oyeron que las voces exclamaban:
— "He aquí que el Bien-Amado
a quien veréis, mujeres,
hoy pasa por aquí. Le conducimos.
¡Gloria al Ser de los Seres!
Hoy nos ha consagrado
el triunfo, compañeros. Le seguimos.
La Luz sagrada y bella
nos deja que marchemos en pos de ella.
Y nosotros llevamos al Maestro
a su pueblo fiel. ¡Salve, bien nuestro!

He aquí al Bien-amado
de las almas; el Ser dulce y clemente,
en quien la gran estrella ha derramado
su luz resplandeciente.
Todo poder y majestad suprema
forman su gran diadema.
Podría fulminar rayos y truenos;
quiere el amor de corazones buenos.
A Raquel afligida ha consolado
y a Sara ha levantado.

Él avanza derecho a sus destinos
entre paz y ventura,
como un ramo de mirra perfumado
entre dos senos santos y divinos.
Su cetro que fulgura,
con su rayo fecundo
de fuerza omnipotente,
los restos deshará del viejo mundo
feroz, do se retuerce la serpiente.

Su nombre celestial que el pecho inflama
es como óleo sutil que se derrama.
Y sobre su cabeza
el ángel se extasía en su pureza.
Y el cielo en su bonanza
es un murmurio inmenso de alabanza.
Porque Él es más glorioso
que Alejandro, y más pulcro

que Salomón, quien en el gran reposo
tiene una flor de lis en su sepulcro.
    Es su campo la tierra soberana;
su ley en los espíritus impera.
Él viene a deshacer la horrible y fiera
noche que flota sobre el alma humana.
Hará retroceder la hidra triunfante
y transfigurará toda la tierra.
Al ver su luz brillante
que las sombras destierra,
su mano vencedora
que amor y paz inspira,
el abismo le mira
y le aplaude la aurora.
    Del león el rugido
y de la loba el grito áspero y duro;
el odio comprimido
del corazón impuro;
el iracundo que feroz y acedo
con cólera violenta
la piedra alza y avienta;
el ímpetu viciado,
la guerra, calmarán ante su dedo
al azul firmamento enderezado.
    Amparo y luz del hombre,
ante su inmensidad en honda tumba
Moloch se desmorona, se derrumba;
porque es sin tacha, límite ni nombre.
Si fija en el azul su ojo bendito
el mal desaparece en lo infinito.
Sombra son si lo ve su ojo sagrado
los carros de Faraón el poderoso.
Porque es muy más radioso
que Nemrod exaltado.
    Él brilla más que Ammón, quien en su abono
guarda toda delicia en su retrete,
y quien tiene por trono
el centro de un banquete.
Él sobrepuja a Ciro el denodado,
de pie en la gran columna que éste huella.
¡Oh pueblo, el Bien-amado
tiene por alma claridad de estrella!
    Es un Rey, más que un Rey. Es el sublime
Conquistador, el puro, el verdadero,
el grande, el que redime,
el que por todos lucha.

329

Desde el cielo en que gira
el alto sol le mira;
y el humano le escucha".
    Entonces se advirtió por el camino
un Hombre que venía en un pollino.
Al mirar a aquel Hombre,
repetían su nombre.
Era el mismo quien viera
Sadoch, desde la altura
del templo, discurrir la otra semana
triste y meditabundo,
y a quien entonce hiriera
la oreja santa y pura,
de su cólera insana
con un grito iracundo.
    Tenía los cabellos
sobre la frente en crenchas divididos.
En círculos armónicos y bellos
trenzando danzas, con bullicio y ruidos
le seguían mujeres sonrientes
cubiertas de mil ramos florecidos.
Los infantes llevaban en las manos
ramas verdes y frescas, bienolientes,
y capullos lozanos;
y de todos lugares,
de los campos, las chozas y palmares,
de los bosques obscuros,
y de Jerusalén, de cuyos muros
la mole se veía,
la multitud salía,
toda alegre, feliz, confusamente.
    Y le seguía, fuera de su techo,
con rostro sonriente
la joven madre, y le mostraba ufana
a su niño de pecho.
Y los abuelos de cabeza cana
así de trecho en trecho
repetían: ¡Hosanna!
Otros soplaban rústicos braseros
donde echaban perfumes,
a guisa de dorados pebeteros.
Y Él andaba apacible, dulce y serio,
con la tranquila calma del misterio.
    Y al pronunciar su nombre
esos hombres loaban a ese Hombre.
Y extendían la pobre vestidura

en medio del camino
a la cabalgadura
de Aquel a quien loaban de contino.
De pedazos de púrpura formaban
banderas que llevaban
a la cabeza del cortejo hermoso;
y en eco jubiloso
se escuchaba este grito repetido:
—"¡Que Dios Padre proteja al Bienvenido!
¡A Él gloria y loores!
Porque es el que ha llegado
a tornaros mejores".
　　Él, pensativo, vía ensimismado
Jerusalén, sus flores,
adorno sin igual de la floresta,
cual vestido de fiesta,
el sol en lo más alto de los cielos.
Contempló tristemente
después, tantos y tantas
tapices a sus plantas,
coronas en su frente;
las mujeres cantando,
los hombres acudiendo...
　　Y allí entonces fue cuando
exclamó entristecido, sonriendo
—"¡Presto voy a la muerte caminando!..."

FRAGMENTO

(DE FRANCIS VIELÉ-GRIFFIN)

　　La puerta está cerrada;
y más allá de los claveteados de fierro,
es que otro canta su aire,
es que otro coge sus rosas.
—La puerta está cerrada
con una barra de fierro.
　　... Yo enseño con un claustro
de capiteles de San Trofino
en donde mirar, un día entero, las sombras crecer
y deslizarse, como lentos monjes negros,
desde el alba de junio y hasta por la tarde,
—de laudes a prima,
de sexta a nona—,
alrededor de las columnatas,
y confundirse, en el crepúsculo,
con las horas que suenan

graves y mudas
en el crepúsculo monótono...
    O, sobre el muro,
trazaré rectas y curvas
al azar, casi (como en sueños se murmuran
palabras que nadie aprende):
paciente, a veces, hasta la minucia;
o, con pesada mano y a gruesos rasgos,
brutalmente;
a mi solo gusto y por mí solo; distraído
en soñar a Dios en el fondo del firmamento.
    Lejos de la voz y del orgullo de los hombres;
sin la prisa de vivir que mancha y profana;
sin malos gozos de alma;
sin que se me nombre;
solo, como antes y siempre y todavía
—como duerme un poco de bronce
entre las piedras que liga:
fuerte alma de columnatas de finiano vuelo,
insospechable y fuerte—,
encorvaré como un sarmiento de bronce
mi secreta energía.
    ¡El alba vendrá y la hora, inesperadas;
el día huirá sin palabras locas, en fiesta!
Aun ese poco de odio que se enrojece en los pómulos
cuando grita a las hojas que se estrujan
un cuento de vergüenza;
aun ese poco de amor que se emperla en los párpados
como una angustia,
cuando canta a las viejas hojas la voz de los días viles;
el esfuerzo que crispa un puño ante el acto entrevisto;
la maldición a los labios entreabiertos;
el grito improferido; la voz que responde: ¡Cierto!
y pasa
cuando el pensamiento altivo ha negado y desdeñado;
la máscara de una sonrisa sobre el labio que sangra,
nada será de todo eso, ¡alma mía!
Blanco de silencio y de soledad,
el claustro hará frente a los cuatro fuegos del cielo;
la vida se mezclará al azur, como un ala
con un poco de humo...
Y la piedra será ruda,
el aire perfumado...
    ... Quizá, también, un claustro fabuloso
alzado en el océano;

un claustro de pesados pilares de granito azul,
de columnatas de negro basalto,
brotado de la mar hiberiana
como la Calzada de los Gigantes;
una sombra donde hacer alto;
una soledad aérea
donde, según el cielo sombrío o claro,
se remiraría el mar;
cinabrio, o azul de rey, o mordoré,
con velas sembradas como las nubes...
Mirando el cielo, se revería el mar
todavía, y sus claros faros verdes,
de noche, sembrados como estrellas...
      O, sobre el muro,
    —así que viene del Cielo—
trazaré, con mano firme, a Miguel, en efigie,
Miguel el Arcángel:
alma fuerte de las secretas energías.
El rasgo dirá, según su curva pura:
"Miguel, cuando te has elevado sobre el abismo
con tu lanza de oro y tus ojos de sol,
¿qué ira te poseyó, y cuál fue, pues, el crimen
que hizo que te velaras con tus alas bermejas
antes del brote súbito de su vasta largura
que pasa como un meteoro sobre los soles,
y sobre la noche como un vuelo de cisne?"
El trazado amoroso de las líneas
dirá todavía, como un poema:
"Boca bella como la voz de los Serafines,
labios puros y castos que Dios hizo de un beso,
¿cuál fue, pues, la blasfemia suprema
que os ha estrujado de un grito y os ha plegado
con una arruga de desdén?
    "¿Ha amado en orgullo mudo
cen el rumor de Dios?
¿Huye la sombra de su claridad?
¡Qué importa: tú eres radioso!
La lucha te arma de una belleza
que rescata tal crimen sin nombre;
me levanto a tu lado,
a la sombra de tu pendón.
¿Qué importan las vergüenzas resurgidas
como las hierbas cuando el viento ha pasado?
Tú embriagas mi pensamiento,
Arcángel de las energías.

La belleza es en sí, y sin más objeto
que ella misma, eternamente,
como el fruto del amor es él mismo,
y el gozo que en sí lo lleva
es tal que es solo en el mundo.
¡Oh claustros, que se derrumben vuestras puertas!
La soledad está en vosotros,
en el fondo de la vida profunda:
la soledad infinita
de la eterna Unidad
a que tienden el amor y el genio
como espejos a su belleza...
    "La victoria está en tu diestra,
Miguel, como tu lanza bermeja;
el porvenir idéntico espejea
sobre tus alas llenas de sol por él.
Tu pie estable, hollando lo impuro,
es el equilibrio gozoso.
Tu estatura de oro sobre el azur
traza el orden armonioso;
y si he comprendido tu faz,
Miguel, y tu gesto y tus alas,
puedo reír a la vida que pasa,
y sonreír, y llamarla bella,
¡todavía!
—Si he comprendido tu faz
y el reflejo de Dios en ella..."

(Julio de 1898)

LOS CUATRO DÍAS DE ELCIIS *

(Traducción de una parte del poema de este
título, contenida en La Leyenda de los
Siglos, *de Víctor Hugo).*

I

Verona aún recuerda a aquel glorioso anciano
que hablaba, grave y solo, con un solemne porte,
ante su emperador Otón, el soberano,
príncipe oblicuo que estableció su corte
en medio de la plaza pública... En los peldaños
de su trono le hacían vasallaje rendido
doce reyes, cargados de laureles y de años...

---

*Las partes I, III, V y VII fueron traducidas por Andrés González Blanco, en 1924. El resto
(II, IV y VI) es traducción de Rubén Darío.

Emperador de toda la Alemania, erigido
en rey de Arlés, aquel augusto Otón Tercero,
estando cierto día en el rigor postrero
de grave enfermedad, mandó encender un cirio
a la Virgen, en voto solemne prometiendo
que, si un día librábase de aquel crüel martirio,
él, monarca temido, César omnipotente,
se pasaría días y más días oyendo
lo que quisiera hablar cualquier impertinente,
aunque, ante doce reyes y la guardia romana,
aquel hombre le hablase durante una semana...

Iba a entrar en su casa un viandante cualquiera...
Era en un bello día de tibia primavera...
El transeúnte fue conducido ante el trono.
Un sacerdote hízole saber, en grave tono,
el voto de aquel rey de Arlés, y luego dijo:
"Ahora puedes ladrar cuanto tú quieras, hijo..."

Entonces, como Esdras ante Saúl un día,
y Job ante el Abismo, y Pedro ante Nerón,
el hombre habló, incansable, ante el trono de Otón,
que era sublime, de una sublimidad sombría...
Rodeaban el trono augusto cien arqueros;
ni uno de ellos movía siquiera los aceros;
los reyes eran sordos, mudo el emperador...
Ante ellos se veía una mesa servida
—una mesa adecuada para tan gran señor—
con todo lo que puede saciar los apetitos
de los magnates, de los felices de esta vida:
frutas y flores, viandas y vinos exquisitos...
En la penumbra, un tajo brilla amenazador...

El hombre era un anciano muy alto y muy erguido,
la cabeza desnuda, el aire decidido...
Al caer de la noche, a su casa volvía
luego, otra vez tornaba cuando el alba nacía...
Era como el que hablase a un tigre silencioso...
Hizo beber el cáliz hasta la hez al coloso;
y su prudencia parecía una locura...

Durante cuatro días le oyó la Corte; luego,
cuando acabó, le dijo Otón : —Basta, te ruego...

EL PRIMER DÍA

GUERREROS Y SACERDOTES

Estoy triste... ¿Por qué?... Mas ¿qué os importa,
príncipes, si vosotros sois contentos
de vuestra vida, para el placer corta
como para mí larga en sufrimientos?...
Iba a cerrar la barra de mi puerta;
y a correr los cerrojos, al momento
en que a llamarme fueron... ¿Qué queréis?
¿Para qué me llamáis?...
¿Para qué me sacáis
de este mi voluntario aislamiento?...
¿Por qué, al que callar quiere, hablar hacéis?...
Rey de Arlés, mientras quede al viejo un diente,
hacerle abrir la boca es imprudente...
Puede no ser el viejo
de la misma opinión del que la pide...
Vos tenéis un Consejo
de jóvenes que todo lo decide;
todos son muy bonitos, muy gallardos
y muy rubios, por cierto.
¿Por qué he de unirme al juvenil concierto
yo, que amo el tiempo muerto,
de las viejas costumbres la rudeza,
la dignidad de las antiguas leyes?
¿Por qué coser una tan tosca pieza
de cuero en un jubón de terciopelo?
Mis pasos son pesados y muy tardos
para marchar ante vosotros, reyes...
Si no sabéis mi nombre,
me llamo Elciis... Y soy un gentilhombre
de Pisa, que es lugar triste y severo...
No he estudiado jamás jurisprudencia
en Pavía; no tengo, pues, la ciencia
de un sapiente doctor de la Sorbona...
Postrado, pues, ante la real persona,
os confieso sincero
que no sé si la guerra es cosa buena
o cosa mala; pero, buena o mala,
hay que hacerla cual la hace el caballero
leal y audaz, jamás como el logrero...
El pueblo nos condena
si la honestidad pública propala
que hacemos una guerra traicionera,
no una guerra sin miedo y sin reproche,

sino una obscura guerra vergonzante,
propicia a escaramuzas en la noche,
comprando felonías,
pagando a los espías,
sonando más tambores que no lanzas,
sirviéndose del monje mendicante
y del judío obscuro y avariento;
la guerra de asechanzas
y de envenenamiento
de pozos y de claros manantiales...
    Los hombres de mi tiempo eran leales;
guerra franca se hacía...
Todo el árbol temblaba
cuando una sola rama se cortaba...
Si el árbol derribaban con la hoz fría,
en todo el bosque un gran temblor había...
Porque esos hombres eran sublimes leñadores...
Y los sobrevivientes,
y aquellos para quienes fuimos enterradores,
viven en la memoria de las gentes...
Los hombres de mis tiempos —otros tiempos mejores—,
ascendían del monte a los picos más altos;
iban rectos al muro y daban los asaltos;
despreciaban la noche, la red y la emboscada...
Si se les preguntaba: "¿A qué audaz compañero
lleváis para la guerra comenzada?..."
contestaban : "Guerreamos mirando al mundo entero..."
Y bajo la estameña o el armiño real,
eran los buenos hijos de la guerra leal...
    No eran los indolentes, no eran los soñolientos;
si no había peligro, estaban descontentos;
empuñaban el hacha si soltaban la lanza,
y no se complacían, poltrones, en la holganza...
No dejaban jamás la espada enmohecida;
el reposo no era el gozo de su vida;
al volver del combate, eran sus armaduras
rojas como un manojo de granadas maduras,
y bajo su jubón, sus mujeres hallaban
las heridas sangrientas, de las cuales no hablaban...
    No querían jamás botín mal adquirido,
y ordenaban: "¡Devuélvase al vencido!..."
Nunca les parecía bastante la distancia
entre ellos y la abyecta mentira; su arrogancia
ponía un muro espeso y aislador
entre ellos y la sombra del traidor;
hablaban alto, y eran hijos de grandes razas,

II

Y sus pechos salientes
tenían el desdén de las corazas;
en su galope rápido
holgaban con soltura los estribos,
y nunca fue preciso que furrieles
llegasen a decirles: "Preparaos
para ir a conquistar nuevos laureles".
   Con menos ligereza
que un negro se acomoda
presto la pampanilla, sin pereza
ellos ceñían a su fuerte espalda
el estoque. Momentos
muy cortos dedicaban a oraciones;
a Dios, en los altares,
Credos y *Paters* daban buenamente,
así como la gente
de costumbres vulgares.
   Guerreros, no escritores,
hombres justos y honrados,
jamás se confundían embrollados
en los vanos errores
del clérigo que miente
en el nombre del cielo refulgente.
Leían con desprecio
la jerga incomprensible
del fraile legañoso
que vomita latín y escribe hexámetros.
   Corrían al combate peligroso
sonriendo de alegría;
brotaba de su casco
un soplo de epopeya, y si decía
alguien: "Aquesa espada
es de acero", la espada respondía,
de continuo desnuda:
"Y mi dueño también", siempre afilada.
   Abarcaban sus dones
hasta la humilde choza. Esas legiones
de valientes, después que las ciudades
tomaban y prendían a los reyes;
después de restaurar las potestades;
después de esas tareas
grandiosas, gigantescas,
a la vejez llegaban sin sentirlo.
Luego que envejecían,

338

aquellos hombres fieles
sólo se divertían
viendo hartarse de avena a sus corceles.
  ¡Oh! ¡Los he conocido a esos famosos!
Desde que las vibrantes culebrinas
—dogos de las murallas—
fruncían sus hocicos espantosos,
y desde que anunciando las batallas
los clarines se oían,
ellos para la lid se apercibían.
  Eran siempre curiosos, muy curiosos:
querían verlo todo de manera
que de cerca se viera;
hasta en la sepultura
hundían la cabeza con premura;
y esos hombres gigantes,
de gozo delirantes
entre la majestad, sin pena alguna
seguido hubieran a la misma Muerte
si con ellos la Muerte, cara a cara:
"¡Por aquí!", les gritara.
  ¿Queréis que os diga más? La edad presente
repugnancia me inspira,
y pésame hondamente
el círculo de males en que gira.
En tiempo antiguo y en la edad aquélla,
si una porción de búhos se acercaba,
el águila emigraba
¡voy a emigrar con ella!...
  Varones: causa lástima profunda
mirar que hasta en lo hondo
de las guaridas vuestras, por encima
de la sombra que, intensa,
proyectáis en el fondo
de los cielos augustos y elevados,
brilla la luz inmensa
de los antepasados.
  Vosotros os juzgáis fuertes leones
y tigres y panteras,
¿y leones así, como ratones,
caen en las ratoneras?
  Los pequeñueos niños, sonrïentes,
a quienes se pasea en andadores,
se mostrarían menos balbucientes
que vosotros, señores.
Dentro de vuestros ásperos, horribles,

negros y corrompidos corazones,
hay desprecios guardados
para tiempos pasados,
que con modos risibles
pretendéis desterrar.
      Temblamos por vosotros,
y ante vuestras miradas
vosotros prorrumpís en carcajadas.
Tenéis la vista opaca, y yo diría
que más opaca el alma todavía.
Fabricáis caballeros
con cadenas de bella orfebrería,
de traidores mañeros,
de pajes sodomitas, de holgazanes
y de libres truhanes:
todos los de esa casta
que se venden en pública subasta.
Donde veo el collar, busco la argolla.
¡Magnates! De amargura se deshace
mi corazón al veros,
porque siempre complace
mirar, al alma mía,
el claro sol sin nubes
y el hombre sin doblez ni felonía.
   Tenéis el apetito
ancho, el frontal estrecho;
entre esplendor y brillo
desdeñáis el derecho
y por cetro ostentáis sólo un cuchillo...
¡Oh qué tiempos! ¡Qué historia!
El valioso botín es una gloria.
Imperáis destruyendo
sin decir nunca: "Basta".
¡Pillos! Os estoy viendo
yo, con mis propios ojos,
tan manchados de muertes y crueldades,
que de vuestros hinojos
está la sangre arriba. Ebrios de siempre,
bebéis cerveza, bebéis sangre y vinos,
y no obstante, cobardes asesinos,
gustáis un cierto lujo que os relaja,
que os enerva y rebaja;
la voluntad, que mina la fiereza,
tórnase fácilmente carne blanda
y luego se afemina en su tibieza.

En nuestro altivo oficio, todo ahora
desciende y se aminora
y de manera tal, que una coraza
un joyero la pule con tersura;
así es que la armadura
tiene miedo. del fuego y de la maza.
    Ahora, comúnmente,
se mata por detrás. Vuestras proezas,
más altas y gloriosas, triunfalmente
estriban en robar a las mujeres
y a débiles chiquillos,
y con mañas dolosas
invadir las naciones, como pillos,
en bruscas tarascadas
de ladrona garduña;
en el ataque a aquellos enemigos
a quienes previamente habéis dormido;
en avanzar tapados,
con máscaras de amigos,
a promover alarmas:
acciones que avergüenzan a las armas
y al noble señorío;
acciones ruines, de las cuales dejo
que os jactéis cuanto plazca al albedrío.
    En cuanto a mí, ¡oh altezas!,
si yo en vuestras alturas me mirara,
digo que no aguantara
sufrir tantas bajezas.
A la hora en que la sombra
tiende su obscuro manto
en el cielo insondable,
viéndose en el abismo claras huellas,
yo me estremecería,
lleno de horror, en tanto
al mirarme tan negro y miserable,
bajo la blanca luz de las estrellas.

III

No os oculto que estoy entristecido...
¡Todo está ya borroso, todo está decaído!...
Y la misma belleza, ¡oh desventura!...
desaparece... Toda gracia humana
es la lengua toscana en la boca romana,
y se habla hoy... no sé qué jerga impura.

Rey: quien busca un lagarto, quizá encuentra un dragón;
vosotros preferís cortesano adulón
que os acaricie y ría…, mas triunfa la verdad…

IV

Sabiendo que los hombres denodados
se encuentran a las veces rodeados
de peligros, por cóleras violentas
os dejáis arrastrar. Si os desafía
Venecia frente a frente,
os acordáis de Módena. Vosotros,
reyes de voluntad omnipotente,
veis antes los lugares peligrosos.
No vais a la campaña
sin oír lo que dicen adivinos;
un astrólogo sube
o baja, a su placer, vuestras viseras,
y vais a hacer consultas
a torpes hechiceras
sobre vuestros destinos,
cómo debéis ser dinos
y al deber apegados…
Desde lejos peleáis y de manera
que os cubra la trinchera;
y luego, por tornar invulnerables
vuestros brazos, espaldas y cinturas
(que son, a mi fe, porque son vuestros,
malos para armaduras,
buenos para cabestros),
los frotáis con unturas
de óleo mágico. Príncipes:
yo quisiera saber si Carlomagno,
que, cuando de pie estaba,
a toda la Alemania, sombra daba;
si el gran Ciro, de fuerte valentía,
y el gran Atila, que hizo mil portentos,
se llenaban la piel con porquería
de esos sucios ungüentos.
¡Clientes de las sibilas!
Amigos del nocturno merodeo,
factores de celadas,
gentes muy avisadas:
mas gente esclava es ésta,
de corazón y testa.

Del imperio de antaño,
sin gran esfuerzo, hicisteis, ya lo veo,
el imperio de hogaño,
pues nada se trabaja
en rellenar de paja
el cadáver de un águila... Sucede
Davo a Alcides, Tersites a Teseo...

V

Reyes: el fraude es vil y su provecho nulo;
mentir y suicidarse es lo mismo, calculo.
El ruin es transparente:
le penetra cualquier mirada de vidente;
la traición se convierte en carne del traidor:
siente en sus huesos un desprecio corrosivo;
quien no es honrado, tiene el cuerpo al rojo vivo
por su perfidia aleve y por su mala fama,
visible para todos, cada día creciente;
y zorro se le llama,
y espanto y odio del rebaño de la gente...
Para quien tiene el alma astuta y traicionera,
la sombra y el olvido son su única bandera...
Cartago ha perecido en su sombría túnica
de mentira, de dolo, de noche, de fe púnica...
. . . .
. . . .
La cicuta en los campos crece más que el laurel...
. . . .

VI

Entre vuestra honradez y mi dinero,
yo vería gustoso a un cerrajero
labrar la puerta doble, con los cerrojos duros,
sin olvidarse el mozo
de enrejar los postigos, bien seguros.
¡Lo que es vuestra palabra,
vuestros ofrecimientos!...
Yo, primero que creer en vuestras firmas...
y en vuestros juramentos
por la Escritura Santa;
antes que en las falaces
promesas de vosotros,
creería en los rapaces
jaguares, en los linces de mil mañas

343

y en el tigre que ruge en las montañas.
Preferiría, entre
las paredes de piedra de su gruta,
del monte en la maleza,
acostarme en su vientre,
que sirviera de almohada a mi cabeza.
¡Oh! ¡Este siglo está lleno, está inundado
por una oleada inmensa de ignominia!...
    Otra úlcera hay aquí, ¡por vida mía!,
que infunde asco mostrar: la clerecía...
Ya que las desventuras
públicas os enseño;
ya que nuestras afrentas y amarguras
de mostraros soy dueño,
os diré que es afrenta que los curas
nuestros derechos borren con su empeño,
y que la Iglesia tanto haya logrado
extender su reinado.
    Allá en mi tiempo, el grande o el pequeño,
ricos o pobres, jóvenes o ancianos,
en momento oportuno
observaban vigilia, adviento, ayuno;
rogaban al buen Dios, juntas las manos
y humilladas las frentes; mas la rienda
se llevaba muy corta
a abates de prebenda;
siempre alerta con ellos, se tenía
bastante economía
en andar dando besos a su capa;
también se le temía
poco, muy poco, a Roma, y Roma, entonces,
Gran Señor, en quietud se mantenía.
    Roma, en el tiempo actual, a todo dice
"¿Cómo?" y "¿Por qué?", con humos altaneros.
Se permite también en estos días
que de las sacristías
salgan los pertigueros.
Quien con manos impuras
o manos enemigas
toque ahora a los curas,
sentirá picaduras,
cual si tocara ortigas.
    Se acabó. Paz no existe...
Ellos están en todos los lugares,
¿Quiere cortarse acaso por ridículo

de algún obispo el báculo?
Pues entonces, querella.
Por críticos denuestos
a un hombre de cerquillo;
por un poco de alfalfa
que se quita a un prior; en su gamella
por ir a distraer a un capuchino
gordo y con mucha flema;
¡aquí el fuego divino!...
¡excomunión, señores, anatema!
Con el Papa a los hombros caminamos.
Si un solo hilo tocamos del enredo,
sale presto la araña.
¡Roma ganó, señores, la campaña!...
Roma es la que decide:
se le da lo que pide,
y se le tiene miedo.
Atacad al guerrero, ¡oh, cuanto os plazca!
con encono terrible;
pero a los sacerdotes
¡jamás! Es imposible.
La cueva del león infunde espanto,
y tiene algo de cólera
el nido de las águilas: en ellos
se miran los destellos
de algo fuerte y altivo,
que se defiende activo.
Señor: estoy enfermo;
atacar eso es bello y es triunfante,
porque el pico del águila es brillante,
porque es la boca del león enorme.
Siéntese que Aquilón que humilla al África,
que el huracán rugiente,
que sopla de repente
y de los cielos baja
y todo lo domina y resquebraja,
aún se agita gigante
en la riza melena
del león, y que truena
el rayo calcinante
en las garras del águila pujante.
Es soberbio el contrario.
Placen los enemigos altaneros...
Mas ir a hundir las manos
dentro los hormigueros...

345

y en las cloacas viles,
siguiendo de igual modo
a los sucios reptiles
de la baba y del lodo;
tener por adversario
al animal inmundo
que de su aplastamiento, furibundo,
se venga con su hedor... ¡esto es horrible!...
En verdad, tengo miedo
y vergüenza terrible
de acosar una larva o basilisco
que se arrastra en el fondo de una ruina,
y de tapar un hoyo
de do sale un mordisco...
   De aquí el poder e imperio
de todo monasterio
y de toda abadía,
y de los hombres negros y rapados...
sobre todos los vivos, en el día;
y el estremecimiento misterioso
del mundo que recula pavoroso.
Corromper las costumbres
entre las muchedumbres:
he ahí su tesoro.
Prostituta del oro,
Roma cambia, encarece, regatea,
y cotiza, y pregona, y alardea;
vende la absolución y la permuta:
¡constante prostituta!
El Padre Santo, digo,
no es más que un gran mendigo
que reparte indulgencias.
Los asuntos caminan,
con más o menos gracias o excelencias,
más o menos piedad, más oraciones,
más o menos fervor, por el dinero;
del que es la Santa Iglesia de ese clero
la usurera siniestra.
Roma tiene, debajo,
la podredumbre, el lodo,
y encima está la púrpura
para cubrirlo todo.
   Para ser humildoso, pobre y mínimo,
cual Jesús ordenaba
a Santiago y a Dídimo

y a Simón, sus apóstoles,
el Papa sobre el décimo
y el diezmo los obispos. Todo es tasa:
jubileos y sábados,
cirios prendidos, púlpitos
delicados, campanas,
confesión, talismanes, cofradías,
servicios de manjares;
licencia de comer carne de vaca,
licencia de comer loncha de puerco,
exorcismo, conjuros y matraca,
y lujo funeral, cuarta canónica,
y las Pascuas floridas,
las aguas bendecidas,
y los óleos santos,
y los niños perdidos,
y las niñas también arrepentidas,
los procesos monásticos,
las citas ante jueces eclesiásticos:
¡fría, en todos los sitios y lugares,
del acreedor se mira la figura!
   No desprende la Curia la mirada
de la mujer preñada;
y paga el tierno niño. ¿Estáis acaso
en prisión? Pues de paso
sabed que el prisionero no se escapa:
a través de las rejas de la cárcel
os pide una limosna el Santo Papa.
¿Fundáis un hospital? Dad veinte duros;
para todo buen hecho
hay que pagar derecho.
Nada, nada se libra de ese fisco.
Si un justo no quisiere ofrecer nada,
el Padre Santo se pondría bizco...
Diez duros porque diga
cualquier abate: "¡Bien venido seas!...";
para que ante uno lleven
una espada desnuda, pues cien duros.
Para comprar el trigo
a los turcos, derecho.
Por el derecho de pensar quien piensa,
hay que pagar dispensa.
Tanto, por ser malvado,
y tanto, por la cuota señalada
al arrepentimiento del pecado.

Y paga por entrada,
y paga por salida.
Por un bautizo, plata.
¡Y no olvidéis la anata!...
Y tanto, al monacillo
que se viste con túnica escarlata...;
tanto, por una boda, y, ¡oh Dios Santo!,
si os morís, ¡otro tanto!
¡Perversidad! Por siempre estamos viendo
una mano tendida ante nosotros.
   Cuando el padre fallece
o fallece la madre, los pequeños
dolientes salen a pedir limosna:
piden de casa en casa, entre amarguras,
para pagar a los curas...
Y esos grupos de sacros mercadantes,
sin que les cause horror tan vil costumbre,
venden, avariciosos y farsantes,
al que muere, su propia podredumbre.
Todo lo esquilma Roma:
ella, de dos acémilas que mira,
la que está buena, toma,
y la que está cansada, la retira.
Y multa a los pastores,
y quita su vellón a las ovejas,
y roba los corderos baladores.
Goza en el lecho de la tierna virgen;
del vino, en los toneles;
y en los puertos husmea, codiciosa,
la carga que conducen los bajeles;
y con gozos insanos
se engulle lo mejor de los cadáveres
antes que los gusanos...
Cristo decía: "¡Amad!", a los humanos,
y en los tiempos presentes:
"¡Pagad!", dice la Iglesia a los cristianos.
El cielo es del que paga muy cumplido,
¡es de aquel que lo arrienda!
y hallará en sus regiones mejor tienda
el que abajo más oro haya tenido.
"¡Atrás el pobre harapo!"
"¡Paso al manto de oro!": esa leyenda
Roma escribirla quiso
en la puerta del Santo Paraíso.

La cátedra de Pedro, cual ninguna
sublime en otras épocas mejores,
algo como tribuna
sagrada del abismo,
cuyo dosel gigante se veía
entre mil misteriosos esplendores
y hundirse parecía
en la estrellada inmensidad del cielo,
hoy es la negra y lúgubre morada,
almacén tenebroso
do el bien y el mal, el cántico y la misa,
y lo cierto y lo falso y lo dudoso,
y la noche y el día que se enciende,
y la sombra y el viento y lo bendito,
los ángeles de Dios y el infinito,
y la tumba también, ¡todo se vende!...
  El peor bandido encuentra un sacerdote
que le dé absolución cuando en ducados
lleva en la faltriquera
el valor de sus crímenes pasados;
el peor bandido echa, muy ufano,
a sus bolsillos mano,
y "¿Cuánto vale Dios?", pregunta al Papa...
¿Sois algún vagabundo de solapa?...
¿Salteador de caminos?...
¿Acaso un asesino entre asesinos?
Eso no vale nada,
porque la clerecía,
que está bien enterada
de lo que es simonía,
cierne vuestras acciones
con un tamiz odioso,
y rumiando oraciones,
del pecado os eximen.
y os dicen "Idos quietos,
que ya está perdonado vuestro crimen..."
. . . .
  Triste cosa es sufrir las bendiciones
de tamaños bribones.
Reyes: si yo tuviera
alguna de esas vagas indulgencias,
le diría a mi perro,
para quitar las manchas,
que primero lamiera
el perdón, luego el yerro...

Mas vosotros no sois de esa manera,
ni sois escrupulosos.
Como queréis que os brinde
Dios su ayuda en nocturnas fechorías
y en las encrucijadas;

VII

como la ponzoñosa víbora proporciona
al tigre su veneno,
vosotros tenéis cerca a algún clérigo obsceno
que, llevando rapada su corona
y mostrándose bueno,
sin más distingos os absoluciona;
os aconseja en vuestras artimañas,
os disculpa en latín vuestras torpes hazañas,
bendice vuestras abominaciones,
canta infames *Tedeums* sobre vuestras traiciones.
Sufre la razón pública de esta deformidad...:
¡Caifás y Busirís en solidaridad!...
¿Dónde está la mentira? ¿Dónde está la verdad?
¿Quién tiene la razón? ¿El hombre leal y honrado?...
¡Muera el derecho! ¡Viva el más fuerte y osado!...
El cielo tiene el rayo y el sacerdote el prisma...
La verdad balbucea y escupe el vil sofisma...
La probidad no es más que una confusa argucia...
Se quiere protestar, vivir, ser un sincero;
pero no se consigue, enredado en la astucia
que en torno vuestro teje, mosconeando, el clero...
Al fondo del gaznate se tiene atragantado
al sacerdote obscuro, de rostro rasurado...
Y si quiere gritar nuestra conciencia humana
o hablar alto, se tiene a la Iglesia Romana
en calidad de enorme, monstruosa pituitaria...
   ¡Oh!... El cielo muy abierto, la gratuita plegaria
el sacerdote pobre,
que distinguir no sabe, en su triste desdoro,
la moneda de cobre
de la moneda de oro...;
el altar venerable, que no cobra el peaje;
el Evangelio puro, que la moneda ignora,
¡era una cosa, bella, grande y consoladora,
y tan sublime como los astros o el celaje!...
¡Así antaño, en los tiempos en que éramos audaces,
resueltos y tenaces,

y en que íbamos cantando alegre y libremente
por la altiva montaña!...
¿Es que ya terminó definitivamente
todo esto en el fastidio enorme que nos daña?...
¿Es que ya no verán jamás los corazones,
henchidos de bondad, esta belleza:
"¿Dar Dios por nada, sin retribuciones"?...
Roma tan sólo tiene una tristeza...
Es que la bestia se escapa
a la sombra monstruosa de su capa;
que el animal es libre, de su poder celoso;
que fuera de las garras del fisco danza el oso;
que los lobos respiran el aire, sin que pueda,
desde tiempos de Evandro, convertirlo en moneda.
El sacerdote tiene la impresión dolorosa
de que le roba Dios alguna cosa
al no entregarle la Naturaleza,
cual si dijese con su sutileza:
"¡Márchate al fondo de la selva umbrosa!..."
¡Hace mal Dios!... El sol da un mal ejemplo:
no reserva sus rayos para el templo;
enrojece, con púrpura y topacio,
los techos laicos, grandes y menudos;
las casas, las cabañas, el palacio,
a los magnates como a los desnudos...
¡Cómo puede ser esto!... ¿Ha de ser libre
la briznita de hierba que florece
entre las hendiduras de las losas?...
Y en las enredaderas caprichosas,
la hiedra, que, al trepar, cobija el grano,
¿puede crecer, y realmente crece,
sin pagar su derecho diocesano?...
¡Cómo!... Desde que el Etna, gigante soberano,
ha encendido su horno, ¿no ha pagado gabela?...
¡Cómo!... ¿Brilla el relámpago, sin dejar más que estela,
sin dar nada en dinero?
¿Puede brillar, lucir, irradiar el lucero
sin que, al fin, se le pueda presentar la factura?...
El Papa habla con Dios, a veces, mano a mano,
y hasta le lanza alguna reprimenda bien dura...
¡Lástima que no pueda coger de la cintura
al lirio de los campos, y decirle al oído:
"¡Una limosna, hermano,
para el culto cristiano!.."
¡Cómo!... ¿El oleaje puede, surgiendo embravecido,

351

brotando de los negros abismos insondables,
cubrir enormidad de playas formidables,
y la espuma igual puede subir hasta la altura
sin que caiga ni un céntimo en la mano de un cura?...
¡Si el clérigo pudiese echar la cerradura
a la vida y quitársela a Dios, que es su adversario!...
¡Qué *Hossana* lanzaría entre su Antifonario
el día en que crease un impuesto crecido
para las flores, para las zarzas, para el nido!...
¡El día en que pudiese imponer un tributo
sobre el uso que hace de sus ejes el polo,
quitarle su caverna al león triste y solo,
y gravar la guarida siniestra de otro bruto!...
Vísperas, Salmos, Viático,
vírgenes que se cuelgan a proa en la galera,
la virtud del cristiano, la libertad primera
del judío o cismático,
todo está en venta; todo en verdad corresponde
a una tarifa que se crea sabe Dios dónde...
. . . .
. . . .
    ¡Y la necesidad desesperada
de odiosas artimañas, que ha creado
esta subasta pública de la cosa sagrada!
¡Y estos saqueos, que hemos presenciado,
en que Roma reparte sus raciones!...
¡Y estos asaltos y estas extorsiones
de herencias que se intenta dividir de un hachazo
cuando no las defiende el fuerte brazo
de un jefe decidido!...
¡Y estas rebuscas, que hemos consentido,
de los picos de cuervos en los vientres abiertos
— los vientres destrozados de los muertos —,
y estas guerras tan llenas de ruindad,
en que no osando herir al hombre fuerte
— el del brazo que empuña la lanza que da muerte —,
la cobardía acude a la debilidad!...
Cuando se está en presencia de varones
que son en una inmensa mayoría
bandidos bien hinchados, de necia altanería,
erguidos sobre viejos torreones,
dueños de cualquier plaza a otros usurpada;
que el territorio propio se ensanche con la espada,
jugando no al sutil, sino al más bravo,
no está bien hecho. Pero, al fin y al cabo,
golpe por golpe, el hierro cruza el hierro,

todo entre la panoplia y la coraza,
guantes de acero en un puño de fierro:
vástagos de una belicosa raza,
de visera feroz y ceño adusto,
el guerrear entre ellos siempre es justo.
¡Al combate!... Podemos mirarnos frente a frente...
Pero atacar al débil e impotente,
y hacer algún legado
a un ladino prelado
con bienes de una viuda infortunada
o de algún huerfanito pobre y desamparado,
y con desdén de leyes divinas y cristianas,
despojar a las míseras ancianas
para dotar a curas marrulleros
y a frailes rezanderos
de antífonas, que, orondos y felices,
enternecidos por el vino añejo,
os dicen: "¡Ayunad!...", y os dan consejo
de abstinencia, entretanto que ellos comen perdices;
saquear los ahorros a una vieja,
o despojar a un niño, que, en zumbido de abeja,
se ríe al ver entrar los torvos asesinos;
robar fincas y campos por métodos divinos...;
¡yo digo que es horrible,
y que es una vergüenza ineludible,
que dura mientras vive,
así el que distribuye como el que lo recibe!...
El asesino roba, y rescata el perdón...
Roma es un campo, y tiene al cura por cardón...
¡Que el asno de Jesús venga y que se lo coma!...
¡Oh los clérigos, viles servidores de Roma,
que tienen tras de sí la duda y la perfidia,
falsos, enmascarados, saturados de envidia,
tratando de endulzar el fondo de aquel vaso
donde el Demonio ríe con muecas de payaso!...
¡Oh traidores del cielo, a quienes da estipendio,
buen hogar, buena mesa, su triste vilipendio!...
¡Oh estos ladrones, estos miserables ladrones
de lo sagrado!... ¡Caigan sobre ellos maldiciones!...
¡Oh! ¡Cuánto más al franco ladrón vulgar estimo!...
De atentados feroces salvaje cenobita,
tiene por antro y claustro la negra sombra; habita
los desiertos enormes, áridos y desnudos,
y los tejares cóncavos a manera de embudos,
y la trasera de los muros derrumbados,
y los recodas de palacios no habitados

353

donde en la noche, entre las piedras apiladas,
se oye el fugaz y brusco choque de las espadas...
Este bandido tiene sangre impresa en la frente,
pero no tiene afeites; es acre y repelente,
pero no es un hipócrita ni es un santurrón,
¡no se pone un roquete a la espalda el bribón!
¡Al menos se ha jugado la piel este ladrón!
El Señor es la garra, y el clérigo es el diente...
Gracias a todo esto y a la crápula ambiente,
el horror se ha instalado en las torres feudales...
¡Ah, crímenes y lutos, banquetes, saturnales,
escándalos, mujeres, clérigos infernales!...
¡Risa y terror, mezclando sus fúnebres clamores!
¡Hoy nos estremecemos al ver esas moradas,
tan gloriosas antaño, en los tiempos mejores,
cuando como las viejas águilas fatigadas,
o como los halcones antiguos de la guerra,
por las brechas que hicieron las heroicas espadas,
clavamos estos ojos, que ha de comer la tierra,
en la negrura lúgubre de torres almenadas!...

(El sol ya declinaba en el lejano Oriente...
Con sus lanzas agudas,
los soldados echaban a la apiñada gente
al fondo de las tristes callejuelas cuestudas...
Los sacerdotes, junto al trono, alineados,
cuchicheaban unos con otros embobados:
"Tengo hambre", dijo Elciis, con tono aterrador
y doliente... "Comed", clamó el Emperador...)

"EL BANQUILLO"

(De Víctor Hugo)

El hombre

Bajo mi pie la tierra es de granito,
los arroyos de sólido cristal,
y la horrorosa sangre se congela
a los besos del ábrego glacial.
Árbol gigante, de cabeza cana,
que en la espesura gimes de dolor,
de cuyas hojas caen límpidas gotas,
llanto de tu aterido corazón;
voy a lanzar sobre tu frente el rayo,
el rayo de mi cólera mortal,
y a desgajar tus ramas amarillas
para encender la lumbre de mi hogar.

El árbol

Tronco nacido de la tierra fría,
doy al mundo mi savia y mi calor
es la hermosa misión que me dio el cielo.
¡Hiere, buen leñador!...

El hombre

Árbol de fresca y perfumada sombra,
confidente del aura matinal,
adonde viene a preludiar sus trovas,
poeta de las selvas, el zorzal.
    ¿Quieres servir a rústicas labores?
¿Quieres la esteva de mi arado ser
para abrir ancho surco en la llanura
donde germine la dorada mies?

El árbol

¡Oh, sí! A lo largo de la tierra inculta
mi reja la honda huella grabará,
como del genio en la cerviz altiva
arrugas deja el pensamiento audaz.
    Y con el riego del sudor del hombre,
en vez de sangre de fraterna lid,
surja la dulce paz de ojos de cielo,
la espiga de oro y la robusta vid.
    Yo sufriré los golpes de tu brazo
sin exhalar un grito de dolor:
santo heroísmo es el trabajo honrado.
¡Hiere, buen leñador!...

El hombre

Árbol frondoso, a cuyo pie despliega
el arroyo su alfombra de cristal,
¿quieres ser el horcón de mi cabaña,
la sólida columna de mi hogar?

El árbol

Yo, que di asilo al fugitivo ciervo,
al tigre hambriento, al áspid matador,
¿por qué no lo he de dar al hombre errante
y ser mudo testigo de su amor?
    ¡Hiere, buen carpintero, el tronco añoso
que no pudo tronchar el huracán!...
Venga el anciano, la mujer y el niño;
yo sostendré la choza paternal.

355

El hombre

Quiero cruzar el piélago profundo,
nuevo horizonte a mis afanes dar;
otra brisa, otro cielo y otro mundo
me esperan en la vasta inmensidad.

Te arrastraré hasta la húmeda ribera
que acarician las olas en tropel;
diré adiós al hogar y a la familia
y el mástil tú serás de mi bajel.

El árbol

Un ave que durmió sobre mis ramas,
fatigada de tanto caminar,
me dijo que venía de otros climas
donde la primavera es inmortal...

Y un ave pasajera vino un día
en mi más alta rama a descansar
le hablé con el lenguaje de las hojas,
y me contó su viaje por el mar;

de la esposa del sol me dijo que era
el ondulante ceñidor azul,
en que las olas son las blancas perlas
y las espumas el liviano tul.

¡Cuántas veces miré el águila errante
navegando entre mares de arrebol!
¡Hiere, buen calafate, que ambiciono
otro mundo, otro cielo y otro sol!

El hombre

Derribaré tu corpulento tronco,
y el poste del patíbulo serás,
donde, implacable, la justicia humana
se alce sobre sangriento pedestal.

El árbol

¡El poste del patíbulo!... ¡Silencio!...
¡Aparta, aparta el hacha, hombre feroz!
Se estremecen mis hojas a tu acento:
¡yo no nací para insultar a Dios!

De mis ramas colgó su nido el ave;
fruto maduro al hombre regalé;
le di sombra en las horas del estío,
cuando apagaba el manantial su sed.

¿Por qué quieres colgar frutos de muerte,
despojos de la víctima infeliz?
¡Que antes consuma mi ramaje el rayo,
o el huracán me arranque de raíz!...
    Al árbol misterioso de la selva,
con quien conversa el viento en baja voz,
¿queréis confiar secretos de venganzas,
terribles cual la cólera de Dios?

"HUYÓ EL DÍA"

(Poema de Longfellow).

    Huyó el día, y de las negras alas
de la lóbrega noche cae la bruma,
cual del ala de un águila gigante
        la desprendida pluma...
    Rielar miro las luces de la aldea
al través de la lluvia y la neblina,
y una tristeza irresistible y vaga
        mi espíritu domina.
    Tristeza indefinible, que no trae
angustia al corazón, y solamente
se asemeja al dolor lo que a la lluvia
        la neblina silente...
    Ven: léeme algunas plácidas endechas,
alguna tierna y lánguida elegía,
que brinde paz a mi ánimo y conjure
        los afanes del día.
    Nada de aquellos bardos majestuosos
de cuya épica voz, que el mundo aclama,
los resonantes ecos aún fatigan
        la trompa de la Fama.
    ¡No! Que sus notas, cual clamor guerrero,
de nuestra vida el batallar impío
en la mente despiertan, y esta noche
        sólo el descanso ansío.
    Oiga yo el arrullar del vate humilde,
cuyo sentido y melodioso canto
fácil brote del alma, como brota
        de los ojos el llanto...;
    quien, al través de días angustiosos
y de eterna inquietud noches sombrías,
en lo hondo de su ser escuchó el eco
        de extrañas armonías.
    Tales acordes, con su blando influjo,
la huella borran del afán diario;

357

son cual la bendlción al concluirse
      las preces del santuario.
   Léeme, pues, de algún libro una poesía
de infinita ternura y sentimiento,
y añada, encanto al ritmo del poeta
      la magia de tu acento;
   que así la noche, en música trocada,
los cuidados del día hará que, esquivos,
plegando, cual los árabes, sus tiendas,
      se alejen fugitivos.

A AUGUSTA

(DE BYRON)

   Nublan tinieblas lóbregas el mundo;
su luz apaga la razón sombría,
y la esperanza un rayo moribundo
vierte en falsa vereda y me extravía.
   Cayó la noche sobre el alma, y cuando
lucha funesta el corazón me parte,
mi maldecido afecto desdeñado,
el débil duda, el egoísta parte.
   Huyó la suerte, y el amor con ella;
su dardo asesta sobre mí la ira;
sólo en ti veo la propicia estrella
que sin ocaso en mi horizonte gira.
   ¡Bendiga Dios tu inmaculada lumbre
que, cual de un ángel la mirada pura,
constante brilla en la celeste cumbre
entre mis ojos y la noche obscura!
   Cuando con turbios pliegues de vapores
velan tu resplandor pálidas nieblas,
más brillantes irradien tus fulgores
y vívidos desgarren las tinieblas.
   Vale siempre por mí tu alma serena
y mi odio calme o a la lid me aliente:
temo más a tu voz, que dulce suena,
que al estruendo del mundo maldiciente.
   Cual tronco inmóvil eres, que el ultraje
firme contrasta del airado viento,
y cimbrea gallardo su follaje,
que presta sombra fiel a un monumento.
   ¡Silben los euros; la borrasca zumbe;
de la tormenta en las horribles horas
tu frente, árbol amigo, no sucumbe;
y hojas marchitas sobre mí tú lloras!

Jamás el rayo vengador que acaso
ya amenaza mi sien, hiera tu frente
si alumbra a la virtud sol sin ocaso,
verás siempre ese sol resplandeciente.

Rotos los lazos todos de mi vida,
sólo tu casto afecto nadie trunca.
¡Tu corazón padece, mas no olvida;
tu pecho es tierno siempre, débil nunca!

Por mí ese pecho con amor profundo
latirá cuando a todo esté ya muerto.
¡Y mientras tú embellezcas este mundo,
no será, no, ni aun para mí, un desierto!

POESÍAS GRIEGAS

Al amigo J. Luis Vega

A LA DIOSA DE LA FUERZA

(DE ERINA)

¡Oh Fuerza luchadora, hija de Ares:
con áurea mitra tus cabellos cubres,
pujante Diosa que del alto Olimpo
vives ufana en la lumbrosa cumbre!

¡Oh Reina, salve! Sólo a ti gran fuerza
a Átropos cana concederte plugo,
e hizo regir tu poderosa mano
en el imperio universal del mundo.

A ti obedecen, como humildes siervos,
mar y tierra a tus pies encadenados;
y de nada te curas, y dominas
repúblicas doquier y reyes altos.

Y hasta el Tiempo, que alígero se escapa
y que el estambre de la vida corta,
su homenaje te rinde, y dulce aliento
lanza veloce, si al pasar te toca.

Pues la única eres tú, que a los valientes
que luchan en la guerra das la vida,
cual Démeter prolífica los campos
con su sacro poder colma de espigas.

359

EL BESO

(DE MELEAGRO)

Juntar la dulce miel de los panales
al néctar más sabroso de las viñas,
es imprimir un beso un bello joven
en la boca rosada de una niña.
   Tal, abrazado a la de hermosas crenchas
y labios de coral, grata Cleobyla,
Alexia el mancebo le da un beso,
la más tierna de todas las caricias.
   Y ésa es la miel y el vino deleitoso
de la madre de Amor, diosa Cyprina.

DE LOS AMANTES

(DE ANACREONTE)

Los potros llevan
sobre las ancas
señal que el hierro
candente marca;
   los Parthos tienen
una tïara
que les abona
ser de su patria;
   y yo distingo
los que bien aman,
por una seña
chica y extraña
que allá en el fondo
llevan, del alma.

(Febrero de 1886)

LA MONJA Y EL RUISEÑOR

(DE EUGENIO DE CASTRO)

   De los argentinos plátanos a la sombra,
la linda monja que antes fuera princesa
deja vagar sus ojos por el paisaje...
Vese el monasterio, a lo lejos, entre las hojas.
   Allá, en un balcón que domina las aguas,
las otras monjas ríen, contemplando
el polífono mar, tan agitado,
que de las olas los límpidos aljófares

360

sobre la tela de los hábitos cintilan,
dando a aquellas pobrecillas el aspecto
de reinas que se divierten en una boda.
    La princesa real que se hizo monja,
que una corona trocó por cilicios
y las fiestas por la dulce paz del claustro,
lejos de las compañeras sonrientes,
jamás a las diversiones de ellas se junta.
Cuando no duerme o reza, su vida
es vagar por el encierro,
tan ajena a sí misma, tan suspensa
cual si las nieblas de un sueño atravesase...
    La monja piensa...
                Un día, siendo novicia,
al despertar, sus claros ojos vieron
cerca de sí un ruiseñor dulcísimo
que le dijo:
             "Soy yo, el alma tuya,
que esta forma tomé para, volando,
recorrer distantes, luminosos países,
cuyos prodigios mil, y mil encantos,
vendré a contarte en las serenas noches..."
    Entonces el ruiseñor batió las alas;
pero nunca más volvió a su dueña
que, por volverle a ver, se desespera,
sufriendo tanto, que, llorosa, juzga
haber tenido quizá dos almas,
porque, huyendo la una, no sentiría
tales penas si no le quedase otra.
    Apágase el dia...
           He aquí que, al nacer la luna,
entre las aves que vuelven a sus nidos,
a la esbelta monja se acerca un ruiseñor
mirándola y remirándola, hasta que rompe
en un argentino cantar:
           "¿No me conoces?
Soy yo, tu alma... Ten paciencia
si de ti me he apartado por tanto tiempo.
¡Ah! Pero tú no calculas, amiga mía,
cuán lindas cosas he visto, qué lindas cosas
traigo que contarte..."
           La paz de la noche
se aterciopela por los tranquilos prados;
y entonces, a la monja que en transporte lánguido
parece oír allí celestes coros,

a la linda monja cuyos ojos mansos
se van cerrando en mística voluptuosidad,
el airoso ruiseñor cuenta los viajes
que hizo por las estrellas diamantinas...
    ¡Oh, qué dulce cantar! Cantar tan lindo,
que el sol nació, subió y, en fin, hundióse,
sin que la monja en su curso reparase,
toda abstraída al oír el divino canto...
¡Y el canto no termina! Y la luna blanca
de nuevo surge en el aire, de nuevo expira,
nuevamente el sol brilla y palidece,
y siempre el canto encanta a la monja.
    El canto celestial la va llevando
por divinos jardines maravillosos,
donde los pálidos ángeles sonrientes,
con aéreos vestidos de perfumes,
andan curando heridas mariposas.
    Llévala el canto por la vía láctea,
donde hay florestas blancas, todas blancas,
y donde en lagos de leche pasan cisnes
arrastrando de los serafines extáticos
las barcas de cristal llenas de lirios...
    ¡Y el ruiseñor no cesa! Cuenta; cuenta
maravillas, prodigios, esplendores...
y la linda monja, al oírlo, sueña, sueña,
sin comer ni dormir, días y días...
Muere por fin el otoño, llega el invierno,
cae nieve, el frío corta; mas la monja
sólo oye al ruiseñor... y nada siente...
    Muere el invierno, llega la primavera,
retorna el verano, y pasan meses,
pasan años, ciclones, tempestades,
¡y el ruiseñor no cesa! Canta, canta...
Y la linda monja, al oírlo, sueña, sueña...
¡Oh, que delicia aquélla! ¡Qué delicia!
    De sus compañeras queda apenas
el frío polvo en las frías sepulturas,
y el fuego destruyó todo el convento,
¡y, sin embargo, la monja no sabe nada!
Oyendo al ruiseñor, no vio el incendio
ni los dobles oyó que anunciaran
de las otras monjas la distante muerte...
    Nuevos años se extinguen...
                            Una guerra
tuvo lugar allí, muy cerca de ella,

que nada oyó ni vio, escuchando el canto:
ni el funesto estridor de las granadas,
ni los suspiros vanos de los moribundos,
ni la sangre que a sus pies iba corriendo...
    ¡Un día, al fin, el ruiseñor se calló!
De los argentinos plátanos a la sombra,
la monja despertó, süavemente,
y murió, como niño que se duerme,
mientras el ruiseñor volaba, ledo,
para el país que tanto le deslumbrara...

(1896)

EN TRINACRIA

(DE FERNAND CAUSSY)

    ¡Oh mujer!
¿Por qué te vas, sin volverte,
dejando flechas en las almas?
¿Por qué no volverte?
    Tú me verás cantar
la profundidad de las florestas de tu cabellera,
y las granadas rojas del estío,
flores de púrpura maduras,
triunfando inmarcesibles en tus labios.
Tú me verás decirte
los insomnios y las fiebres
de amor, y los delirios,
que yo ensayaría, con mis dedos entumidos,
cantarte en la lira,
pues los cantos de amor
necesitan —me han dicho— de ese gesto
que sabe hacer cantar al bárbiton agreste.
    Yo quisiera, entre los ondulosos toisones
que visten el estío,
o en las verdes ondas,
coger la flor de púrpura en el oro fino de las cosechas
o la rosada medusa entre las glaucas algas.
Pero soy joven, y eso te hace reír:
el ver que, niño aún,
te llame con una sonrisa;
yo no soy sino un niño aún.
    ¿Qué quieres? ¿Qué esperas de mí?
Demasiado joven para darte la alegría,
demasiado joven también para darte oro,

363

yo no soy sino un niño aún.
Tú me verás en las escuelas de los retóricos,
Hermágoras es mi maestro;
yo no sé todavía los filósofos.
Se les tiene por mentirosos;
yo no puedo conocerlos:
yo voy a las escuelas de los retóricos,
y no sé todavía los filósofos.
   ¡Yo no soy sino un niño aún,
y es de eso de lo que me acuso!
Yo no puedo darte oro...
Si mi padre hiciera negocios en Siracusa,
si tuviera barcos sobre el mar,
de allá en donde nace el sol de oro,
en los países de horizontes claros,
yo podría darte oro...
   Pero él es pastor, lejos de los mares,
en la isla de Trinacria.
Tú que vendes todo, aun tu carne:
él no vende nada. Y si él grita
y voces, no es cerca de los marineros
a los esclavos cuyos remos
baten las olas,
sino, en veces, cerca de las mujeres
que tejen la lana
allá abajo las grandes encinas
semejantes a las de Ménalo.
   Pero tú, bella cortesana
de rostro pálido,
¿qué quieres que te dé
más que los más secretos arcanos de mi corazón?
¿Quieres las uvas del otoño?
¿Las rubias espigas del difunto julio?
¿O bien, aún, la leche
cándida de mis cabras?
   —No; yo quiero los besos de tu labio,
joven y pueril niño;
su frescura calmará mi fiebre,
A, ti yo te daré el amor, sabiamente.

(Octubre de 1897).

LOS HUÉSPEDES

(De Jacques De Nittis)

El alma humana es el templo augusto que han formado
las razas: el universo allí vibra, resumido.
Con una instancia obscuramente querida,
hacia el hombre, el deseo de los seres evoluciona:
cada especie nueva erige al azur,
ciegamente, el gran edificio futuro;
y cada uno aumenta, con el solo hecho de su vida,
el alma del universo y la obra perseguida.
Así, pues, el templo ideal se afianzaba pesadamente
en las profundidades del suelo; pero hacia el firmamento
arrojaba, descuidado, sus sutiles campanillas
de los rosetones mostraba los encajes frágiles;
el granito atormentado llevaba con esfuerzo
los soportes en que dormía un silencio de muerte.
¡Claustros ligeros, sonrisas claras de los mármoles rosados,
corredores en donde dolores taciturnos parecen encerrados!
Se redondeaban cúpulas, pero abajo
los balaustres torcían sus enlaces locos;
puertas en los muros se abrían, como temerosas,
de donde se elevaban, esbeltas y finas, ojivas.
Y nunca acabado, el edificio diverso
ofrecía un culto a todos los dioses del universo.
Bien que ella hubiese agotado su sangre como un pulpo,
el más humilde de los obreros sobrevive en la obra,
en nuestra alma, última abierta al firmamento;
ella, que penetra con raíces vivaces
el caos infinito de los seres y de las razas.
Y en lo inconsciente de nuestras almas, a veces,
rumores lejanos que surgen de antes,
tumulto desencadenado por súbitas ráfagas,
el pueblo prisionero de las almas ancestrales
se subleva; y he aquí surgir, brutales y desnudos,
—huéspedes desmesurados, que dormían desconocidos—
los deseos, turba que no fue saciada,
en nuestra alma, tan vieja y larga como la Vida.

(Noviembre de 1897)

LA RABIOSA

(DE MAURICE ROLLINAT)

¡Quiero morder! ¡Retiraos!
¡La noche cae sobré mi memoria
y la sangre sube a mis ojos locos!
¡Ved! Mi boca, torcida y negra,
babea a través de mis cabellos rojos.
  Ya he hecho horribles hoyos
en mis dos pobres manos de marfil,
y he golpeado mi cabeza con fuertes golpes.
              ¡Quiero morder!
Calmaría mi sed en vuestros cuellos
si pudiese todavía beber.
  ¡Oh! Siento en mi mandíbula
una rabia abominable.
¡Por favor! ¡Atrás! ¡Retiraos!
              ¡Quiero morder!

                              (1903)

CRISTO

(Traducida del portugués)

  Madre, di, ¿quién es Aquel
enclavado en una cruz?
  —Hija del alma, es Jesús;
es la santa imagen de Él.
    —¿Y quién es Jesús? —Es Dios.
    —¿Y quién es Dios? —Quien nos cría:
quien hizo la luz del día
con el poder de su voz,
    y quien nos vino a enseñar
que todos somos hermanos,
que debemos ser humanos,
que nos debemos amar;
    todo Amor, todo Clemencia...
  —Y ¿murió? —¡Para mostrar
que debemos, hija, dar
por la verdad la existencia!

                              (1882)

366

CANCIÓN "MOSQUITA"

"Káker miren nene, warwar páser
yamne krouckan..."

(*AYÓN:* Historia de Nicaragua, *t. I*).

Lejos me voy de ti, querida niña.
¿Cuándo nos volveremos a encontrar,
vagando nuevamente por la orilla
del azulado, mar?
Siento que soplan, que mi sien orean
ya las auras marinas, al pasar,
y a lo lejos escucho, melancólico,
del trueno el retumbar.
La luz, arriba del lejano monte,
veo que alumbra lo que abajo está
con sus claros fulgores; pero, ¡ay duelos!,
tú a mi lado no estás.
Tengo mi corazón triste y lloroso,
y desolado vivo en mi dolor...
Tengo mi corazón lloroso y triste,
querida niña... ¡Adiós!

(Noviembre de 1884)

UN PLEITO *

1

Diz que dos gatos de Angola
en un mesón se metieron,
del cual substraer pudieron
un rico queso de bola.
Como equitativamente
no lo pudieron partir,
acordaron recurrir
a un mono muy competente;
mono de mucha conciencia
y que gran fama tenía,
porque el animal sabía
toda la jurisprudencia.
—Aquí tenéis —dijo el gato
cuando ante el mono se vio—
lo que este compadre y yo
hemos robado hace rato;

*Este poema es una paráfrasis castellana de la composición francesa. *Le Fromage,* de Antoi-ne Houdard de la Motte. Se ignora la fecha en que la escribió R. D.

y pues de los dos ladrones
es el robo, parte el queso
en mitades de igual peso
e idénticas proporciones.
    Aquel mono inteligente
observa el queso de bola
mientras menea la cola
muy filosóficamente.
    —Recurrís a mi experiencia
y el favor he de pagaros,
amigos, con demostraros
que soy mono de conciencia;
    voy a dividir el queso,
y, por hacerlo mejor,
rectificaré el error,
si hubiere, con este peso.
    Por no suscitar agravios,
saca el mono una balanza
mientras con dulce esperanza
se lame un gato los labios.
    —Haz, buen mono, lo que quieras
—dice el otro con acento
muy grave, tomando asiento
sobre sus patas traseras.

2

    Valiéndose de un cuchillo,
la bola el mono partió,
y en seguida colocó
un trozo en cada platillo;
    pero no estuvo acertado
al hacer las particiones,
y tras dos oscilaciones
se inclinó el peso hacia un lado.
    Para conseguir mejor
la proporción que buscaba
en los trozos que pesaba,
le dio un mordisco al mayor;
    pero como fue el bocado
mayor que la diferencia
que había, en la otra experiencia
se vio el mismo resultado.
    Y así, queriendo encontrar
la equidad que apetecía,
los dos trozos se comía
sin poderlos nivelar.

No se pudo contener
el gato, y prorrumpió así:
—Yo no traje el queso aquí
para vértelo comer.
    Dice el otro con furor,
mientras la cola menea:
—Dame una parte, ya sea
la mayor o la menor;
    que estoy furioso, y arguyo,
según lo que va pasando,
que, por lo nuestro mirando,
estás haciendo lo tuyo.

3

    El juez habla de este modo
a los pobres litigantes:
—Hijos, la justicia es antes
que nosotros y que todo.
    Y otra vez vuelve a pesar,
y otra vez vuelve a morder;
los gatos a padecer
y la balanza a oscilar.
    Y el mono, muy satisfecho
de su honrada profesión,
muestra su disposición
para ejercer el Derecho.
    Y cuando del queso aquél
quedan tan pocos pedazos
que apenas mueven los brazos
de la balanza en el fiel
    el mono se guarda el queso
y a los gatos les responde:
—Esto a mí me corresponde
por los gastos del proceso...

"LA ETERNIDAD"

(Paráfrasis De Byron)

¡Oh eternidad!... Si en ese nuevo mundo,
donde los astros relucientes giran,
sobrevive el amor; si no es un sueño
que el corazón responde todavía
a la noble amistad, ¡cómo en los ojos
dulzura, que no lágrimas existan!..
¡Cuán hermoso ha de ser sentir la muerte!
¡Y cuán bello ha de ser el nuevo día,
saludando con gozo esas esferas
que imperceptibles desde aquí se miran!
¡Cuán grato de la tierra alzar el vuelo,
abandonar el valle y la colina,
¡oh dulce eternidad, y las zozobras
ver con tu luz radiante confundidas!...
Y es de necesidad que así suceda.
No tiembla al borde de la tumba fría,
porque se encuentre solitario, el hombre;
no tiembla por sí mismo; de la vida
a los últimos lazos no se aferra,
porque le alienta esa ilusión amiga.
Es menester creer, ¡dulce creencia!...
en esa eternidad que se adivina;
llevar el pensamiento a esas regiones
del porvenir que escóndese a la vista;
y en ellas hallarán todos los seres
corazones que fueron su alegría,
almas que fueron almas de las suyas,
vidas que fueron de las suyas vida;
¡y apagarán su sed en una fuente,
y vivirán 'las almas siempre unidas!

ÍNDICE

EL CANTO ERRANTE

POESÍA DISPERSA

ÍNDICE